実践としての戦略

　戦略経営は多くのビジネス・スクールで中心的なテーマとして教えられている領域である。この領域が重要なものだとの認識ができてきたのは，この30年間のことであった。しかし，この30年間の研究を通じて，戦略とは，マネジャーが「行うこと」としてではなく，組織の「持っているもの」という認識が一般的となってしまった。別な言い方をするならば，実際に戦略の行いに関わる人々による，マネジメントをするための活動や組織の中で戦略を形にしていくための活動は，脇に追いやられてしまったのである。実践としての戦略は，こうした経営戦略論のトレンドを反転させるものである。その方法は，実際に組織の中で戦略を形にしていくことに関わる人々の行いの分析である。こうした研究を通じて，現実の戦略上の課題に対して洞察を提供する。そのためには，もっとミクロのレベルを理解することが必要なのである。このプラグマティックなアプローチは，戦略研究の様々な研究上の視点を統合することを促すだけでなく，マネジャーの仕事に対してもっと実効性をもった役立つ洞察を提供するであろう。

ゲリー・ジョンソン（Gerry Johnson）は，ランカスター大学マネジメント・スクールにおけるサー・ローランド・スミス講座の戦略経営論担当教授である。

アン・ラングレィ（Ann Langley）は，HECモントリオールにおける戦略経営，および，リサーチ・メソッドの教授である。

レイフ・メリン（Leif Melin）は，エンチェピング大学エンチェピング・インターナショナル・ビジネス・スクールにおける戦略と組織の教授である。

リチャード・ウィッティントン（Richard Whittington）は，オクスフォード大学サイードビジネス・スクールにおける戦略経営の教授である。

実践としての戦略

―新たなパースペクティブの展開―

ゲリー・ジョンソン
アン・ラングレィ
レイフ・メリン
リチャード・ウィッティントン
著

高橋正泰
監訳

宇田川元一
高井俊次
間嶋　崇
歌代　豊
訳

文眞堂

STRATEGY AS PRACTICE
by
Gerry Johnson, Ann Langley, Leif Melin, Richard Whittington
Japanese translation rights arranged with
the Syndicate of the Press of the University of Cambridge, England
through Tuttle-Mori Agency, Inc., Tokyo

日本語版への序文

　実践としての戦略（SAP）は，戦略論研究で地位を確立しているプロセス研究を足がかりとした研究である。これまでプロセス研究は戦略の開発におけるマネジャーの役割について研究を展開してきた。ヘンリー・ミンツバーグ（Henry Mintzberg）が1970年代に展開した戦略の創発に関する研究や，アンドリュー・ペティグリューの事例分析研究，あるいは本書の著者の何人かが1980年代に行った研究が戦略プロセス研究の例である。しかし，このプロセス研究の伝統は2000年代初頭に後に実践としての戦略のムーヴメントとなった研究によって新たな展開を迎えることになる。重要な出来事は，European Institute for Advanced Studies in Managementの支援で，2001年にブリュッセルで開催された国際会議である。ここには世界各国から50名以上の研究者が参加した。この国際会議からはJournal of Management Studies誌の特集号（Johnson, Melin and Whittington, 2003）にいくつもの有力な論文が生み出された。そして，この時に実践としての戦略が「離陸」したのである。

　実践としての戦略のムーヴメントは，過去のプロセス研究の伝統に2つの重要な要素を付加している。ひとつは，マネジャーの戦略を創る活動（strategy-making activity）に対して，これまでよりもずっと密に関わって研究を行う点である。マネジャーにインタビューを実施して戦略の長期的な進化について振り返ってもらうのではなく，実践としての戦略の研究者は実際の戦略を創る場を直接的に，リアルタイムで観察することをよしとする。その方法として，参与観察，マネジリアル・ダイアリー，ビデオ・エスノグラフィーなどの方法が用いられる。第二に，実践としての戦略のムーヴメントは，標準的なツールや物事を行う方法などの諸実践の役割に注目する。これらは戦略を創る活動を可能にすると同時に制約するものでもある。したがって，組織の戦略的な成功への関心と同様に，実践としての戦略は標準的な戦略的ツール，ディス

コース，手続き，マネジャーの様々な影響がどのように戦略の活動に入り込んでいるのかに関心がある。本書で議論するレベルで戦略を理解し，説明することは，よりオーソドックスな戦略論で示されているリサーチ・アジェンダを進歩させる上でも重要である。

実践としての戦略は，重要な社会的ムーヴメント（McAdam, McCarthy and Zald, 1996）として打ちたてられたものであり，そしてこのムーヴメントは多くの研究者を引き入れ，また重要な流れへとつながっていった。国際的なネットワーク（SAP-IN）には全世界100ヶ国以上から2000名以上のメンバーが参加している（ww.s-as-p.org）。Academy of Management（SAPインタレスト・グループがある），European Group for Organization Studies, Strategic Management Society, British Academy of Managementなどの主要学会には，研究グループが設置されている。また，Human Relations誌（Jarzabkowski et al, 2007），The Revue Francaise du Gestion誌（Rouleau et al, 2007），Long Range Planning誌（Whittington and Cailluet, 2008）ではSAPに関する特集号が組まれている。また，SAPの論文はAcademy of Management Journal誌，Organization Science誌，Organization Studies誌，Strategic Organization誌などの主要ジャーナルにも広く掲載されている。ヴァーラとウィッティントン（Vaara and Whittington, 2012)の最近のレビューによれば，過去10年の間に60以上のSAPの論文が主要ジャーナルに掲載された。さらに，本も出版されており，その中には，有力なケンブリッジ大学出版から出版されたハンドブックもある（Jarzabkowski, 2005; Golsorski et al, 2010; Heracleous and Jacobs, 2011）。

実践としての戦略のムーヴメントは，今や力強い推進力を得ている。我々の本は研究者がこの潮流をさらに推し進めるための手助けとなる材料を提供することを意図して書かれたものであり，今まさに機が熟して探求を待っている数多くの研究の方向性が挙げられている。様々な学会やジャーナル論文においても，SAPの研究の新たな可能性について，活発に議論が繰り広げられている。SAPに基盤を置いた研究者からの高まる関心が示すように，戦略は研究する対象として重要であり，また可能性に満ちたものであるのは明らかである。

我々は本書が日本の研究者にとって，さらなるインスピレーションを与え，また，手引きとなることを願っている。

　英語版を出版するにあたり，本書を作成する上での困難を乗り越えるために協力してくれた数多くの人々に感謝したい。とりわけ，数多くのSAPネットワークのメンバー，その中でも特にジュリア・バロガン，ポーラ・ジャルザブコウスキー，デヴィッド・サイドルには感謝している。また，ヒューゴ・グオとロルナ・カーローは，本書の原稿執筆段階で多くの労力を割いてくれた。また，出版社のケンブリッジ大学出版が示してくれた寛容さにも謝意を表する。

ゲリー・ジョンソン，アン・ラングレィ，レイフ・メリン，リチャード・ウィッティントン

2012年2月

Golsorkhi, D., Rouleau, L., Seidl, D., & Vaara, E. (Eds.) (2010). *Cambridge Handbook of Strategy as Practice*. Cambridge: Cambridge University Press

Heracleous, L., & Jacobs, C. D. (2011). *Crafting strategy: embodied metaphors in practice*. Cambridge: Cambridge University Press

Jarzabkowski P (2005), *Strategy as Practice*, London: Sage

Jarzabkowski, P., Balogun, J., & Seidl, D. (2007). Strategizing: The challenges of a practice perspective. *Human Relations*, 60(1), 5-27

Johnson, G., Melin, L., & Whittington, R. (2003). Guest editor's introduction. Micro strategy and strategizing: Towards an activity-based view. *Journal of Management Studies*, 40(1), 3-22

McAdam D., McCarthy J. and Zald. M. (1996), *Comparative Perspectives on Social Movements*, Cambridge: Cambridge University Press

Rouleau, L, Allard-Poesi, F., & Warnier, V. (2007). Le management stratégique en pratiques. *Revue Franßaise de Gestion*, 33(174), 15-24

Vaara E. and Whittington R. (2012), Strategy-as-Practice: Taking Social Practices Seriously, *Academy of Management Annals* (forthcoming).

Whittington, R. and Cailluet, L. (2008). The crafts of strategy: Introduction to special issue. *Long Range Planning*, 41(3), 241-247

目　　次

実践としての戦略 ·· i
日本語版への序文 ·· v
序文 ·· xiii
著者略歴 ··· xvi
謝辞 ··· xix

第Ⅰ部

第1章　実践としての戦略パースペクティブへの招待 ········· 3
　　イントロダクション ·· 3
　　実践としての戦略の必要性 ·· 8
　　研究領域を描く ·· 19
　　概念を定義する：実践とプラクシス ································ 34
　　本書の構成 ·· 36

第2章　実践的な理論 ···39
　　イントロダクション ··· 39
　　理論的方向性 ··· 41
　　理論的な材料 ··· 48
　　4つのパースペクティブから戦略計画へのアプローチ ················ 62
　　結論 ··· 66

第3章　戦略の実践を研究する ·································· 69
　　実践としての戦略にアプローチする：認識論的選択と研究戦略 ········ 71

実践として戦略を規定する：サンプリングとリサーチ・デザイン……76
　　実践としての戦略を把握すること：アクセス，データ収集，倫理……86
　　実践としての戦略を理解する：分析と理論化……………………………94
　　結論：戦略を行うことについて研究する ……………………………101

第Ⅱ部　事例研究

第4章　構造化への契機としての技術 …………………………… 105
　　―CTスキャナーがもたらす放射線科の社会構造への影響― …107
　　ステファン・R. バーリィ

第5章　急速に変化する環境における迅速な戦略的意思決定 …132
　　キャスリーン・M. アイゼンハート

第6章　合理性の再考……………………………………………………158
　　―組織が取り組む調査や研究に隠された目的―
　　アン・ラングレィ

第7章　戦略転換の始動におけるセンスメーキングと
　　　　　センスギビング ……………………………………………183
　　デニス・A. ジョイア，クマー・チッティペディ

第8章　教育としての事業計画 ………………………………………205
　　―変化する制度フィールドにおける言語とコントロール―
　　レスリー・S. オークス，バーバラ・タウンリー，デビッド・
　　J. クーパー

第9章　生きられた経験としての戦略化と戦略の方向性を
　　　　　決定しようとする戦略担当者たちの日常の取組み …225
　　ダルビエ・サムラ＝フレデリクス

第10章　組織変革とミドルマネジャーのセンスメーキング…248

　　ジュリア・バロガン，ゲリー・ジョンソン

第11章　戦略クラフティングにおけるメタファーから実践まで…271

　　P. T. ブルギ，C. D. ジェイコブス，J. ロース

第Ⅲ部

第12章　総　括………………………………………………283

　　アン・ラングレィ，ゲリー・ジョンソン，レイフ・メリン，
　　リチャード・ウィッティントン

　総評：これまでとこれから ………………………………………… 283
　個々人の総括――見渡して，先を見て ………………………………… 287
　　アン・ラングレィ：実践としての戦略―閉ざされた分野に新し
　　　いアイデンティティを開く …………………………………… 288
　　ゲリー・ジョンソン：境界線とプラグマティックス ……………… 291
　　レイフ・メリン：戦略分野を刷新する可能性を秘めたパースペ
　　　クティブ ………………………………………………… 294
　　リチャード・ウィッティントン：あれやこれやいって，違いを
　　　生み出すのが研究 ……………………………………… 297

参考文献 ……………………………………………………… 303
訳者あとがき ………………………………………………… 322
事項索引 ……………………………………………………… 326
人名索引 ……………………………………………………… 330

図表目次

- 図1-1 戦略経営の分解図 ……………………………………………23
- 図2-1 実践としての戦略研究のための4つの理論的材料 ……………49
- 図3-1 バーリィ（Barley 1986）の〈3つの比較デザイン〉研究
  （Barley 1990: 226から再現）……………………………………85
- 図3-2 戦略の実践の調査におけるアクセスのトレード・オフ ………89

序文

　戦略が発展していく過程でどのようにマネジャーが活動しているのかについて，数名の研究者は長らく関心を持ち続けてきた。ヘンリー・ミンツバーグの1970年代の研究やアンドリュー・ペティグリューの事例研究，また，本書の著者の何名かは1980年代に同様の研究を行っている。これは今でも現役の研究テーマである。例えば，アンドリュー・ペティグリューとゲオルク・フォン・クローは1999年，2001年，2002年にEGOS（訳注：European Group for Organization Studiesの略で，欧州で最もメジャーな経営学系学会のひとつ）でのワークショップを共同で開催した。このワークショップは「戦略的に行為する，戦略的に思考する（Acting and Thinking Strategically）」と銘打たれたもので，そうした活動を研究することに研究者の関心を持ってもらうことを目指していた。EGOSでのこれらのワークショップからはいくつかの研究の潮流が始まり，そしてひとつにまとまっていった。この点については，第1章で詳しくお話することにする。

　そのうちのひとつのワークショップは，戦略家が実際には何をしているのか，すなわち，戦略化に関心を持っていた。2つ目の関心は，資源ベース論の理論家によって強調されたあるギャップを考察することにあった。すなわち，組織の競争優位性をもたらす独自能力は，いかなる活動によって支えられているのかを解明する必要性である。3つ目は，これまでも関心が持たれてきた組織内での戦略の発展プロセスに向けられている。これら3つは，組織の中の人々の活動に関心の重きを置いている点で共通している。そこで，この領野では，いったいどれほどの関心が持たれているのか，また実際に研究が行われているのかを確かめる必要があった。それを確かめるためJournal of Management Studies誌の特集号でこのテーマについての論文を募集することにした。この特集号以前に，実際の構想が出てきたのは，2001年のEIASMカンファレンス（訳注：European Institute for Advanced Studies in

Management の略称) でのこのテーマについての「研究対談会」であった。この場に，これらの潮流を代表する 50 名以上の研究者が会して，自身の研究や論点のプレゼンテーションを行った。このイベントからたくさんの論文が発展を遂げて Journal of Management Studies の特集号に掲載される道が開かれた (Johnson, Melin and Whittington 2003)。そして，ここから実践としての戦略がまさに＜離陸＞したのである。

　実践としての戦略それ自身は，重要な社会的ムーヴメントとして打ち立てられたものである (McAdam, McCarthy and Zald 1996)。そして，このムーヴメントは多くの研究者を引き入れ，また，重要な流れへとつながっていく。本書の執筆段階での www.strategy-as-practice.org のリストでは，1,000 人に及ぶ参加者がおり，また，EGOS や英国経営学会 (British Academy of Management)，戦略経営学会 (Strategic Management Society) などでもストリームを持つに至っている。実践としての戦略についての最初のモノグラフが出版され (Jarzabkowski 2005)，Human Relations 誌での特集号 (Jarzabkowski, Balogun and Seidl 2007) と Long Range Planning (Cailluet and Whittington 2007) が続いた。実践にフォーカスした研究の数は増え続けている。特にこれといった仕掛けをしていないにも関わらず，台頭しつつある実践のパースペクティブに関する研究は増加傾向にあり，そうした研究はお互いに深く関連しあっている。そうした研究の多くを本書では紹介している。戦略の実践に関する議論や論争は目に見えにくい。だが，こうした議論や論争の声は重要なものだという認識のもと，多くの研究者の間にこだましている。彼らも徐々に関心を持ち始めている。まさに，今こそこの進歩を再検討する時である。この再検討を通じて，次世代の研究にはどのような挑戦課題や可能性があるのか，また，次世代の研究の発展のために役立つ研究材料や指針を提供していきたい。これこそが本書の趣旨である。

　本書の執筆に携わった者以外に，本書中の様々な研究展開をまとめる上でお世話になった方々がいる。特に私達が最も感謝の意を表したいのは，実践としての戦略のネットワークのメンバーで協力してくれた方たちである。とりわけ，ジュリア・バロガン，ポーラ・ジャルザブコウスキー，デヴィッド・サイドル，ヒューゴ・グオ，ロルナ・カーローである。本書の原稿の準備段階で，

彼／彼女たちはかなりの労力をさいてくれた。また，大いなる寛容さを示してくれた出版社のケンブリッジ大学出版会にも感謝したい。

ジェリー・ジョンソン，アン・ラングレィ，レイフ・メリン，
リチャード・ウィッティントン

著者略歴

ゲリー・ジョンソン（Gerry Johnson）

　ランカスター大学経営大学院，Sir Roland Smith 教授（戦略経営論）。ロンドン大学ユニバーシティカレッジで文学士号（社会人類学・自然人類学）を取得後，アストン大学で PhD を取得。企業のマーケティング担当役員や経営コンサルタント，またアストン大学，マンチェスター大学ビジネススクール，クランフィールド大学マネジメントスクール，ストラスクライド経営大学院での教職を経て，現職。また，UK マネジメントリサーチ研究所（AIM）の上級研究員を兼職。

　戦略経営の実践の分野，とりわけ組織における戦略開発と戦略転換のプロセスに研究の関心を持つ。これまでに，*Academy of Management Review*，*Academy of Management Journal*，*Journal of Management Studies*，*Strategic Management Journal*，*Organization Studies*，*British Journal of Management*，*Human Relations* で論文が掲載され，また *Strategic Management Journal* ならびに *Journal of Management Studies* の編集委員を務める。さらに，ヨーロッパで最も売れている戦略経営論のテキストである『企業戦略の探究（*Exploring Corporate Strategy*）』（Prenitce Hall, 2005）の共著者でもある。

アン・ラングレィ（Ann Langley）

　モントリオール理工科大学教授（戦略経営，リサーチ・メソッド）。イギリス（オックスフォードとランカスターのそれぞれ）で学士と修士を取得し，民間企業および公的機関の双方においてアナリストとして数年勤務した後，1987年にモントリオール理工科大学で PhD を取得。2003 年から 2006 年までモントリオール理工科大学で理学修士（MSc）ならびに PhD 課程のディレクター，1985 年から 2000 年までケベック大学モントリオール校で教授（戦略

論) を歴任し，現職。

　複雑で多元的な組織，とりわけ医療機関におけるイノベーション，リーダーシップ，戦略転換を専門とする。特にプロセスリサーチメソッドに関心を持ち，それらは *Academy of Management Review* に掲載されている。また，彼女の実証的研究は，*Academy of Management Journal*，*Administrative Science Quarterly*，*Human Relations*，*Journal of Management Studies*，*Organization Studies*，*Organization Science*，*Sloan Management Review* に掲載される。また，最近は *Organization Studies* の編集委員を務めている。

レイフ・メリン (Leif Melin)
　ヨンショーピング大学国際ビジネススクール (JIBS) 教授 (戦略論，組織論)。リンショーピング大学で PhD を取得後，のちに，同大学で戦略経営教授となる。また，JIBS の CeFEO (同族企業ならびにオーナーシップに関する研究センター) を創設し，さらに JIBS で学部長と最高責任者を務めている。
　組織における戦略化と組織化の分野，とりわけ戦略転換活動におけるオーナーシップと戦略的リーダーシップの役割，そして持続的成長企業における戦略的実践に関心を持つ。彼の研究は，*Strategic Management Journal* や *Journal of Management Studies*，*Family Business Review* を含む国際的な書籍ならびに雑誌に掲載されている。現在，*Strategic Organization*，*European Management Review*，*Journal of World Business*，*Long Range Planning* の編集委員を務める。

リチャード・ウィッティントン (Richard Whittington)
　サイード・ビジネススクール，Millman フェロー，ニューカレッジ，オックスフォード大学教授 (戦略経営論)。ウォーリック大学，そしてパリ工科大学，トゥールーズ大学，ハーバード・ビジネススクールの客員研究員を歴任。
　最近の研究は，戦略的課題のマネジメントや戦略化の学習，ひとつの実践としての戦略の歴史的進化と拡散に関するプロジェクトと共に，実践としての経営戦略 (SAP) に焦点を向けている。彼の研究は，『企業戦略の探究：第 7 版』，戦略とマネジメントハンドブック (*Handbook of Strategy and Management*) と『欧州企業：戦略，構造，社会科学 (*The European*

Corporation; Strategy, Structure and Social Science)』を含む 7 冊の書籍に掲載されている。また，*Organization Studies* のシニア・エディターであり，さらに *Academy of Management Review*，*Organization Science* など数誌の編集委員を務めている。

謝辞

　本書の出版にあたり，著作物の再利用の許諾を受けるべく各方面に尽力いただいた。著作物の著者の方々，各出版社に対しここに深く感謝する次第である。下記の著作物の再利用を許可していただいた各位には，特に感謝の意を表明する。

'Technology as an Occasion for Structuring: Evidence from Observations of CT Scanners and the Social Order of Radiology Departments' by Stephen R. Barley, *Administrative Science Quarterly*, 1986, 31, 78-108.
コーネル大学ジョンソン経営大学院の許諾により抜粋作成（第2部4章に掲載）。

'Making Fast Strategic Decisions in High-Velocity Environments' by Kathleen M. Eisenhardt, *Academy of Management Journal*, 1989, 32(3), 543-576. 米国経営学会の許諾により抜粋作成（第2部第5章に掲載）。

'In Search of Rationality: The purposes behind the use of formal analysis in organizations' by Ann Langley, *Administrative Science Quarterly*, 1989, 34, 598-631. コーネル大学ジョンソン経営大学院の許諾により抜粋作成（第2部第6章に掲載）。

'Business Planning as Pedagogy: Language and Control in a Changing Institutional Field' by Leslie S. Oakes, Barbara Townley and David J. Cooper, *Administrative Science Quarterly*, 1998, 43, 257-292. コーネル大学ジョンソン経営大学院の許諾により抜粋作成（第2部第7章に掲載）。

'Sensemaking and Sensegiving in Strategic Change Initiation' by Denis A. Gioia and Kumar Chittipeddi, *Strategic Management Journal*, 1991,

12(6), 433-448. ジョン・ワイリー・アンド・サンズ社の許諾により抜粋作成（第2部第8章に掲載）。

'Organizational Restructuring and Middle Manager Sensemaking' by Julia Balogun and Gerry Johnson, *Academy of Management Journal*, 2004, 47(4), 523-549. 米国経営学会の許諾により抜粋作成（第2部第9章に掲載）。

'From Metaphor to Practice in the Crafting of Strategy' by Peter T. Burgi, Claus D. Jacobs and Johan Roos, *Journal of Management Inquiry*, 2005, 14, 1, 78-94. セイジ社の許諾により抜粋作成（第2部第10章に掲載）。

第Ⅰ部

第1章
実践としての戦略パースペクティブへの招待

イントロダクション

　戦略に関する学術誌をパラパラと見てみるだけでも，ひとつの共通した特徴が見て取れる。それは，従来の戦略論研究は，戦略を組織が持っているものとして考えてきたということだ。差別化戦略，多角化戦略，ジョイント・ベンチャー戦略など，これらの戦略は組織が持っているものであり，また，それら組織は，戦略計画プロセスや意思決定プロセス，変革プロセスといったプロセスも持っているものだと考えられてきたのである。この観点では，戦略とは組織の所有物だと理解される。だが，我々はここでは異なるパースペクティブを採ることにする。すなわち，戦略とは，人々が行う何かだと考えるのである。そして，戦略とは活動であると考えるのである。例えば，差別化戦略は人々が違ったやり方でものごとを行うことを意味するし，また，そうした中でこそ模倣が困難になってくる。戦略プロセスは人々が戦略をつくっているということも視野に入れる必要があるのである。

　戦略や戦略プロセスの研究者であれば，戦略に関して「行うこと」が重要であるとの考えには，ほぼ間違いなく同意することであろう。しかし，彼らはこの点が研究課題として取り扱うほどの重要性があるとは完全には認識していない。彼ら研究者は人々が何を行うかについて，観察されたアウトプットを踏まえた行動だと考え，また，それらを実際の活動から推測するか，もしくは，「行うこと」を計画策定や変革といった，抽象的なカテゴリー化のレベルに仕立て上げるか，そのどちらかであると見なしている。我々は人々が何を行っているのか，それ自体に直接的な関心がある。そのため，実践としての戦略は，

戦略に対して組織内の活動として基本的な関心を持っている。具体的には，組織の所有物としての戦略ではなく，むしろ，人々の相互作用に関心を持っているのである。我々の関心は，組織が全体としてどのように動いていくのかということだけでなく，そうした組織全体の動きに携わる人々が実際何を行っているのかに関心がある。このようなわけで，我々の議論は2つの点に対してフォーカスしている。この2つが，今まで研究の中で取り上げられて来なかったのが不思議ですらある。すなわち，戦略化（strategizing）が実際に行われることに人々はどのように携わっているのか，そして，彼らはどうやって戦略的な成果に影響を及ぼしているのか，の2点である。この点を真剣に受け止めることで，少なくとも4つの大きな意義が見いだせるだろう。

　第1のメリットは，人々（多くの場合はマネジャー）が実際に戦略をどのようにマネジメントしているのかについて，研究者が真正面から研究できるようになり，戦略をマネジメントする実践に真剣に向き合うことになる。この点を研究することによって，今まで議論がなされてこなかった，戦略をどうやって（how）マネジメントしたらよいのかを議論していくことになるだろう。こうした戦略の実践には，戦略を大学院に学びに来たマネジャーが直接的な関心を持つ点である。研究者も彼らマネジャーの日常の現実をより深く認識することによって，彼らが関心を寄せている戦略の実践に対して，よりよい教育ができるようになる。第2に，実践を研究することで，従来研究されてきたいくつかの重要な戦略上の課題に対し深いレベルで説明が可能になる。この点については，本章の後半部分で詳しく考察していく。従来の抽象化された戦略論研究では，これらの課題に対して表面的にしかアプローチしてこなかった。しかし，実践としての戦略は，具体的かつ詳細に課題に対して真正面から取り組むものである。第3に，実践としての戦略に対する関心は，戦略の様々な領域全体を統合するメカニズムを提供する。戦略に関連した人々の行いは，戦略論研究のすべてのテーマにまたがる問題であり，戦略論の領域の中でも，もっとマクロ・レベルの関心をもつものに対しても新しい洞察を提供する。第4の利点は，他の3つから生み出される。実践としての戦略は，豊かでワクワクさせてくれるようなリサーチ・アジェンダを提供する。こうしたリサーチ・アジェンダは研究者に様々な方向を与えてくれるとともに，従来の学術的な領域の壁を

乗り越えた研究を可能にする。また，長い間，学問の専門分野の外に置かれていた実務家と直接的な研究が可能になる。

　我々は数多くの研究上の伝統の上に，この立場を採るに至った。20世紀初頭のプラグマティズムの伝統（Mead 1934; Boydston 1970 on Dewey; James 1975-88）は，人間行動について似たような論点を有している。初期の戦略論研究の中でも，とりわけヘンリー・ミンツバーグ（Henry Mintzberg 1973）は，マネジャーが実際に何を行っているのかに重大な関心を払った研究を行った。しかし，本章の後の部分で議論をしていくが，この取り組みは，当初の「行うこと」への関心からささか乖離していった。ギデンズ（Giddens 1984）やブルデュー（Bourdieu 1990）に代表される社会科学における「実践的転回（practice turn）」も，我々の関心に有意義な視点をもたらしている。従って，実践としての戦略を支える理論的，実証的研究の基盤は十分に存在していると言える。我々は，実践としての戦略のパースペクティブが，完全にオリジナルな視点だと言うわけではない。だが，戦略論研究の領域は，人々が何を行っているのかについての関心から遠く離れてしまっている現状で，これを舞台の中心に据えたことについては，我々が独自性を主張したい点であり，また，人々が知的興奮を覚える点であることは主張しておこう。

　1970年代以降，戦略論研究の幅広い領域で，戦略や組織に関わりながら，人々が何を行っているのかに関する論点が失われていった。これ以前には，「戦略」は学術研究のテーマではなく，ビジネス・スクールで教えられていた。その当時は「経営政策（Business Policy）」として知られており，これはゼネラル・マネジャーが直面する戦略上の課題に対するバーナード（Barnard 1938）の関心に基づくものであった。そのようなわけで，ケース・スタディ・メソッドを使ったビジネス・スクールのクラスで，学生へ向けられる一般的な問いは，ある問題に直面したときにゼネラル・マネジャーとして「あなたなら何をしますか？（What would you do?）」というものであった。そして，教室内の議論といえば，「なぜ（Why?），そして，どうやって（How?）」の両方であったが，「どうやって」の方が「なぜ」よりもより多くの力点が置かれた。しかしながら，「なぜ」（戦略に対する論理的根拠）にも，「どうやって」（戦略上の課題にマネジャーは何ができるか）に対しても，学術研究上の支え

になるものはほとんどなかった。「どうやって」に限って言えば，学術的な書籍や論文はあったが，それらのほとんどは「ビジネス」や「企業」，「長期」計画策定に関するものであった。

　1970年代に至るまで「戦略」というテーマは，現在のように認知度もなかったし，研究されることもなかった。しかし，その後30年間に急激な成長を遂げている。1972年の段階では，米国経営学会（Academy of Management）のBPP（Business Policy and Planning：経営政策と計画策定）部門は，他の3大部門と比べると登録会員数は半分しかいなかった。1979年までの段階では，Academy of Management Journal，Academy of Management Review，Administrative Science Quarterly各誌に掲載された論文で，戦略がタイトルに含まれている論文はわずか6％に過ぎなかった。しかし，1991年になると，BPPはBPS（SはStrategyの意味）に改名され，OB（Organizational Behaviour：組織行動）に次ぐ規模となり，現在に至っている。また，米国経営学会の年次大会では，他のいかなる部門よりも発表の多い領域となっている（Hambrick and Chen 2005）。同時期に，Strategic Management Journal誌がマネジメント領域の学術誌の上位5位にランクインし，すべての主要なマネジメント一般に関する学術誌は，戦略論研究の論文を重点的に掲載するようになった。また，どのビジネス・スクールにも戦略論や戦略経営の教授がいるのが普通の光景と状況となっている。

　しかしながら，この間に戦略論研究の関心は，組織が＜持っているもの＞としての戦略への関心に支配されるようになり，また，様々な戦略がどのように論理的根拠があるか，その証拠を示すための研究が中心になっていった。こうして戦略論研究が「なぜ」を主に扱うように変わっていく中で，数多くの指標が開発され，それと同時に，その他の論点は失われていったのである。戦略論の議論は主として「企業」を中心として進められることになった。この「企業」には，単に具体的な分析の単位になったという以上の意味がある。「企業」にはメタファーとしての意味合いもあるのだ。例えば，戦略に関して「この企業はこのような意思決定をしている」という具合に論文では表現され，講義の中でもそうした表現を使うようになった。組織の中の人々も，その人々が何を行っているのかについての議論もどこかへ消え去ってしまったのである。戦略

は一度の意思決定で作ることができるし，結果もまた生み出せるのだと仮定する傾向が，この消滅をさらに推し進めていく。これは，戦略とは何かを研究する人々（「内容学派」）に限らず，自分自身を「プロセス学派」の一部だと考え，戦略的意思決定や戦略計画策定を研究している人々の多くにも当てはまる。戦略は一度限りの意思決定の結果であることは例外的であり，非常に複雑なプロセスの結果だという現実を我々は知っている。戦略的意思決定が組織のトップによって下されて，それが組織階層を下りながら実行されていくなどと考えるのは難しい。だが，未だに数多くの戦略に関する書籍では，そのように仮定している。さらに言うならば，経営上の意思決定における制限された合理性（Cyert and March 1963; Bromiley 2004）に対しての認知度は高い。だが，戦略はどちらかというと公式的な組織構造とシステムを通じて意思決定が下されるという見方への偏りがある。しかし，こうした見方には，そこには対人関係や政治的プロセスが点在していることがほとんど考慮されていない。他方，戦略の実践を理解するために，実践のパースペクティブを重要な基盤として捉え直してみると，戦略を具体化させていく複雑なプロセスや，そのプロセスの中での多くの組織メンバーがもつ潜在的な影響力ににわかに注目が集まってくる。公式的な組織プロセスを通じてのみ戦略が実践されているのではなく，組織メンバーのより日常的な活動の中で戦略は実践されているのだ。

戦略に関する「どうやって」の質問に再度目を向けていくこと，人々が戦略を作っていく中で現実的に直面する困難に対して古くから抱いてきた感覚を取り戻すこと，そこに我々の意図がある。これは決して，「なぜ」の質問をどこかに追いやってしまうことを意味するわけではない。我々は「戦略経営」の実践について，真剣に関心があるのだ。自分たちを今までの研究から差別化するような表現をするならば，我々が関心を寄せているのは戦略のマネジメントにおける実践としての「戦略化」（Whittington 2003）である。この中で我々が取り組むべき課題とは，マネジャーの戦略的思考を補佐することだけでなく，戦略経営の実践の向上を助けることだと考えている。

このすべてにおいて，我々は歴史から学びたいと思う。ハーバード大学経営政策コースは，かつてビジネス・スクール業界全体のモデルであった。だが，常習的な議論の誘導主義と体系化を嫌う姿勢によって，徐々に非難を浴びるこ

とになった。経営政策アプローチは，すべての主要なビジネス・スクールで取って代わられることになる。その中にはハーバードも含まれる（Greiner, Bhambri and Cummings 2003）。実践としての戦略が，学術的世界とマネジメントの世界のどちらか一方，ないし，両方に影響を与えようとするならば，現代の教育現場と研究の双方（特に研究）で今日求められている様々なシステマティックなデータと指針を提供する，健全かつ説得力のある学術的研究基盤を持っている必要がある。これこそがこの本を著す動機である。我々の目的は，実践としての戦略に関心を持つ研究者に以下を提供するためである。それらは，研究者の問題関心を深めるための概念的基礎，リサーチを設計する上での理論的・方法論的ツール，研究者に有用な既存研究の例示，それらの研究のまとめ方から導出する研究の方向性である。

　本章はこの目的に基づき，以下の節ではいくつかの点を取り上げいく。次節では，実践としての戦略の発展の背景を示すとともに，戦略論研究の他の領域にとって実践としての戦略がもつ意義を明らかにする。その上で，実践としての戦略における研究の特徴的な点を考察する。それらは，分析レベルの観点から見た多元的アプローチの必然性，研究題材として取り上げる人々，研究の従属変数，用いられている諸理論である。本章の中心部分は，既存研究と将来の研究を位置づけるフレームワークを提供し，研究の方向性を将来の研究に対して提示することにある。このフレームワークに基づき，いくつか基盤となる概念について，理解を深めるための節を最後に設けている。

実践としての戦略の必要性[1]

　Journal of Management Studies 誌の特集号の中で，本書やこの領域における研究関心が初めて以下のように定義された。「組織生活における日々の諸活動を構成し，また，戦略的な成果とも関連する詳細なプロセスと諸実践を重

---

[1] 本章の大部分は，以前 Journal of Management Studies 誌の特集号に収録された導入的論文（Johnson, Melin and Whittington 2003）に基づいて書かれている。この特集号は，実践としての戦略と呼ばれる研究の始まりである。

視する。従って，組織とそこで働く人々にとって重大な結果をもたらすもののこれまで展開されてきた多くの戦略論研究では研究されてこなかったミクロの活動に我々はフォーカスする」（Johnson, Melin and Whittington 2003: 3）。我々はこの定義に2つの理由で賛成である。第1に，「日々の活動」に対し，単に字義通りの意味以上に我々は関心がある。戦略開発に寄与する重役会議や社外戦略研修，その他の出来事で人々がよく行っていることにも関心を持っている（Hendry and Seidl 2003）。また，我々の中心的な関心事は人々の戦略に関連した行いにある。この行いのことを研究者は＜ミクロ＞として捉えている。それ故に，人々が戦略に関連した行いをするコンテキストに対しても関心を持っている。以上のような点から，我々は実践としての戦略を戦略に関連して何を人々が行っているか，そうした行いが組織と制度のコンテキストからどのように影響を受け，また影響を及ぼすのかに関心を持つ研究であると考える。

　上記の定義では，人間の行為と相互行為に中心が置かれている。そのため，我々が主流の戦略論とはどのように存在論的立場が違うのかについて，包括的な見解を示したい。戦略論研究の根本的な問題は，人間の行為が果たす役割を理解するのには適さない理論的立場に，これまでほとんどすべての研究が展開されてきたことにある。結果的に，人間の行為は，マクロ・レベルに立った経済学的・社会学的研究から導出された結果や，その考察内容から推察できる何者かでしかなかった。戦略は，何か肉体のないものとして理論化されてきたのである。「私は人々が何をしているのかではなくて，戦略に関心がある」という戦略論の同僚の発言に見られるように，極端な例すらある。実践に基づく視点は，我々に戦略と戦略化を人々の行為，行いとして見ることを求めており，人間の相互行為を中心に据える。それ故に，主流の戦略論研究とは異なる存在論的立場に立つものである。この課題点は，現在のマネジメント研究で支配的な既存理論や既存の研究方法の適切性の程度の問題などではない。もっと根本的な課題なのだ。実践を中心に据えることは，何を戦略の主題に据えるのかについて，全く異なる視点を必要とする。我々はこの点を実践のアプローチを採る上でいくつかある必須条件だと考えている。

理論的根拠

　組織の戦略に関連して人々が何を行っているのかに対するバランスをとりもどすことを繰り返し主張する背後には経済的，理論的，経験的理由がある。
　第1に，経済的視点からすると，市場はよりオープンになり，市場参入はより容易になり，資源は飛躍的に取引可能となり，情報はより迅速に入手可能になり，労働力はより移動可能性を高めている。資源ベース論（Resource-Based View: Barney 1986, 1991）は，透明性は結果的に，競争優位性を不安定化させる基本的要因になっていることを指摘する。持続的優位性が達成され，持続されるのは，優位性が組織の人々の相互作用行動の中にあるからである。これを資源ベース論の研究者は，識別困難で取引に適さない「ミクロ資産」と呼んでいる。
　さらに言うと，スピードと予期せぬ出来事とイノベーションが競争優位性を勝ち取る基盤となる，より＜ハイパー競争＞環境へのシフトもあるだろう（D'Aveni 1995; Brown and Eisenhardt 1997）。競争への素早い革新的な対応には，組織の分権化が求められる。そのため，戦略的意思決定の実施や戦略的な影響力の行使は，顧客や供給業者，あるいは，組織的なスキルに近接する人によって行われたり（Zenger and Hesterley 1997; Whittington et al.; 1999），組織のトップではなく周縁にいる人によって行われたりする（Johnson and Huff 1997; Regner 2003）。変化のスピードは高まっており，戦略の作成を単一の計画や意思決定のための明確に定義されたシステムから，より継続的なプロセスへとシフトさせる傾向を作り出している（Eisenhardt and Brown 1999）。これらはより日常的な実践に根ざしており，繰り返しになるが，組織の中のより多くの人々を巻き込むものである。こうした中で戦略をマネジメントすることには何が伴うのかを理解するためには，実際にそのコンテキストの中の組織の行為者の活動と，その行為者がどのように戦略の成果に影響を与えているかに目を向けることが必要である。
　理論的なレベルでも，戦略に関わる組織の人々が何をしているのかに対し，もっと注目していく理由が存在する。例えば，資源ベース論は，それ自身のミ

クロの前提が批判的に検討されている。プリームとバトラー (Priem and Butler 2001) は，資源の定義が概ねすべてを含んでしまっている結果，マネジャーが実践上で操作可能なものとコントロールを超えるものとを識別する上で役に立っていないと指摘する。皮肉なことに資源ベース論の実証研究の多くは，経営上の活動やその他の活動自体を脇に追いやってきた。優れた成果の根源が，企業のユニークで模倣困難な特性の中にあるという議論の根幹をなすのが，そうした活動にあるにもかかわらず，である。こうした特性が活動のパターンの形態をとっているのは間違いない。だが，そうした活動がどのような形を採っているのか，また，競争優位性の達成にどのようにそれらが貢献しているのかについては，実際には重要な点であるにもかかわらず，ほとんど実証されてこなかった。これまでに我々が言及してきた活動や諸実践の抽象的なカテゴリー分けに，そうした研究は大きく依存している。こうして見てみると，我々がフォーカスする諸実践と活動は，資源ベース論の戦略に対する視点の中心をなすだけの価値がある。

　同様の批判を受けている戦略論分野の中心になりつつある他の理論領域がある。その例として，進化論に基づいたダイナミック・ケイパビリティに関する議論が挙げられる。進化論のそもそもの起源はミクロ・レベルで生じた様々な活動がマクロ的な効果を生み出す可能性がもつ重要性にある。しかし，ダイナミック・ケイパビリティの研究者は，そうしたレベルを考察することはほとんど無い。その代わりに，彼らはもっと観察可能で，多くは文書化されている，組織のシステム化されたルーティンや＜過剰に単純化された行動的基盤＞に依拠している (Gavetti 2005)。それらは，実際のところ，それ自体は活動の＜ブラックボックス＞であり，そのバリエーションについては，よりきめ細かなレベルで理解される必要がある (Feldman and Rafaeli 2002)。

　制度派理論は＜実体としての組織の行動と，組織の公式的・集合的部分の性質と影響＞を議論の中心においている (Tolbert and Zucker 1996: 75)。いかに個々人は規範とルールの中に取り込まれているか，そして，その規範やルールの持つ効果に対して研究上の関心が向けられている。だが，規範やルールを創造する中で，個々人の果たす役割については研究上の関心から除外されている。フィリップス (Phillips, 2003) が記しているように，これは残念な

ことだ。なぜならば，社会的に構築された世界について，制度派理論研究者は，制度的行為者が制度化プロセスの中で重要な部分を担っていることを示唆しているはずだからだ。事実，バーリィとトルバート（Barley and Tolbert 1997: 94）では「＜共有された典型＞や行動についての一般化された期待や解釈をもたらした交渉の歴史を通じて，行為者は制度を創造する」と述べられており，個々人の果たす役割は大きく認識されているのである。しかし，近年に至るまで，そうした「交渉」の性質やそれらがどのように制度的な変化に影響を与えるのかについて，説得力のある説明は顕著に不足している[2]。

　同じく，人々が何を行っているのか，戦略に関連する実証研究でももっと真剣に取り組む必要性がある。例えば，企業の多角化というトピックに関して，「半世紀に及ぶ研究の結果，我々研究者は企業戦略を組み立てて実行している経営者に対し，せいぜい一時的なアドバイスしか示せなかった。100年以上の学術的研究では，多角化が収益性を高めるかどうかとか，関連型多角化は非関連型多角化より優れた成果をもたらすかどうかを判断することができなかった」(Grant 2002: 91)。実践としての戦略パースペクティブからは，これは驚くに値しない。我々は研究者によって明らかな関係性があると判断されたものが，実践の中で本当に活用されるなどということは想定できないし，すべきではないからだ。この点はだいぶ前に研究者によって指摘されている（Grant, Jammine and Thomas 1988）。すなわち，多角化研究の発展には，多角化（diversifying）の様々な活動を捉えることができるような，もっと少数のサンプルを詳細に調査することが求められている。換言するならば，自分たちの会社を多角化していくなかで人々は実際に何をしているのか，である。

　企業組織の構造に関する研究も，成果との明確な関係を見つけることに失敗した同様の例である。とりわけ，複数事業部制組織の優位性と様々な多角化戦略との適合をめぐる議論がそうである（Whittington 2002）。この場合も同様に，これらの研究は，大規模な統計分析と測定に依拠している。しかし，例えば，様々な複数事業部制組織のタイプ間のように，重要な組織構造間の違いを

2　この例外については，ジョンソンとスミスとコドリング（Johnson, Smith and Codling 2000），セオとクリード（Seo and Creed 2002），マグワイアーとハーディとローレンス（Maguire, Hardy and Lawrence 2004）を参照のこと。

識別することは出来なかった。また，現代のビジネスにおける継続的な構造の変化を取り上げるには，あまりにも静態的だった（Galunic and Eisenhardt 1994; Brown and Eisenhardt 1997）。もし組織構造がほとんど継続的な運動であるならば，組織構造を創造し，実行する中で繰り広げられる活動について，もっと優れた認識をもつ必要がある。より正確に言うならば，構造化の活動について知る必要があるのだ。

　我々は戦略プロセスとして知られている研究についても関心を持っている。表面的にはこれはおかしな事に見えるかもしれない。そもそもプロセスは人々が何をするのかに関係している。さらに言うならば，戦略プロセス研究は，これまで組織の＜ブラックボックス＞を切り開き，組織ポリティクス（Pettigrew 1977）や組織的緊張（Normann 1977）の重要性を明らかにしてきた。だが，プロセス研究は大体が1980年代と1990年代初頭に注目されたものであった。＜プロセス研究＞が組織全体を分析単位にして，そのシステムとプロセスに関心を高めて行くにつれて（Chakravathy and Doz 1992; Chakravathy and White 2002），そうしたプロセスの内側の実践は無視されていった（Brown and Duguid 2000）

　例えば，戦略計画策定は，戦略プロセス研究における中心的な関心と見なされてきた。けれども，数十年にわたって，この領域の研究は，計画策定の存在と企業の成果との間の関係を探ることに焦点が絞られており（Miller and Cardinal 1994），そうした計画策定の中に含まれる詳細な活動のほぼすべてを無視してきた。矛盾する結果が導き出されたことは驚くべきことではない。最近になって，組織における計画策定プロセスについて，より詳細に調べていくことに関心を持つ兆候がみられる（Grant 2003）（第2章では，いかに異なる理論的レンズが話題になる研究を特徴づける可能性について，戦略計画を例として取り上げる）。

　プロセス研究の伝統では，1970年代の研究は戦略的意思決定に関わる活動についての詳細な考察を提供している。例えば，バウアー（Bower 1982）による資源配分プロセスに関する長期的な事例研究や，ペティグリュー（Pettigrew 1973）による投資意思決定におけるポリティクス研究，ミンツバーグと共同研究者たちによる数多くの意思決定プロセスの臨床的な詳細な分

析が挙げられる（Mintzberg, Raisinghani and Theoret 1976）。

　いくつかの例外を除けば，戦略的意思決定の研究は，研究がより大きな「厳密性」を求めていくにしたがい，意思決定モードの分類を示すことを目指した横断的研究へと移り変わっていった（e.g. Papadakis, Lioukas and Chambers 1998; Wally and Baum 1994）。ここでは，人々が実際に何をしているのかに注目することがすっかり抜け落ちてしまった。事実，研究の簡便さの名の下に，MBAの学生を実験に使うなど，マネジャー全体を研究対象から外すことが数多く行われている（e.g. Bettenhausen and Murnighan 1985）。しかし，ここにも先に挙げたものと同様，こうした風潮にも例外はある。面白いことに，こういった例外の研究は参照されることが多く，また大きな影響力を持っている。例えばバーゲルマン（Burgelman 2002）によるインテルの戦略の進化の説明は，バウアー（Bower 1972）の研究を敷衍した研究であり，またアイゼンハート（Eisenhardt and Bourgeois 1988; Eisenhardt 1989a）による比較事例研究は，意思決定に対して，より抽象度の高い考察内容を文脈化して現実と結びつけている。しかし，これらの研究は中心的研究というよりも，未だに例外的研究にとどまっている。

　1980年代から1990年代にかけて＜プロセス領域＞の研究は，戦略に関する個々人の役割を理解するために，より厳密な基盤を探そうとしてきた。そのひとつの到達点として，経営者の認知研究（managerial cognition）がある。認知研究の根底にある論理的根拠は，個人が戦略開発の中心的役割を担っているならば，戦略上の課題に対して個人がどのように意味づけするかを理解することが重要だ，というものである。ウォルシュ（Walsh 1995），ホジキンソンとスパロー（Hodgkinson and Sparrow 2002）は，認知研究についての研究上の論点を上記の観点からうまくまとめた研究である。しかし，認知研究のかつて抱えていた課題や，現在直面している問題を検討すると，我々が実践に基づく視点を展開する意義が見えてくる。

　経営者の認知に関する初期の数多くの研究は，どのようにマネジャーが戦略的課題を理解するのかに着目していた。したがって，この研究では個人を特別視する傾向がある。しかしこれにはいくつか問題がある。第1に，個人や複数の人間が，ある観点から状況や問題を理解したとしても，彼らが行うこととそ

れがどうつながっているかを十分に説明できない。しかし，人々が不確実で複雑な世界とどのように関わるかについて，認知研究からの説明と同じくらい，「行っていること」によっても説明できることを示す強力な論拠がある（Taylor 1993）。実際は，認知と行いとは密接に関係しているのである。第2に，同研究は，戦略による世界への人々の意味づけした内容の理解に関心を持っているが，戦略が一人の人間によって開発されることは滅多にない。戦略は集団によって開発されるのである。ワイクとロバート（Weick and Roberts 1993）は，集団のセンスメーキングを理解する上で必要なこととして，集団が相互行為を繰り広げていく中で，人々が何を行っているのかを知るためには，集団の活動を理解することが不可欠であることを指摘している。事実，認知研究やセンスメーキング研究の多くは，現在では人々の実践と活動を理解することに関心を向けるようになった。この点において，認知研究は我々の関心に近づいてきているのである。

　このように，実践としての戦略に対する関心には，経済的，理論的，実証的に強力な理由がある。しかし，もっと実利的な面からの理由も存在する。主流の戦略論研究のうち，大半の組織レベルに注目した研究は，マネジャーが必要とするものからどんどんと離れて行ってしまっている危険性がある。戦略についての様々な活動により接近していこうとする我々のパースペクティブがなぜ実用性があるかというと，マネジャーは活動をマネジメントしているからだ。しかし実際には，主要な戦略に関する文献の大半は，この点に対してマネジャーに役立つ見解を示していないし，ましてや行為のための指針なども与えていない。これは重大な問題である。

発展途上にある実践としての戦略の特徴：多元的視点の必要性

　これまでの節では，戦略が研究されるようになってきた過去数十年間の流れの中で，実践としての戦略の研究の必要性を考えてきた。今後の研究の方向性を理解する上では，実践としての戦略の学説的位置づけを明らかにする必要があったからだ。実践としての戦略研究は，＜主流の＞戦略論研究として展開されてきた研究とは異なる方向性に位置している。旧来の研究課題は，企業や企

業の成果についての研究一辺倒であった。人々が戦略の開発の中で相互行為する方法の重要性に置くとなると，新たな研究上の課題として，人々や人々が使う道具，人々の諸実践，それに戦略の開発の中での人々の行いなどへとシフトする必要が出てくる。既存の戦略論研究は，分析のレベル，説明変数，理論的視点という点から見ると，比較的単一のパースペクティブで構成されてきたのが特徴的である。しかし，我々の領域では，こうした単一のパースペクティブではなく，より大きな多元性を持つ必要があると考えられる。

より多元的な分析レベル

　戦略の実践を研究するためには，これまでとは異なる分析のレベルと，そのレベル間の関係に注目する必要がある。後者は重要である。これは単に組織内で何が起きているのかを調べるために，組織レベルのプロセスへと視線を下げていくというだけの意味ではない。
　そうした組織プロセスの外側にある企業外部の広範なビジネス環境からどういった諸実践と道具が生み出されてくるのかについて，詳細に調べていくことも意味する（Molloy and Whittington 2005）。戦略計画や戦略の講習会，コンサルティング会社の諸実践といった戦略の実践は，制度化された現象として理解する必要がある。それらは組織の行為者に影響を与え，後々にはどのように組織内で戦略が開発されるのかに影響を及ぼす。組織内については，関心を集めつつある組織ルーティンに関する議論と接合させたいと考えている。これによって，ダイナミック・ケイパビリティや学習，実験，変革の研究に貢献できる。しかしながら，組織ルーティンを単に組織レベルのシステマティックな現象と見なす（フェルドマンとペントランド（Feldman and Pentland 2003）が言うところの明示的（ostensive）ルーティン）よりも，むしろ，ルーティンが実際にどのように制定されるのかという観点からの研究とみなすことが必要である（フェルドマンとペントランドの言うところのルーティンの遂行的（performative）側面）。つまり，ルーティンの公式的な側面と同様に非公式的な側面も視野に入れるということである。また，戦略的成果に影響を与える個々人の行いにも関心を持っている。したがって，我々の関心は様々なレベルに渡ることになる。しかし，人々が制度的・組織的文脈の中で行ってい

ることと,そうした行いが制度的・組織的文脈に及ぼす影響の双方への理解を重視するという関心は共通している。本章の次の節ではこの点について議論を深めていこう。

行為者の多元性

　旧来の戦略論研究の中でも,人に注目して議論が展開されてきたものもある。しかし,そうした研究が関心を持っているのは,主に経営上層部の人間,とりわけ,最高経営者に対してであった。事実,数多くの研究が,最高経営者の視点や見解をその企業の戦略的ポジションや戦略に対する論理として見なしてきた (Hambrick and Mason 1984)。あるいは,CEO こそが戦略的意思決定者であると見なしてきた。戦略プロセスに関する数多くの研究は,戦略に対するこうした見方が実態とは違うということを長きにわたって指摘してきている。すなわち,戦略開発は言われているほど個人に依存したものでもないし,ましてや小さな集団によるものでもない,という点である (Pettigrew 1973, 1985; Mintzberg et al. 1976; Johnson 1987)。戦略開発には数多くの影響力を与える行為者が存在する。ミドル・マネジャーやコンサルタント,あるいは,投資銀行の人間などである。制度派理論の教えに従えば,組織は戦略をコピーすることが分かっている。つまり,その組織の外側にいる人間や,複数の制度的境界線を越境する人によって,戦略に影響が及ぼされるのである (Greenwoood and Suddaby 2006)。戦略開発に関する創発的プロセスには,組織内だけでなく,組織外の行為者など,様々な組織に関連する行為者のレベルが含まれている。事実,非常に速い速度で変化するダイナミックなビジネス環境に対しては,経営上層部の役割は戦略を作ること自体よりも,創発してくる戦略を見つけ出していくことにより多く関わる傾向があることが明らかにされている (Brown and Eisenhardt 1998)。

　簡潔で単純化されたリサーチ・クエスチョンとリサーチ・デザインのために,こうした複雑さを避けたいという姿勢をとってきた研究者にとっては,これらすべては都合の悪いことであろう。しかし,この戦略的行為者の多元性は実践としての戦略を研究する上では受け入れられるべきものであるとここで主張しておく。このことがもたらす研究上のインプリケーションは,多様な行為

者の役割を我々は真剣に取り上げなくてはならないということ，それを行う上で有用な理論を踏まえていかなくてはならないということ，そして，そうした複雑性に取り組む研究をデザインしてかなくてはならないということである。これらの挑戦課題について，本書の様々な章で取り上げていこう。

従属変数の多元性

　単一尺度の観点から説明を試みたり，因果関係の説明変数を想定したりするやり方で組織の成果を説明する研究が孕む危険性と限界について，マーチとサットン（March and Sutton 1997）は説得力のある議論を展開している。こうした研究方法は戦略論研究に典型的である。また，マーチとサットンは「組織の成果はそのレベルを分割化して考えることができる」(698) という議論について，自らはそうした視点からの研究を展開するつもりはないものの支持する立場をとっている。我々も同意見だ。成果を生み出す構成要素をよく理解もせずに，企業全体の成果を説明しようとすることにはほとんど意味がない。成果の＜従属変数＞について，もっと広い意味での理解が求められているというのがこの議論の主旨である。この分割化の重要性を認識せずして行われる研究からの発見は，せいぜい部分的なものにすぎず，実体のないものになることは目に見えている。最悪の場合誤った結果を導き出しかねない。事実，資源ベース論や多角化，組織構造に関する研究が露呈している研究の実体のなさに関し，論争が展開されている。ある実践としての戦略パースペクティブの研究では，制度的・組織的諸実践と相互行為し，それらをイナクトする存在として人々の成果を説明（つまりは，改善に寄与）することをとりわけ重視する議論を展開している。

　このように分割化された＜従属＞変数は，例えば以下のような内容になるだろう。

- 個人レベルでは，人々には戦略的課題を理解し，戦略的意思決定に影響を及ぼす可能性があり，特定の戦略的活動における人々のスキルがある。
- 個人の重要性を認識する一方で，人々の集団とその相互行為を議論に入れ込みたいという考えもある。この立場の研究は戦略開発に関連し，様々な点に関心を持つであろう。グループ・ダイナミクスの影響，戦略的活動に

おける集合的スキル，実験のレベルやダイナミクス，集団間のパワー関係の源泉とダイナミクスなどである。
・意図された戦略であろうと実現された戦略であろうと（Mintzberg and Waters 1985），戦略の開発に対して，分析ツールや計画システム，取締役会や戦略のワークショップなどといった戦略上の出来事がどの程度，そして，どのように影響を及ぼしているのかという点も関係がある。

　結局のところ，我々の関心は，単に変数それ自体を理解することではなく，それら変数がどのように戦略的な成果に寄与しているのかを理解することが望ましい。上記で出てきた例に基づけば，計画システムの存在（あるいは不在）と組織全体の成果尺度との間の相関関係を達成しようとすることは誤りだと言わざるを得ない。しかし，計画策定に取り組んでいる行為者のスキルに関する説明変数に注目することは，戦略開発における戦略計画の役割をより深く理解することへ貢献する可能性があるだろう。

理論の多元性

　これらの事項を前提とすると，我々が関心を寄せる活動が何かを単一の理論で説明するのは難しい。決して我々が理論に関心がないと言うわけではない。そうではなくて，戦略論領域における既存の理論的伝統に支配されたくないという意味である。我々は実践と行為を上手く向き合うことの出来る理論を探し，また，それを応用しなくてはならないだろう。その過程で，果たしてその理論が単一の理論的レンズを通じて，我々の関心がある複雑性を理解出来るのかどうかを問う必要ある。これらのテーマは次章で扱うこととする。

研究領域を描く

　これまでの節では，実践としての戦略の発展の背景といくつかの重要な特徴を紹介してきた。この節では，これまでの議論に基づき，戦略とマネジメントの研究に関して，幅広く議論されているいくつかのテーマと，実践としての戦略の様々な議論がどういった関係があるのかを考えていこう。

実践としての戦略に関する議論が成熟するにつれて，研究内容も様々な方向性へと発展を見せている。例えば，プロセスへの関心（Maitlis and Lawrence 2003; Regnér 2003），道具（Jarzabkowski 2004），人々（Mantere 2005），戦略について理解をしていくための人々の相互行為の方法（Balogun and Johnson 2004），マネジャーの語りを実践として捉えたり，語りから創り出されたものとしての戦略を捉えたりするためのディスコース（Samra-Fredericks 2003）などである。この雑踏の中で，時には領域の中のひとつの部分と他の部分とのつながりを理解するのが難しくなる時がある。また，他にも可能性のある方向性がすべて失われてしまう危険性もあるだろう。

研究領域の構造

　この節では，戦略経営の研究領域の解体図を使って，戦略論の各領域間のつながりを明らかにしていく（図1-1参照）。この図を使うことにより，我々の戦略実践に対する関心がどこに位置づけられているかを検討する。これによって，この研究がもつ可能性と必要性がよりわかりやすくなるだろう。まずは簡単にこの図についての説明をしよう。縦軸は戦略に関して＜ミクロ＞レベルでの関心を持っているものと，より＜マクロ＞レベルでの関心があるものとがあることを示してある。したがって，6つのブロックが3つのレベルに分けてある。これらブロック間の関係については，ひとまずあとで議論することにしよう。これらのブロックから見ると，中間レベルが戦略経営領域における現在のところ中心的でオーソドックスな研究であることが分かる。これまで説明してきたように，各ブロックに分類される研究の典型的な取り組み内容は，組織の意思決定や行為と組織の成果とをリンクさせることにある（Rumelt, Schendel and Teece 1994）。この中間のブロックに関していうと，こうした組織的行為は基本的に，「どのような戦略か」を考える＜内容＞（左側の軸）か，あるいは，「どのように戦略は実現されるか」を考える＜プロセス＞（右側の軸）のどちらかに分類される。内容側では，多角化や競争戦略，買収，国際化，イノベーションの成功などが例として挙げられる。プロセス側には，戦略転換，戦略的意思決定，戦略の実行などが挙げられる。

他の2つのレベルについては，一般的には組織戦略に関連したものとして認識されてきたものの，戦略論領域における主流の研究としての認識はされてこなかった。一番上のレベルは，マクロ・レベルの制度と制度化に関心を持っている。このレベルにおける我々の関心は，制度的レベルで正当性を獲得するための諸実践がいかなるものかという点にある。組織の人々はそうした諸実践に直面し，それに引きこまれていく。戦略それ自体は，制度化されていく存在だという例として，コングロマリット化が1960年代に追求されたことを挙げた。1990年代のeビジネス戦略の採用も同様の例と言えるだろう。制度戦略のプロセス側には，戦略計画が図中に示されている。株主価値やビジネス・プロセス・リエンジニアリングのためのマネジメントも同様の例として挙げられる。制度化レベルにおける諸実践は，確かに組織的行為に影響を及ぼしている。制度理論の研究者は，戦略の内容と戦略プロセスの両方の観点から，こうした組織の模倣行動（DiMaggio and Powell 1983）に関心を持ってきた。

　旧来の組織レベルの戦略論研究と，そうした戦略をもたらす制度化された諸実践に対する研究の双方には，図1-1にあるように，よりロワー・レベルのミクロの活動が仮定されている。だが，このレベルに研究が明確に立ち入ったことはない。しかし，ここでの我々の関心は，このミクロのレベルにこそある。戦略をイナクト（制定）し，開発し，実現する人々の様々な活動，戦略を行うことに関連する様々な活動，こうした点に関心を持っている。図中に出てくる例を用いるならば，組織レベルでの多角化戦略は，各組織ユニット間の関係性を人々が組み立てていくことが挙げられる。戦略計画や戦略転換のプロセスの双方には，戦略的課題についての論争が存在している。我々は，図1-1のロワー・レベルへと突き進むべき時に来ている。そして，内容とプロセスの双方に関係するものとしてそうした様々な活動に注意を向けていくべきだと主張する。

　図1-1に示されている全体像は，実践の観点から見れば，各部分は徐々に柔軟な関係へと変わってきていることがわかる。戦略に関連して人々が何をしているのかという点は，すべてのカテゴリーにまたがるものである。内容とプロセス，ミクロとマクロの境界線を越えていく能力が実践としての戦略に与えられているのは，なんと豊かでエキサイティングな研究課題であろうか。これ

が，今後考えていこうとしている論点の大まかな概要である。

研究のアジェンダ

　この議論の目的に即しておくために，ひとまず「戦略の内容」と「戦略プロセス」としての旧来の戦略の概念を維持したまま考えてみよう。図1-1のV1-4に該当する縦のつながりは，人々の諸活動というロワー・レベルと組織的・制度的諸実践というよりマクロなレベルとを架橋するものだということを表している。重要なリサーチ・クエスチョンを見つけ出すのにこれが役に立つ。図中のこの縦のつながりを以下で使用して，既存の代表的な研究と将来の研究機会の双方の観点から，我々の研究のアジェンダを議論するためのフレームワークをまとめていこう。

　V1：ここには，人々の様々な活動と組織レベルのプロセスとの間のつながりがある。このつながりは，2つの方向に展開できる。

　ひとつは，組織プロセスを知らしめたり構成したりする人々の相互作用である。これは組織の意思決定や組織変革のような大規模なプロセスの中での活動の特徴的な出来事（Hendry and Seidl 2003）のことを指しており，具体的には以下のものが当てはまる。すなわち，コンサルタントを雇う（Schwarz 2004），プロジェクトチームのミーティング（Blackler, Crump and MacDonald 2000），戦略のワークショップや社外研修（Hodgkinson et al. 2006），戦略的な課題が議論される日常的なミーティングなどである。そうした出来事の成果は，明らかにこれら自体の中で繰り広げられる活動に左右される。例えば，ホジキンソンとライト（Hodgkinson and Wright 2002）は，戦略の社外研修の失敗について記述している。社外研修は，戦略転換の大規模な組織プロセスを支援する目的で行われたものだった。この社外研修での細かな活動がどのようにその命運を分けることになったのかを同研究は明らかにしている。また，サムラ＝フレデリクス（Samra-Fredericks 2003）は，経営陣の間で交わされる議論で使われる言語が，どのようにミーティングの戦略的意思決定に影響を与えているのかを明らかにしている。

　さらに議論を広げると，人々の行動や人々の間の関係が，戦略のマネジメン

図 1-1　戦略経営の分解図

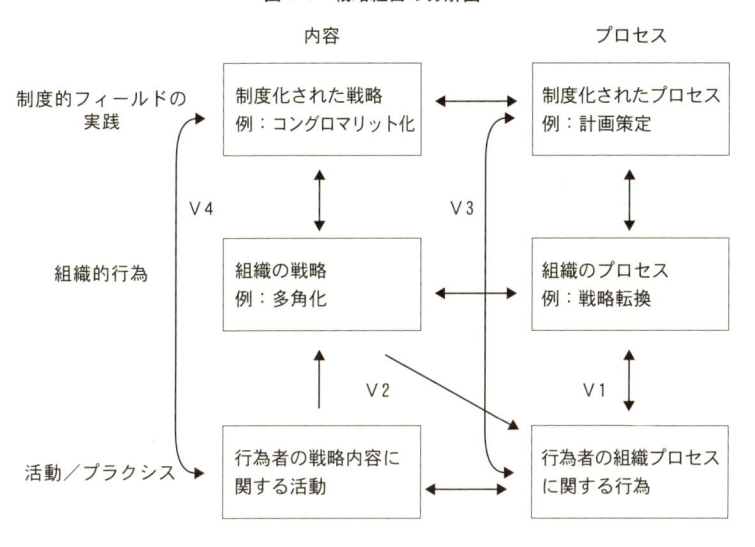

```
                        内容                      プロセス
                    ┌──────────────┐          ┌──────────────┐
制度的フィールドの   │制度化された戦略│ ←―――→  │制度化されたプロセス│
     実践        → │例：コングロマリット化│        │例：計画策定       │
                    └──────────────┘          └──────────────┘
                         ↕  V4         V3         ↕
                    ┌──────────────┐          ┌──────────────┐
  組織的行為        │組織の戦略     │ ←―――→  │組織のプロセス     │
                    │例：多角化     │          │例：戦略転換      │
                    └──────────────┘          └──────────────┘
                         ↕  V2                    ↕  V1
                    ┌──────────────┐          ┌──────────────┐
 活動／プラクシス → │行為者の戦略内容に│ ←―――→ │行為者の組織プロセス│
                    │関する活動     │          │に関する行為     │
                    └──────────────┘          └──────────────┘
```

トとの関わりの中で，より公式的なシステムや組織のルーティンにどのように影響を及ぼすのかを実践としての戦略は問うことができることを意味する。例えば，ダイナミック・ケイパビリティに関する研究では，公式システム（例えば，M&A についての公式なシステム）が組織学習に果たす役割について研究されている (Zollo and Winter 2002; Zollo and Singh 2004)。人々の間のより非公式な相互作用やそれに続く即興や実験が，ダイナミック・ケイパビリティにとって，どの程度重要なのかを明らかにすることは，研究上重要だとは認識されている。しかし，これまでほとんど研究は行われていない (Dougherty, Barnard and Dunne 2004)。だが，公式組織プロセスと人々の様々な活動との間の関係というテーマは，バーゲルマン (Burgelman 2002) とバウアー (Bower 1982; Noda and Bower 1996) の研究で明確に示されている。彼らは戦略開発に進化論的視点を採っている。そして，明確に定義されていない技術や市場の力が，どのように組織の上部に向かって伝達されるのか，有限な資源と経営者の注意力を巡って繰り広げられる政治的闘争プロセスの中で，どのように現場やミドル・マネジャーが主導権を得ていくのかを明らかにしている。

これらに共通するテーマは，組織の公式システムそれ自体が研究上の重要性をもつわけではないという点である。また，重要なリサーチ・クエスチョンは，どのようにそうしたシステムが制定されるのか，また，相互作用は変化や試行をどのように生み出すのかという点にある。したがって，この両方に言えることは，行動のより非公式的側面が，どのように標準的な業務プロセスを変えていくのか，どのように組織変革のプロセスに影響を及ぼすのか，どのように他の組織よりも優れた成果を組織の公式システムがあげられるか，である。

人々が実際に何を行っているのかという観点から，組織レベルの主導権はどのように獲得されるのだろうか。図1-1は，戦略転換についての例が示されている。戦略転換の速さに関する文献（e.g. Miller, Johnson and Grau 1994; Jones, Jimmieson and Griffiths 2005）では，戦略転換を実現するために人々の行いの重要性が示されている。また，経営陣が計画した転換を受け入れる人々の余力と意欲についても研究されている。しかし，これら文献のほとんどは，戦略転換の速度の速さ／遅さを心理学的な観点から説明することへ傾倒してきた。そのため，戦略転換に関連して生じてくる様々な活動，特に政治について多くの研究は触れることを避けてきた。だが，戦略転換に関する研究は，人々の行動，戦略を行為へと変換していくことの中で生じる問題にこそ注意を向けるべきである（e.g. Pettigrew 1985; Harris and Ogbonna 2002）。また，バロガンとジョンソン（Balogun and Johnson 2004, 2005）は，この点に関して，ミドル・マネジャー間のセンスメーキング活動の重要性を明らかにしている。このレベルにおける人々の諸活動，すなわち，戦略転換の主導に関する研究には，重要な研究のチャンスが眠っている。

戦略転換のプログラムの成功は，多くの場合リーダーシップによるものだとされ，たくさんの研究がその観点に基づいて行われている。だが，かなり前のバーンズ（Burns 1978）は，リーダーが実際に何をしているのかについて我々はほとんど知らないし，一般大衆向けに書かれた本とは異なる学術研究に関しては，この点が残された課題であると主張した。例えば，変革型リーダーシップに関する研究のほとんどは，未だにリーダーにフォーカスしていて，多くは「カリスマ的」とか「インスピレーションに優れた」リーダーシップといった漠然とした概念を打ち出している。そして，リーダーシップのための実

際のやりとりの様子や，リーダーによって行われる特別な活動を無視してしまっている（Barker 1997; Yukl 1999）。このように抽象化されてしまっている限りは，リーダーが彼ら自身の行為のスキルという点から見て，どのように戦略を行為へと変換していくのかについてはほとんど分からない（例外としてはジョイアとチッティペディ（Gioia and Chittipeddi 1991）を参照のこと。本書の中に同論文をまとめた章がある）。もう一度言うが，これは研究上，非常に大きなチャンスなのである。

　会計，オペレーション・マネジメント，組織行動の研究も，実際の行動とシステムから想定される期待や意図を調整することについて，長い間，問題を抱えてきた。また，そうしたシステムは，いかに政治的・実践的な影響を与えるかも明らかではない（e.g. Ridgeway 1956; Argyris 1990）。これらの研究によって，さらなる探究が必要とされている問題があることがよくわかる。おそらく組織の意図された戦略とオペレーションへと落とし込んでいくために使われるシステムとの間が断絶されていることも分かる。しかし，システムそれ自体が，ときに組織の中の人々の活動に対して影響を及ぼすことができないことも我々は知っている。これは戦略とシステムと人々の活動との間の断絶であり，我々の領域に研究を行っていく大きなチャンスを提供するものであることは間違いない。さらに言うならば，この問題について理解を深めたい実務家にとっても，大いに役に立つことであろう。

　Ｖ１の観点からすると，研究上の関心は，組織プロセスとシステムが人々の行いに及ぼす影響の相互関係性，そして，これとは逆に，人々の活動が組織プロセスやシステムにどのように影響を与えているのかについて重点が置かれている。つまり，これらの相互関係性が戦略上の成果に及ぼす影響についての関心であると言い換えることができる。

　Ｖ２：これは組織内の活動とそれら組織の戦略の間のつながりを指している。戦略的マネジメント領域の議論の中心は企業のパフォーマンスを改善することであると従来は定義されてきた（Rumelt et al. 1994）。このことを考えれば，組織全体の戦略へのこのつながりを軽視するわけにはいかない。ここでの中心的な問いは，いかに人々の活動は，組織の戦略に裏打ちされているのか？である。

図1-1 に示されている例を見てみよう。関連型多角化戦略は，事業ポートフォリオ間の関係性を構築する能力によって決まる。例えば，多角化戦略を実現する上で不可欠な調整の組織ルーティンについての研究は存在する (Eisenhardt and Martin 2000)。しかし，人々が関係性を構築し維持するために，その人が利用できる社会的ネットワークを通じて，実際に何をするかが，関係性の構築上の鍵となる(Huxham and Vangen 2005)。この点について研究をするためには，少量のサンプルへのきめ細かい調査が必要である。こうした調査を通じて，経済的に価値を持つ関係性の微妙さとそれらの経営者の行為や相互行為に対する感受性の双方を捉えることが求められる (Grant et al. 1988)。

同様に，競争戦略を支える諸実践も存在する。これらについては，組織ルーティンや明確な形を持たない諸実践が競争優位性をもたらす可能性について議論されたり (Barney 1991; Petraf 1993)，特定の戦略を支えるダイナミック・ケイパビリティの観点から議論されたり (Teece, Pisano, and Shuen 1997) している。なかには競争優位性のこうした基盤の実証研究を試みてきた研究もある。例えば，ロレンツォーニとリッパリーニ (Lorenzoni and Lipparini 1999) は様々なイノベーション・ルーティンの観点から議論を展開している。また，ゾロとルーアーとシン (Zollo, Reuer and Singh 2002) やサルヴァート (Salvato 2003) は，イノベーションを基盤とする戦略と組織ルーティンの関係性について研究を行っている。しかし，これらの研究の関心は，どちらかというと公式的組織ルーティンへの関心に留まっている。我々が議論する実践への関心から見れば，さらなる研究を行うチャンスが存在している。

資源ベース論研究者は，競争優位性の基盤となる必須要件が何かについての議論を行っている。ここでは，競争優位性をもたらす資源の特性（あるいは能力）は，有価値で希少で模倣が困難なものであるとされる。実際，バーニー (Barney 1986) は，最も競争優位性をもたらす可能性のある能力は，競争相手からすぐに識別されてしまいかねない公式化されたルーティンではなく，むしろ，組織文化の中に埋め込まれたものであると論じている。アンブロジーニ (Ambrosini 2003) による競争優位性を支える活動の研究のような珍しい例

外もある。しかし、バーニーの議論の妥当性を評価する上で必要な詳細レベルを持ちながら、組織の非公式なルーティンや活動がどのように競争優位性に寄与しているかを実証的した研究はほとんど行われていない。これが資源ベース論それ自体、および、資源ベース論の戦略論研究への貢献について重大な批判を浴びる要因である（Priem and Butler 2001）。研究者が理論の中で競争優位性をもたらす特定の活動を発見できなかったり、発見しようとしなかったりすれば、結果的には、資源ベース論は実務家にとって何の役にも立たないし、最終的にはトートロジー（同語反復）に毛が生えた程度のものに陥る危険性がある。企業が他社よりもうまくやっているのは、ライバルよりも優れた（目に見えない）資産を持っているからである、といった具合である。

組織の戦略と活動との間の組織内におけるつながりは、戦略論研究の領域においては理論的に重要であり、中心的な論争点だと考えられている。しかし、こうしたつながりを掘り下げて、そこから説明を行っている研究はほとんどない。これも実践としての戦略の研究を通じて貢献をしたいと考えている者にとっては、大きなチャンスであることは間違いない。

Ｖ２に関する議論では、戦略の基盤となる活動に焦点を合わせている。これは当然のことながら、意図された戦略の実行をマネジメントするという考え方への挑戦でもある。だいぶ前になるが、ミンツバーグとウォーターズ（Mintzberg and Waters 1985）は、意図された戦略の多くは意図せざる結果に至ることを指摘している。ついでに言うと、マネジャーにとって、戦略の実行をマネジメントすることは、大きな挑戦課題であることは我々も承知している。これはハーバードにおける「あなたなら何をしますか？」という質問と多くの点で非常に密接に関係するものであると言える。そしてこれは図1-1における「プロセス」問題である。また、Ｖ１上で議論されている問いとも類似している。つまり、人々の活動の観点から見て、戦略のイニシアティヴをどのように研究すべきか、ということなのだ（これはなぜ組織の戦略ボックスからの下向きの矢印が、対角線上にマップのプロセス側へ交差しているのかを表している）。

全体的にみれば、Ｖ１とＶ２は戦略的マネジメント研究領域におけるミッシング・リンクを解明する大いなる可能性を秘めているという意味では、数多く

の研究テーマがそこにあることを示している。こうしたミッシング・リンクを解明すれば，実務に携わるマネジャーにとって直接役に立つ知識を作り出せることだろう。買収を成功させるためにマネジャーに何ができるかについて，我々研究者が言えることは限られている。また，戦略的マネジメントのプロセスについて教えるときは，あたかも組織の中で実際にそれが行われているかのように語っている。だが，実践の中では違うということについて，我々が言えることは限られているのである。どうやったらマネジャーは，経営幹部の間での議論や，取締役会議に影響を与えられるだろうか。組織の人々の行為は，どのように戦略に影響を与えたり，修正を加えたりしているのだろうか。組織の人々の諸活動の中から何かパターンを見つけ出すことが出来るだろうか。また，そうしたパターンと競争優位性を説明するために用いられる，より公式的なプロセスとの間には，どのような関連性があるのだろうか。マネジャーは実際に，戦略を支えたり，変化させたりするようなルーティンや行動をマネジメントすることが出来るのだろうか。続々と出てくる疑問は，眼前に広がっている一連のリサーチ・アジェンダを探究することから生じるものである。

　様々な活動がいかに重要かについては，2003年のJournal of Management Studies誌の特集号に明確に示されている。だが，我々はまだ図1-1の中でも最も上の段にある点については十分な注意を払っていない。すなわち，超－組織的レベル，あるいは，制度的レベルについてである。ここでは，組織が埋め込まれている制度的フィールドの中に広く行き渡った諸実践（正当化された戦略，ディスコース，ツール，手続き）といったもの（Reckwitz 2002; Whittington 2006）に加え，行動を規定する業界内の規範やレシピも対象となる（Spender 1989）。それは，特定の組織を超えて広がりを見せることがよくある数々の実践コミュニティに見られるようなプロフェッショナルに関するもの（Brown and Duguid 2000）であるかもしれないし，ウィットリー（Whitley 1999）が示したビジネス・システム概念のように，国レベルでのものかもしれないし，あるいは，ジェリッチ（Djelic 1998）が示した帝国のパワーや国際的な制度によって作り出された制度的フィールドといったものかもしれない。ある意味で，制度化された諸実践は行動の共有されたコードやスクリプトを提供する（Schank and Abelson 1977; Gioia and Poole 1984）。

それらは皆にどのようにものごとが進むのかを伝える。こうしたコードが存在しなかったら，あるいは，コードを無視したならば，その活動は崩壊してしまう。別な見方をすれば，人間の主体的行為のために必要とされるルールや資源を提供するのがこうした諸実践であると言える。ギデンズ（Giddens 1984）によれば，こうしたコードは一体何が適切な行動なのかについての正当性，ディスコース，権力，期待を生み出す。これらは制度化された諸実践の特徴を創りだすとともに，その存在を強固なものにする。

　制度化された諸実践と組織の人々の諸活動との関係性は，戦略の観点からも重要であり，研究する必要がある。この点を解明するための研究上の挑戦課題とは，ミクロ・レベルの諸活動への詳細な洞察と，そうした諸活動を可能にするとともに，強固なものにする，より広い制度的コンテキストへの継続的な関心とを結びつけることである。下の方のレベルとより上のレベルとを同時的に扱うことについては，リサーチ方法論を議論するところで再度取り上げることにする。

　V 3 における関心事は，制度化された戦略的マネジメントプロセスと組織内の人々の諸活動との関係である。

　本書後半部分で要約されている論文の中には，カナダの美術館への戦略計画プロセスの導入を考察したものがある（Oakes, Townley and Cooper 1998）。同研究が明らかにしたのは，美術館の館長が用いたディスコースについてである。館長は反発する部署に対して戦略計画を強制するために，新しい戦略については，広い社会環境の中で正当性を獲得しているディスコースを活用した。また，このようなディスコースは，追従者を方向付けるとともに，反対者を弱体化させる力を持っている。こうした戦略計画プロセスは，いかなる特定の組織や，特定の組織の中の人々をも超えて広がっている社会的ムーブメントの一部である。こうした制度的実践との関連を抜きにしては，この美術館館長の成功は，不当に単なる一組織的な現象に縮減されてしまうだろう。

　制度化されたプロセスについての研究例は他にもある。コンサルティングの介入は，社会に広く普及した規範，期待，評判に依存している。そうした介入への評価の中身のいくつかはネガティブであり，いくつかはポジティブである（Clark 2004）。ポーター（Porter 1980）の5つの競争要因のような戦略ツー

ルは，制度化されたプロセスを構成するようになる。そのため，特定のエピソードにおけるそれら戦略ツールの実際の使用は，制度のより高いレベルから，活動のより低いレベルまでの翻訳を伴うものである（Jarzabkowski 2004）。とりわけ，組織の中の人々の諸活動に影響を与える戦略計画サイクル（Jarzabkowski 2003），プロジェクト・マネジメント（Molloy and Whittington 2005），ビジネス・プロセス・エンジニアリングなどについては，制度化されたプロセスが存在している。

　これ以外にも，人々が何をしているか，という視点は，どのように制度化されたプロセスを知らしめたり，変革したりするのか，という問いがある。制度派理論の研究者は，制度的規範や諸実践の＜運搬人＞が存在していることを指摘している（Abrahamson 1996; Abrahamson and Fairchild 1999; Clark 2004）。その中には，例えば，ビジネス・スクールや，「ベスト・プラクティス」を流布するビジネス書のライターが含まれる（Whittington et al. 2003）。ブランソンとヤコブソン（Brunsson and Jacobsson 2000）は，学術研究者は，マネジャーが取り組むべき様々な組織上の課題に対してベストな処方箋を提供するという意味で，積極的な「標準化主体」であると論じている。これはコンサルタントもやろうとしていることであり，コンサルタントの諸活動におけるこの点に対する関心は高まりを見せている（e.g. Clark and Fincham 2002）。恐らく，組織ルーティンを変える（Feldman and Pentland 2003）ことに関する関心を拡張すれば，どの程度組織ルーティンが制度化されたプロセスを知らしめたり，変革したりするようになっていくのか，というさらなる問いにつながる。もう一度言うが，これが生じることについての理論的な議論はすでに行われてきているが（Johnson, Smith and Codling 2000; Seo and Creed 2002），実証的に探った研究はまだほとんどない。

　Ⅴ4は，制度化された戦略に関する関心である。これまで買収と多角化のサイクルについての研究は行われてきた（Stearns and Allen 1996）。例えば，コングロマリット化は1960年代から一般的になった（Davis, Dieljam and Tinsley 1994）。また，関連型多角化は非関連型多角化よりもずっと後に規範化している（Rumelt 1974; Grant, Jammine and Thomas 1988）。さらに，マネジャーは一般的に差別化戦略やローコスト戦略について話すようになった

(Porter 1980; 1985)。我々のここでの関心は、再び、マクロ・レベルと人々の諸活動の間のつながりにある。第一番目に、組織レベルだけでなく、組織の中の人々の活動という見地においても、制度的戦略はいかにして実際に追究されるのだろうか。

制度派理論研究者たちは、制度形成におけるミクロ的説明の重要性を認めている。しかし、「新制度派のミクロ的基礎を明らかにする努力はほとんどなされていない。多くの制度派研究者が、構造的環境、マクロからミクロ・レベルの効果、マクロ的構造の分析的自律性に関心を向ける傾向がある」（DiMaggio and Powell 1991: 16）と指摘されている。ときに＜業界のレシピ＞と呼ばれる、業界全体に広がった事実上の制度化された実践という観点からの見識もある（Porac, Thomas, and Baden-Fuller 1989; Spender 1989; Hellegren and Melin 1991）。コングロマリット概念に統合された資産のポートフォリオとして企業が再概念化されることは、特定の種類の多角化戦略を正当化すると同時に、ミクロ・レベルでは、内的調整の適切なルーティンを定義することを促す（Davis, Dieljam and Tinsley 1993）。他の同様の内容の諸実践は、＜トランスナショナル＞（Bartlett and Ghoshal 1989）を巡るディスコース的言語が含まれる。そうした言語は、特定の意味づけを伝達し、人々が実際にそのように行動することでその意味がイナクトされる。

そこでもう一度述べることになるが、このV4については、まだほとんど実証的な研究は行われておらず、豊富な研究の機会がここには広がっている。機会があることは分かっているのだが、いかにして、そういった制度化された戦略を実際に組織の中の人々や、制度化された規範からのローカルな逸脱のもたらす帰結や効果から、実際に探究していったらよいのか、ほとんど分かっていない。企業は、一般的に制度化された戦略に適合する一方で、時にそれらから逸脱することを我々は知っている。ディープハウス（Deephouse 1999）は、その帰結について議論をしている。そういった逸脱は、それら企業内の活動の結果であると推定される。しかし、どの程度そういった逸脱はランダムであったり計算されたものであったりするのか、また、逸脱は恐らく制度的に正当化された抵抗に直面するであろうが、どのようにしてイナクトされるのかは、あまり明確にはされていない。

これは関連する問いへとつながっていく。すなわち、いかにして人々の諸活動は制度的戦略に影響を与えるのか、という問いである。制度化された戦略は人々と組織から影響を受けることは明らかである。先ほど取り上げたばかりの逸脱などに際しては、特にそうであろう。我々独自の領域を超えて、この点に踏み込む必要はないだろう。1980年以前は、「差別化」や「ローコスト」戦略に基づいて議論をするマネジャーはあまりいなかった。しかし、学術研究がこれを変えた。ポーター（Porter 1980, 1985）の書籍の出版以降、そして、コンサルティングやビジネス・スクールによるこれらの概念の流布によって、世界中の数多くの組織で戦略を議論する上でのテーマに挙げられるようになった。同様の概念としては、例えば、＜能力＞（Hamel and Prahalad 1990）、組織学習（Argyris and Schon 1978）、ナレッジ・マネジメント（Nonaka and Takeuchi 1995）などがある。著名なマネジメントの本によれば、同じようなやり方で活動をしている人が、どうやらいくつもの組織の中に存在しているようだ。1980年代には、アセア・ブラウン・ボヴェリ社のトランスナショナル戦略を実現したパーシー・バーネヴィク（Percy Barnavik）、1990年代には、GEのバウンダリーレス組織を実現したジャック・ウェルチ（Jack Welch）である（Ashkenas et al. 1995）。もう一度言うが、何が今一つはっきりしないのかと言えば、一体どうやったらこれが起きたのかということ、そして、その効果を一体どうやったら見極めることができるのか、ということである。

しかし、これこそが新たに出現しつつあるリサーチ・アジェンダを構成しているというサインである。現在、＜制度的企業家＞の役割への関心の高まりを今見ることができる（Fligsten 1997）。例えば、ホルム（Holm 1995）やバカラックとバンベルガーとソンネンストゥール（Bacharach, Bamberger and Sonnenstuhl 1996）は、制度を変革する上で、いかに政治的プロセスが＜行為の論理＞の対立を解消するかを明らかにした。また、マグワイアーとハーディとローレンス（Maguire, Hardy and Lawrence 2004）は、カナダにおけるエイズ対策の制度化に、どのようにエイズに関するソーシャル・ワーカーが影響を及ぼしたのかを明らかにしている。スダビーとグリーンウッド（Suddaby and Greenwood 2005）は、会計専門職の変化に影響を与えた、

制度的行為者間の「ディスコース的争い」について考察を展開している。組織の中の人々の諸活動が，どの程度／どのようにして，このような大きなインパクトを持つことができたのかは，学術的な問いとして魅力的なだけではない。繰り返しになるが，これは実際のマネジメント上（また実際の政策を決める上でも）の重要な示唆を持っている。

　戦略に関わる人々の諸活動を真剣に受け止めながら注目をしていくことは，広大かつ魅力的なアジェンダである，ということを我々は提起しておく。さらに言うならば，我々はこのアジェンダを主流の戦略論の研究領域に対するオルタナティブではなく，むしろ，補完的で付加的なものとして示してきたと考えている。このパートの議論を終えるにあたり，このリサーチ・アジェンダに対する2つの一般的な見解を示しておきたい。

　第1に，活動に着目することは，戦略論という研究領域に残されている問題の解決に寄与すると我々は考えている。戦略の内容研究と戦略プロセス研究を結びつけることの必要性は，繰り返し言われてきたことである（e.g. Bowman, Singh and Thomas 2002）。しかしながら，すでに示唆してきたように，この二分法を我々は不愉快に感じている。組織のプロセスをミクロの側面から研究してきた研究者は，活動の観点から説明を行っている。それは，例えば競争戦略を基礎として同様の分析レベルで説明を試みてきた（より数は少なくなるが）研究者たちときわめて類似している（Ambrosini 2003）。組織の中の活動に注目し，人々が何を行っているのか，という観点は，組織のプロセスと組織の戦略の双方の根底をなしている。内容／プロセスの二分法は，この観点からすれば不要なものである。

　第2に，避けるべき見えにくい罠をはっきりさせておく。我々の中心的な関心は，活動のロワー・レベルに向けられているが，それでも我々のリサーチ・アジェンダを達成するためには，縦方向の関係の重要性も認識することが大切である。活動をより全体的に説明することに取り組めば，多くの洞察を生み出すことができることは認識しているが，戦略プロセスの活動の詳細のみに，我々の研究グループの関心が没入してしまう危険性がある。縦方向のつながりを除外することは，一方で，戦略的な不適切さに，他方では脱文脈化された特徴に我々を陥れる危険性がある。多くの実践としての戦略研究者は，これまで

戦略プロセスのミクロ・レベルの活動に集中してきた。しかし，図 1-1 の右下の角部分だけに注意が向けられていることは，明らかに生産的ではない。なぜならば，図中の他のパートとのつながりがなければ，その中で何が起きているのか説明することは難しくなるし，インパクトにも欠けるからである。

概念を定義する：実践とプラクシス

前のセクションまでのリサーチ・アジェンダに関する議論では，多層的性質を帯びてきていることを明らかにしてきた。ここでの議論の焦点は，人々が彼らの組織や制度の文脈の中において，何をおこなっているのかに向けられている。この多重レイヤー状況を検討すれば，我々の議論の基盤として用いている「実践」の概念がよくわかってくる。この「実践」の概念は様々な使い方がされているので，それらを区別することは大切である。

人々が関与するものとしての諸実践（practices）

人々の活動は，常にいくつかの広範なコンテキストに依拠している。このコンテキストの中核をなすのが，制度化された諸実践と，組織化された諸実践である。人々は戦略活動を成し遂げるためにそれらコンテキストと関わりをもっている。幅広い概念が様々な諸実践と関わりがある。それらには，制度的手続き，戦略計画のようなシステム，戦略分析のツールやテクニックが含まれている。また，規範やスクリプト化された行動（e.g. Barley and Tolbert 1997）もこれに該当する。例えば，会議や取締役会におけるアジェンダに促された行動などである。取締役会それ自体のような特徴的な戦略エピソード（Hendry and Seidl 2003），戦略についての社外研修，一時的なプランニング，予算編成もまた興味をひくものである。どれもリサーチにおいて重要な組織現象であり，また，潜在的な分析単位である。こうした諸実践のすべては，多くの組織に見られる一般的なものである。だが，同時に特定の組織ルーティンも存在している。組織ルーティンとは，「複数の行為者によってつくりあげられる，相

互依存している行為者間の反復的で識別可能なパターン」(Feldman and Pentland 2003: 95）であり，特定の組織内での戦略活動を方向付けるものである。フェルドマンとペントランドは，そうしたルーティンを2つの有用な補完的方法で説明している。「明示的ルーティン」とは，「ルーティンの概念的，スキーマ的な形態であり・・・原則的なルーティンである」(101)。例えば，組織のプロジェクト企画案のルーティンや人事選考のルーティンは，それが「発生するはずのもの」として存在している。しかし，その一方では「遂行的ルーティン」も存在し，これがもうひとつの論点を考える必要性を示している。

人々が行うこととしての実践

　人々が関わることとしての実践と人々が戦略に関連して実際に行うこととしての実践の2つが存在する。ルーティンの観点からすれば，フェルドマンとペントランドは，この実践のことを＜遂行的ルーティン＞と呼んでいる。これは「特定の人による特定の場所と時間における特定の行為」(Feldman and Pentland 2003: 101）である。ウィッティントン（Whittington 2006）が，プラクシスと呼ぶものに近い。この概念は，日々の諸活動を暗示するだけでなく，それら諸活動と，そうした活動が生じるコンテキスト（社会的，制度的，組織的）との間の関係性でもある。同様に，フェルドマンとペントランドは，これらの区別をつける上で，遂行的ルーティンは，明示的ルーティンに影響を与え，変化を加えていくことを強調している。従って，遂行的ルーティンの概念とプラクシスの概念の双方には，重要な関係性がある。すなわち，人々の行為や行動と，彼ら関わっている構造やシステムの観点から見た形式的な諸実践との関係性である。プラクシスは，ルーティン化されていない行動や，古い行動から新しい行動を生じさせる。戦略に関する活動はどの程度ルーティンによって生み出されているのだろうか。そうした活動はルーティンの機能にすぎないのだろうか。また，そうした活動はどの程度特異な活動から除外してよいのだろうか。別な言い方をすると，制度化された構造やルーティンとの関わりの中で，行為者はどのような役割を果たすのか，ということである。広範な構

造に対して活動が及ぼす影響は，我々のリサーチ・アジェンダの中心的なテーマであるのは言うまでもない。

戦略化という用語が徐々に広く使われるようになっていること（Whittington 2003; Whittington and Melin 2003）を例にとってみよう。この用語は，戦略を作るプロセスを人々はどのように進めていくのか，ということを表すものとして使われている。そして，人々が計画のルーティンに代表される制度化された諸実践を組織の中でどのように使っているのか，という観点から研究されている。しかし，その際に，実践としての戦略のリサーチ・アジェンダは，プラクシスに向けられる必要がある。研究されるのは，どのようにそうしたルーティンが実際に使われているのか，そして，実際にルーティンが使われることで生じる影響は何か，ということである。我々は単に，概念上の制度化された諸実践に関心があるわけではなく，それらの役割とインパクトを説明する諸活動と実際の行いにも関心があるのである。

本書の構成

第1部には本章の他に2つの章がある。次の章では，「実践の理論」と題して，実践に関する理論の内容がどのようなものか，実践としての戦略研究に関係があるものや有用なものをレビューしていく。このレビューはすべてを網羅したものではない。むしろ，概念的なフレームワークである。このレビューに基づいて，それぞれの理論の中心的テーマの位置を明らかにする。この狙いは，重要な理論の幅広い見方を提供することである。読者は，自分が取り組んでいる特定の研究プロジェクトにとって，適切な理論的材料をより容易に見つけ出せるようになるだろう。よって，この章はより深く，より焦点を絞った理論的探究のスタート地点になる。

こうした理論的探求については，実践としての戦略への方法論的アプローチの議論でフォローをしていく。その際には，代表的な研究の例を用いるが，それらのうちのいくつかは，本書のパート2でより完全な形で取り上げられている。したがって，第3章はリサーチ・デザインと研究方法のタイプについて検

討する。これらは第1章・第2章で示す実践としての戦略パースペクティブの研究内容や，その理論が目指しているところと合致するものである。そして，この種の研究のいくつかの課題についても考察する。適切な分析単位選択と境界設定，サンプリング，アクセス，倫理，適切なデータ・ソース，そして理論とデータを結びつける方法の課題に取り組む。

続く第2部では，多くの論文要約をとりあげる。これらの論文では，実践としての戦略の研究の重要な側面を描き出しており，世界最高レベルのマネジメント・ジャーナルの数誌から選び出したものである。様々な方法でこれらの論文は選出されており，それぞれ実践としての戦略の論文に取り組む上で重要だと思われる特徴を持っている。論文の選択については，実践としての戦略を発展させる可能性がある研究者だから選んだのではなく，実践としての戦略に関わりを持っていきたいと考えている研究者への重要な教訓を持つものを選んでいる。

それぞれの論文は，部分部分を引用しながら載せてある。この引用部分に対して，我々によるまとめと説明を掲載している。これは読者が論文の原本全部を読む代わりになるようにやっているわけではない。読者には原本の論文全体を読んでいただきたい。論文の重要な側面を強調する手段として，また，論文間の過度の反復を避けるために行っている。それぞれの論文の終わりには，我々によるコメントの部分があり，ここでは実践としての戦略に関する重要な教訓をまとめてある。これは包括的な論文のセットではない。ここに盛り込むべき論文は他にもあるし，また，読者がここに盛り込むべきだと考えている論文もあることだろう。しかし，我々の狙いとしては，実践としての戦略の研究者のための学習と研究の構想をするために役に立つ材料を提供することにある。

本書の最終章では，将来の実践としての戦略の発展のための全体的なコメントという形態を採用した。しかしながら，他の本とは異なり，著者のそれぞれが彼／彼女の個人的な視点を述べる方法を採っている。この研究領域が発展段階の初期にあることや，実践としての戦略関連の関心のあるコミュニティにおける議論や様々な視点を考えた場合，個々人の視点と強調点を示すことが適切であると考えた。実践としての戦略を前に進めるための有用で建設的な論争が

盛んに行われることを我々は願っている。

第 2 章

実践的な理論

イントロダクション

　実践としての戦略は研究をする価値が大いにある研究領域である。第1章では，実践としての戦略を新しい研究領域として，実証研究を行う余地が数多く存在していることを示してきた。この研究上の機会を探求する上で役に立つ，研究のための豊富な理論的材料とモデルを本章で紹介していこう。それらの材料とモデルの多くは，それ自体は戦略論研究の外部から持ってきたものだが，現代思想の幅広い領域で起きている実践的転回は，実践としての戦略研究を行う上では欠くことのできない存在である（Schatzki, Knorr-Cetina and Von Savigny 2001; Egginton and Sandbothe 2004）。人々の日常的で実践的な諸活動は，これら学問分野横断的なメタ理論的ディスコースの中心的な位置を占めている。さらに言うならば，このメタ理論的ディスコースは，実践としての戦略研究に対して潜在的に関連しているそれぞれの研究領域が，理論のより中核的な部分において，同時並行的に発展を促進させている。学習に関する研究から，科学と技術へのリサーチ，中範囲の理論化，実証研究まで，これらは実践としての戦略との直接的な関係がある。これら研究が新しい領域を発展させるにつれて，実践としての戦略研究がいかなるものか，2点はっきりとわかってきた。第1に，実践としての戦略は，現代思想の幅広い転回の中にいること，第2に，実践としての戦略は他の学術領域からの確固たるモデルに先導されながら，独自の新しい方向性を探究しているということである。

　そこで本章では，同時並行で展開されている研究をいくつか紹介する。これらの研究は実践としての戦略の研究者にとって有用である。全般的な研究上の

基礎を提供することを意図しているので，少しばかり大きな絵をこれから描いていくことにしよう。この狙いは，特定の理論についての詳細な議論を行うことや，実践としての戦略に「含まれる」「含まれない」を厳密に示すためのものでもない。そうではなく，読者がこの領域がお互いにどう結びけることができるのか，どのような理論的材料が利用可能なのかを示すことを目指している。我々としては，読者自身が行っている研究プロジェクトのために，理論的材料が信頼に足るものだと思えるようになればと願っている。読者は，より厳密な研究をすることだけでなく，より深く探求をするのに十分な指針が得られることも期待していることだろう。そこで，本章は，哲学と社会科学全体における＜実践的転回＞を紹介することから始める。ここでは，各理論にメタレベルで共通するディスコース（メタ理論ディスコース）における3つの重要な問いに焦点を当てる。すなわち，主体的行為の範囲と性質，ミクロ・レベルの分析とマクロ・レベルの分析との関係性，（経営）実践上のインプリケーションの性質と地位である。その後に本章は，理論の中心的な部分である4点について議論を行う。第1に，状況的学習，第2にカーネギー学派のセンスメーキングと組織のルーティンの研究，第3に，様々な制度派研究，最後に，アクター・ネットワーク理論（ANT）である。第1章の図1-1で紹介されている内容とプロセス，ミクロとマクロという2つの軸に沿ってこれらの理論の中身を比較していく。これによって，本章では上記4つの理論が実践としての戦略を研究する上でどのように役に立つかを明らかにしていこう。本章の第3節では，中範囲の理論化と研究に有用なこれら広範な理論がどのように深いところでつながっているのか，その関連性を考察している。そこでは戦略計画が例として示される。本節と本書全体における我々の狙いは，実践の実証研究に理論を応用していくことがいかに重要かを明確に示すことである。本章のタイトルは，理論は使えるものでなければならないということを強く訴えるものである。

理論的方向性

　戦略の実践への研究関心の高まりはけっして偶然ではない。これは大きな知的ムーブメントの一部である。1970年代以降，社会科学と人文科学はようやく過去2世紀もの間支配的であった，客観的で抽象的な合理主義という，古い啓蒙主義への信仰から脱したのである（Toulmin 1991, 2001）。社会理論は，＜実践的転回＞の只中にある。この実践的転回における様々な研究は，方向性は様々だが共通する関心事がある。それは，「人々が実際になにをしているのか」という点への関心である。同様に，哲学でも＜プラグマティズム的転回（pragmatic turn）＞が探求されており，ここでもまた様々な観点はあるものの，通常は実践的知に対する新たな観点が示されている（Egginton and Sandbothe 2004）。もちろん戦略論研究者にとっても，幅広い知的ムーブメントに参与することへの意識は全般的に高まっている。こうした知的ムーブメントが提供する広範なフレームワークは，様々な活動の領域（国内であろうと，政治やビジネスの領域であろうと）の研究者に対して，取り組むべき重要な課題を与えている。この節で我々は3つの課題を強調したい。第1に，行為者には行為の主体性がどの程度あるのか，また性質はどのようなものか，第2に＜ミクロ＞の活動と＜マクロ＞の社会的現象との関係はいかなるものか，第3に研究から引き出される可能性がある実践的影響の可能性である。哲学や社会理論の広い範囲に広がっている実践的転回が示すこれらの課題に対して，数々のアプローチが行われているが，これから見ていくように，プロセス研究の伝統的なアプローチとは大きく異なるものとなる可能性がある。

　広範な知的ムーブメントの流れに戦略論研究は大きく乗り遅れている。1960年代（訳注：戦略論研究の黎明期）における学問的基礎が，科学的中立性と抽象化の中にしぶとく残っていた啓蒙思想に，非常に強く形を作られてしまったことは，戦略の研究領域にとって不運なことであった。ここ最近10年間で戦略は遅れを取ってしまっている。哲学では水面下にあったプラグマティストの伝統の復権がなされており，また，社会理論は実践のための数多くの理論的フ

レームワークを発展させてきた。だが，その一方で，戦略はその設立時期に定められた研究方法のあるべき姿の狭量な定義を，やっと今になって捨て去ろうとしている。実践としての戦略は，戦略の研究領域を単にその姉妹領域の発展に追いつかせようとしているに過ぎない。哲学の新しいプラグマティズムと社会理論の活動の再発見は，そうした取組に対して非常に多くのものを提供してくれている。

プラグマティズム

　それでは哲学のプラグマティズムの伝統から始めよう。ただし，これは単に実践（プラクティス）としての戦略という名称と言葉の響きが似ているからではない。プラグマティズムは，リチャード・ローティ（Richard Rorty 1999）が示しているように，デリダ（Derrida），ラトゥール（Latour），フーコー（Foucault），後期ウィトゲンシュタイン（Wittgenstein）など，強い影響力を有する非本質主義者の大きな思想的流れの一部である。この非本質主義は，本音と建前，主観と客観といった厳密な二元論に対する疑いを根底に有している。そのような非本質主義の立場の1つのインプリケーションは，行為者の世界に対する認識は，彼ら自身の言語と諸活動からつくられるものだということを受け入れることであり，また，そうしてつくられた認識がもたらす帰結と我々は向き合わなければならないということである。これらの議論のうちのいくつかは，実践についての社会理論を議論する中でも取り上げていこうと思う。だが，この哲学の部分では，大きな注目を次第に集めつつあるプラグマティズム（Egginton and Sandbothe 2004）をより厳密に取り上げることにしたい。それぞれの哲学的伝統でも同様の洞察を示しているものがある。だが，それらの全体的特徴をプラグマティズムは少なからず持っている。そこで，我々はプラグマティズムを支持したいと考えている。

　実はプラグマティズムには，1世紀以上の歴史がある。パース（Peirce），ジェイムズ（James），デューイ（Dewey）は，様々な方法で哲学が実践的であることの重要性を強調してきた。知識とは，単に完全なる心理に対する知的探究などではなく，実践的な活動の中から見いだされるものであり，その価値

は，抽象的な規範に反して打ち立てられることにあるのではない。そうではなく，連続する活動をもたらすことができるという有用性の中に知識の価値が存在していると考える。活動とは知識を創造するものでもあり，同時にその尺度でもある。この広いものの見方の良い例は，ジョン・デューイ（Dewey 1938）による教育と社会変革に対するアプローチである。デューイの政治への視点は，大規模な社会構造の変革を減らし，むしろ，子供を個人として扱う教育の改善を強調している。この観点からすると，社会変革は教育することの能力や積極的な市民から生じるものであり，学校における伝統的で公式的な教訓癖からではない。むしろ，実践的スキルの実体験から生じるのである。

20世紀の大半において，この変革主義的プラグマティストの潮流は，政治の世界における異なる経済システム間の大規模な闘争や，学術界における実証主義や分析哲学において水面下に追いやられてきた。ごく最近になって，ローティ（Rorty 1980）やパットナム（Putnam 1995）などの哲学者によってプラグマティズムは復権している。ローティは，よりラディカルな立場で，啓蒙主義の究極の真理の探究とは全く異なる知識観を示している。ローティは，それが知識であるかどうかは，何かのリアリティとの一致ではないと主張する。日々の生活により上手く対処できること，そして，科学においてよりよい対話を維持できること，この両者への貢献度合いによってそれが知識かどうかは峻別されるとしている。プラグマティストの知識への判断基準は，存在論的リアリティよりも，むしろ，実践的有用性にある（Rorty 1998: 45）。だからといって，必ずしも相対主義者である必要はない。パットナム（Putnam 1995; 2004）は，ローティよりもさらに強い立場をとる。民主的，包括的，透明性ある科学的探究からの発見は信用することができる。堅固な手続きを通じてテストされ，却下され，改良され，もっとも有用なものがそうでないものに取って代わるからである。有用性が判断される中で，活動する主体の視点にとって最優位のものが見出される。研究者という研究プロセスの実践者自身をも含むことは，したがって，妥当性の担保に関してだけでなく，その質を確保する有用なステップなのである。ここには，妥当性と厳密性の間のトレード・オフの必要性は存在しない。

哲学におけるプラグマティズムの再評価は，マネジメント理論でも具体的な

研究の展開を引き起こしている（Wicks and Freeman 1998; Powell 2002, 2003）。これらの研究は，少なくとも3つの重要なガイドラインを研究者に対して示している。第1に，具体的な行為と経験に価値を置くことである。プラグマティズムに基礎を置く研究では，ミクロの活動こそが最も中心的に重要であり，大きな構造は2次的な重要性しか持たない。第2に，プラグマティズムは人々を分析の中心に置く。デューイによる学校の生徒に関する研究では，人々は（必ずしもそうである必要はないが）積極的で創造的な主体であり，世界を形作り自らの目標を達成しようとして知識を用いることができる存在であった。プラグマティストの研究者は，人々，そして人々の主体的行為の可能性に対して，真剣な眼差しを向けることが必須である。第3に，プラグマティズムでは，とらえどころのないリアリティとの一致を無駄に追い求めることよりも，実践的で差異を作り出すものとしての知識の重要性を強調する。パウエル（Powell 2002: 979）は，「複雑な世界においては，何が事実かも疑わしいし，また事実が何かに関する理論は尊重されもしない。事実がこれだと＜一致＞することを擁護するような主張を構築する必要はないのだ。我々の真理は一致していない。しかし，真理は道具的である。―よりよい理論とは，よりよい研究，よりよい指導，よりよい学習，よりよい実践を促すもののことである」と記している。プラグマティズムのパースペクティブからの戦略論研究とは，抽象的な一般化を行うことを目指すものではない。行為者と行為者の諸活動に対し，彼らが自分たちの領域でより効果的に活動ができるように手助けできることに踏み込んでいくことを目指している。この種の研究では，実践家を直接巻き込んでいくことは，研究を行う上で助けになりこそすれ，足手まといにはならない。活動に価値を置く，主体的行為，実践的というこの3つのプラグマティズムの大まかなガイドラインは，理論のより中心的な部分において頻繁に見られる視点である。この点については，本章の後の部分で触れたい。

実践に関する社会理論

　社会理論における実践的転回は，実践的活動への関心という点をプラグマティズムと共有している。しかし，プラグマティズムになかった点は，活動と

その活動が埋め込まれている広い社会システムや構造との関係に大きな関心を持っているというところにある。実践的転回は，科学一般における実践的理性の回復を反映したものである。これは，啓蒙思想によって打ち立てられた客観的な科学的合理性という考え方を乗り越えようとするものである（Tsoukas and Cummings 1997; Toulmin 2001）。社会理論における実践的転回の重要な理論家として，ピエール・ブルデュー（Pierre Bourdieu），ミシェル・ド・セルトー（Michel de Certeau），ミシェル・フーコー（Michel Foucault），アンソニー・ギデンズ（Anthony Giddens）を挙げることができる。彼ら理論家全員に共通しているのは，タルコット・パーソンズ（Talcott Persons）に代表されるような，大きな理論的「システム」を示さない，という点にある。実践的活動と人間行為主体の判断力についての観察に依拠し，語彙やフレームワークへの鋭敏な感性を明らかにしている（Giddens 1984; Reckwitz 2002）。

　シャツキ（Schatzki 2001）は，様々な強調点の違いがある実践パースペクティブには，3つの核となるテーマがあることを指摘している。第一に，実践パースペクティブは，あらゆる種類の活動に関心を寄せている。そうした関心は，大きな，非日常的なものに限らず，些細な，ルーティン的なものにまで及ぶ。一見ありふれたことへの関心は，セルトー（de Certeau 1984）の「日常」の社会学，ブルデュー（Bourdieu 1988: xi, 訳 p.10）の「慣れ親しんだものを見知らぬ異国のものにする」こと，ギデンズ（Giddens 1987）の非日常性の日常化の重要性への主張を反映したものである。セルトーとその周辺の研究は，「料理をする」や「買い物をする」ことについてのすべての些細なことに関心を向けて，そうしたことが可能になる上での，自明視された理解の内容や，人工物に注目している（1984; 1998）。

　第2に，実践パースペクティブはこうした活動を社会的実践の領野の中で捉える。社会的実践の中で，人間行為者は，広い社会の共通理解やスキル，言語，技術を頼りにして行為を形成する。ブルデュー（1990）のハビトゥス概念，フーコー（Foucault 1977）のディスコース的実践への関心，セルトー（1984; de Certeau, Girad and Mayol 1998）の物理的人工物への着目といった中にこうした関心が見られる。フーコー（1977, 1978）は，西洋社会に

おける狂気や性の新しいディスコースは，歴史的に生成されたものであることを指摘する。こうしたディスコースは，ある実践を可能かつ可視的にし，また，正常と異常とを識別させるものとして生じてきた。こうした活動が社会に埋め込まれたものであるという認識は，社会理論における古い二分法を超越する上での基本的な主張点である。すなわち，方法論的個人主義におけるミクロ還元主義は，個々の人々の活動にフォーカスするが，一方，抽象的な社会構造やシステムのパワーを信奉する＜社会実存主義＞によるマクロ具象化のスタンスという2つへの二分化された考え方である（Schatzki 2005）。実践の理論家はミクロの活動とマクロのコンテキストの双方を真剣に受け止める立場である。

　第3の実践的転回における中核的テーマは，行為者とその行為者の日々の生活における日常的活動のために用いるスキルや材料への関心である。ここでは行為者は社会的実践に単純にプログラム化された存在だとはみなされない。行為者は制約や社会的地位によって利用可能な資本の巧みな操作者として捉えられる（de Certeau 1984; Bourdieu 1990）。ギデンズ（1984）の構造化論に顕著なように，行為者自らが，自身の活動が依拠している社会的ルールや資源のストックを再生産したり変えていったりすることによって，そうした巧みな実践がなされる。また，近代社会においては，科学的知識の言語や概念を通じて日々の行いへと浸透する限りにおいて，社会科学は直接／間接的に行為者が活動を形成するための材料となる（Giddens 1984）。我々の研究は人々の生活に変化をもたらすことができるのである。

　これらの実践に関する社会理論は，多くのプラグマティズムの潮流とは違い，ローカルな活動と大きな社会構造との相互依存性に対してより大きな関心を向けている。同時に，彼らは主体的行為の可能性とそうした主体的行為を支えるものが何かを理解する動きの高まりの可能性という2つの可能性を擁護しようと考えている。特に，ギデンズを通じて，この幅広いパースペクティブが，マネジメントや組織論研究においてすでに影響を与えている。とりわけ，＜プロセス＞アプローチとしてくくられた研究においてその影響が見られる（Whittington 1992; Pozzebon 2004）。制約されている中で可能な主体的行為という構造化論の立場からの説明は，プロセス研究者にとって，組織変革の

困難なプロセスを説明できる理論的エンジンになっている (Pettigrew 1985)。しかし, 社会理論における実践的転回は, 少なくとも3つの点に対する関心が新たに付け加えられることで, これまで数多く展開されてきたプロセス・アプローチと区別されるものである。

　第1に, 第1章で強調されたように, 実践パースペクティブは人々の実践的活動に対して, より大きな魅力を感じている。多くのプロセス・アプローチの研究は, 組織や個体群レベルの変化の説明で満足してしまっている (van de Ven and Scott 2005)。しかし, 実践の理論は, そうした変化の中で人々が何をしているのかに関心を持っている。ブラウンとデュギド (Brown and Duguid 2000: 95) の中に, 実践とは「プロセスの内的生活」であるという言葉がある。実践のパースペクティブからすれば, 大きなプロセスの中における人々の入り組んだ活動にこそ関心があるのだ。第2に, 人々への関心の持ち方から生じる違いがある。伝統的な経営戦略論研究の従属変数は, 組織のユニット全体の成果であった (Barney 2002)。実践アプローチが注意をむけるのは, むしろ, そうした組織をつくり上げる巧みな人々の行いに対してである。こうなると, それらの人々を実践的教育を通じて助けようとするデューイ研究者の関心と近づいてくる。戦略とは単に組織の成果に関するものではなく, 実践家が自らの職務上の課題に取り組むことを助けるものでもあるのだ。第3の相違点は, 視点のレベルを1つか2つ高いレベルに上げることにある。プロセス研究者は経済的・社会的コンテキストに関心を向けてきたが, こうした関心は「外的」なものとして描かれている (Pettigrew 1985)。一方, 実践パースペクティブは, そうした経済的・社会的＜コンテキスト＞は, 基本的には, 行為者の定義の中に含まれるものであり, また, 行為者の行為の可能性の中にあるものであると考える (Whittington 2006)。とりわけフーコーディアンは特徴的で, 最小の活動 (例えば, 訓練されたやり方で兵士が行進するかどうか) は, 社会的・経済的条件のもっと広いマトリクスに依拠していることを示している。社会的・経済的コンテキストは外側にあるのではない。それは, おきる物事すべてに完全に内在化されたものなのである。何人かの研究者はこうした表現を拒むかもしれないが, 上記のような意味で, 実践パースペクティブは, 組織プロセスの中のミクロの活動をより深く知ろうとするとともに, プロセス

の外側のマクロのコンテキストに対してもより強い関心を向けるものである。

　まとめると，哲学におけるプラグマティズムと社会理論における実践的転回は，ある広大な方向に研究を向けようとしている。活動と経験の重要性を強く主張し，主体的行為の可能性を提示し，こうした主体的行為を支えるような知識の役割を認識している点で，これらは共通している。勿論，違いもある。哲学的な立場からすると，プラグマティズムは元来妥当性の基準に対してより関心を持っており，絶対的なものの探求に対し，実践性を強調する。社会理論に関しては，実践理論は活動と活動を可能にする広範な条件とのリンクに非常に重きをおいてきた。だが，プラグマティズムと実践理論は戦略の行いを研究することを動機づけるとともに，方向づけることが十分にできるだけの感受性を提供している。

　プラグマティズムと実践理論は，そうした研究への幅広い方向を示しているが，これらは両者とも結局のところはメタ理論的である。いうまでもなく研究者にとってのタスクは，こうしたメタ理論的な基盤を具体的な研究へと翻訳していくことにある。次のセクションは，実証研究とより近い所で関係しており，学ぶところの多い4つの理論的領域を考察する。

理論的な材料

　このセクションは，実践的転回とプラグマティズムによって強調されてきた数々の活動に直接関連した研究を展開している4つの幅広い理論的伝統を考察する。第1番目は，状況的学習の学派である。同研究は，暗黙知や実践コミュニティなどのアイデアと関連している。2番目には，センスメーキングと組織ルーティンのパースペクティブを置くことにする。この2者は両方ともカーネギー学派が強調する制限された合理性の概念を共有している。第3は，制度派パースペクティブである。大部分はアメリカの新制度派研究が占められているが，ここにはヨーロッパのフーコーディアン（訳注：哲学者フーコーの研究に依拠する研究者のこと）の応用研究も見られる。最後はアクター・ネットワーク理論である。アクター・ネットワーク理論は，ミクロとマクロ，内容とプロ

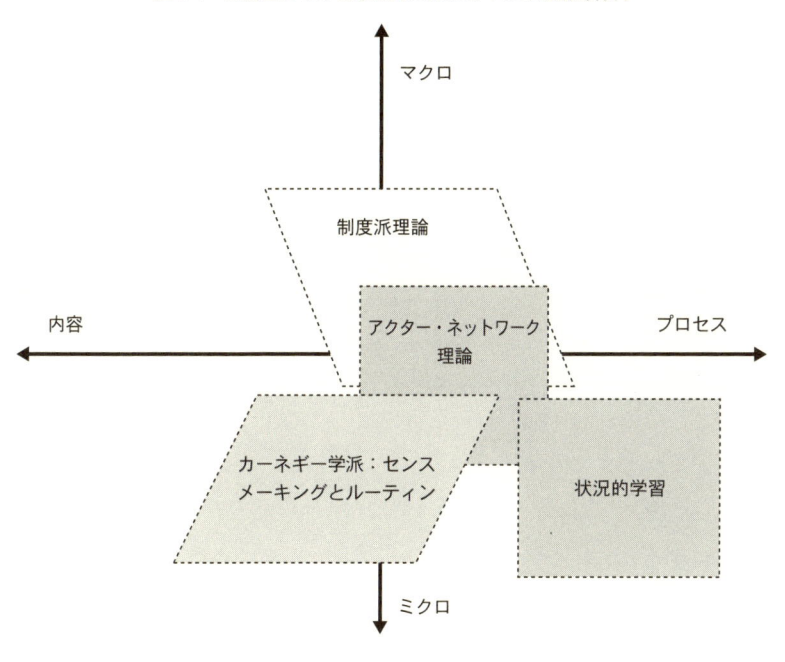

図 2-1　実践としての戦略研究のための 4 つの理論的材料

```
                    マクロ
                     ↑
              ┌─────────────┐
              │  制度派理論   │
              └─────────────┘
                ┌─────────┐
   内容 ←──────│アクター・│──────→ プロセス
                │ネットワーク│
                │  理論    │
                └─────────┘
        ┌─────────────┐
        │カーネギー学派：│  ┌────────┐
        │センスメーキング│  │状況的学習│
        │ とルーティン  │  └────────┘
        └─────────────┘
                     ↓
                    ミクロ
```

セスという基本的な前提に挑戦している。理論的基盤，概念，実証モデルの点から見て，これら 4 つの理論は実践としての戦略研究に強力な材料を提供している。だがこれらだけが活用可能なモデルではない。例えば，シンボリック相互作用論，エスノメソドロジー，ドラマツルギーなどについてはセクションの最後で言及している。しかし，ここでは 4 つに特に注目する。これらは注目すべきスタート地点を示していると同時に，興味深い実証研究によってすでにその意義が支持されているからである。

　これらの 4 つの学派について，ここでは 2 軸でその注目すべき論点を整理している。図 2-1 は，第 1 章の図 1-1 を 2 つの連続する軸の形で変形したものである。縦軸はミクロ／マクロのどちらにより強調点を置いているかを示している。この両者の隔たりは，本書の導入部分である第 1 章や社会理論における実践的転回で取り上げられている。縦軸の下に位置する学派は詳細な活動に大きな関心を寄せるが，上の方の学派は，社会全体の幅広いパターンや力に関心が

ある。横軸はこれらの理論の多くがフォーカスするプロセスにおける「どうやって（how）」の問題か，内容に関する「何を（what）」の問題かに分けられている。戦略論研究では，前者については戦略転換や意思決定などが議論され，後者は多角化や国際化などが取り上げられる。この図はあくまでも概略的である。図中の位置づけが表しているのは，理論の重心がどこにあるかであり，他と隔絶された領域を表しているわけではない。両軸を連続体として表している意図は，あくまでも相対的に強調している程度を示すためであり，また，各学派の区切りについても点線で表しているように，境界に明確な線引きがあるわけではない。4つの象限間は，それぞれ架橋されて越境するはずであり，いくつかはすでに取り組みが始まっている。実際，第1章で見てきたように，実践としての戦略研究の重要な狙いは，この4つの象限がそれぞれフォーカスしている点どうしの結びつきをつくっていき，それぞれをより近づけていくところにある。

　しかし，図2-1には実践上の重要な点がある。4つの学派はどれも4つの象限にそのまま収まってはいない。全体的にミクロの側に偏っており，制度派理論が最も縦軸の上側にあり，その研究のマクロ的基盤を示している。勿論，望ましい理論的伝統は，4象限のどこにも同じようにまたがっていることであろう。だが，4つの学派の実際の境界は，そうした包括的な視点の要求を言外に示している。ひとつの研究の中では，4象限の全部にアプローチするのは理想的なものの，そのうちのひとつの象限に集中して，＜方法論的囲い込み＞の自己意識の戦略をとる方が，多くの場合でより実践的かもしれない（Giddens 1979）。そうした研究は何が「囲い込まれているのか」を認識する必要があるし，何が省かれているのかを示す必要がある。しかし，それぞれの象限で研究が補完的に積み重ねられていくにしたがい，そうした研究は内容とプロセス，ミクロとマクロの双方を含むような活動の完全な姿を最終的には示さなければならない。

　4つの主要なアプローチを紹介していこう。最初は状況的学習アプローチで，これは図2-1の下の右側の角に位置している。その後は，時計回りに，カーネギー学派の伝統に基づくセンスメーキングと組織ルーティン・パースペクティブ，制度派理論，そして最後にはアクター・ネットワーク理論を取り上

げる。アクター・ネットワーク理論は最も真ん中に位置するが，これはそもそも図のような分類をすること自体に対して最も批判的な視点だからである。

状況に埋め込まれた学習

　当初，実践としての戦略研究にとって学習はあまり関係のないものだと考えられていた。しかし，状況的学習は，デューイなどのプラグマティストの研究や，ブルデューのような実践理論家の知見から直接的に関係した研究だと言える。状況的学習論は，人々が日常的な活動の中で人々がいかに学ぶのかにフォーカスするものである。状況的アプローチは，日々の生活から離れた場所で行われる公式的教育よりも，むしろ日常的生活のコンテキストの中での学習に価値を置いている（Elsbach, Barr and Hargadon 2005）。これまで見てきたように，＜状況的学習＞のこれまでの研究は，理論構築や調査研究，あるいは，いくつかの戦略の中核的な概念の観点から非常に示唆に富んでいる。

　レイヴとウェンガー（Lave and Wenger 1991）の『状況に埋め込まれた学習』という書籍は，マネジメントの領域の中で徐々に取り上げられるようになってきた研究方法を確立した中心的研究である。同書は，スキルについて広い範囲に関心を向けている。例えば，買い物客がスーパーマーケットで算数をどのように使っているかというようなものから，オフィスでの事務職に関するものまでもがその対象である。彼らの強調した点とは，学習とは社会的に生じるものであるということ，そして，活動はそうした学習と共振しあう関係にあるということである。学習は人々によって為されるものである。つまり，個人の中で，ではなく＜世界の中の人々＞によって行われる。学習とは，＜実践のコミュニティ＞の一員になっていくことである。この意味は，メンバーになる者にとっては，正統性は認知と同じだけの重要性があるということである。また，実践のコミュニティの社会的な特徴を挙げると，少なくとも階層的な関係と同等に水平的な関係が重要であるという点である。実践とは，コミュニティ，ルール，人工物，道具，記号などからなる＜活動システム＞を完全にコントロール下に収めることを意味している（Engeström 2004）。多くの重要なスキルは高度に暗黙的であり，ありふれた活動の中に埋め込まれている。そ

のため，直接的に経験することからしか学ぶことができない（Wenger 1998）。学習は活動から生じるのである。

　状況的学習アプローチを図 2-1 の下部に位置づけたのは，ありふれた活動への積極的な価値を認め，ミクロの視点を重視しているからである。さらに，実践のコミュニティはコピー機のエンジニアや保険会社の事務職員など，特定の組織の中の小さなグループとして見られる（Orr 1996; Wenger 1998）。このアプローチにとっての挑戦課題は，社会や外部組織のネットワークからもたらされるパワーのような，マクロ・レベルの影響をより強く認識することにある（Brown and Duguid 2000; Contu and Willmott 2003）。さらに，状況的学習アプローチの学習への関心は，主にプロセスの側面に向けられている。状況的学習アプローチは，知識は静態的なものとして見ることができず，活動から動態的に生じてくるものだという強力な前提を置いている。

　しかしながら，状況的学習アプローチは，理論的な面でもリサーチのモデルとしても，潜在的に幅広い戦略の行いに関するリサーチと色々な面で幅広く関係している。暗黙知を強調する点は，概念的には資源ベース論の中で常に重視されている点である（Ambrosini and Bowman 2001）。行動についての創発的で水平的なモデルに共感を持つという点においてはミンツバーグ（Mintzberg）の戦略形成の概念とも調和する。オウリコウスキー（Orlikowski 2002）は，状況的学習の概念を用いてハメルとプラハラッド（Hamel and Prahalad 1990）の有名な「コア・コンピタンス」の概念を転換させている。それは，固定された，すでに存在するものとしてコア・コンピタンスを見るのではなく，組織メンバーの日常的な今取り組んでいる実践の中で構成されるものとして認識するというものだ。競争優位性を公式的で，形式化され，大きな規模で理解しようする考えに反対の立場を強めるものである。状況的学習アプローチは組織の中で人々が実際に何をしているのか，直接的かつ密接に知るように我々を誘っているのである。

　さらに，状況的学習アプローチは，経験的リサーチのモデルと概念を提供してくれている。状況性の理論への関心は，研究者に彼らが観察している活動の内側に深く入り込ませる。オーア（Orr 1996）はコピー機のエンジニアに，チーム朝食会からずっと一日中ついてまわった。ハッチンス（Hutchins

1996）は船の船橋に行って航海士の研究をした。ウェンガー（Wenger 1998）は彼自身の事務職員について研究した。活動システム（Engeström 2001）や実践のコミュニティ（Lave and Wenger 1991）は，活動が相互依存する関係になっている状態を強調する。こうした活動には，同僚やローカルな文化のルール，人々が物事を実行するために用いる物理的な人工物までも含まれる。状況的学習の視点に基づく行為者の姿は，完璧に合理的で，古典派経済学の独立した存在としての個人という考え方からは大きく異なる。この合理的経済人モデルから距離を置く行為者観は，カーネギー学派においても同様の発展が見られる。

カーネギー学派：センスメーキングと組織ルーティン

　マーチとサイモン（March and Simon 1958）やサイアートとマーチ（Cyert and March 1963）の研究に基づいたカーネギー学派は，戦略を行うことの研究と潜在的に関わりのある2つの重要な研究の潮流を生み出した。その2つとは，組織のセンスメーキングに関する研究と組織のルーティンや能力に関する研究である。これら2つの研究の流れはそれぞれ独立したものだが，カーネギー学派の＜制限された合理性＞の主張に基づいて展開されている。＜制限された合理性＞の概念は，これまで旧来の新古典派経済学が前提としてきた＜完全合理性＞と対立する考え方である（Argote, McEviley and Reagans 2003）。行為者の合理性に限界があるとするならば，行為者が自らを取り巻く世界を理解しようとすること自体にも限界があり，行為者はその限界のある理解のプロセスの連続の中に存在していることになる。また，行為者の合理性に限界があるならば，行為者は活動について1から計算をするよりも，過去のルーティンを拠り所としようとするだろう。これらルーティンのうちのいくつかは，組織に有効性をもたらし，また，他の組織は不完全にしか模倣できない。したがって，そうしたルーティンは競争優位性の源泉となりうる。センスメーキングと組織ルーティンの議論をカーネギー学派という同じグループの一員として扱うのは，これら2つの議論の知的な源流が共有されていることや，図2-1のミクロの位置に同居していることによる。

認知は行為（特に他者との相互行為）によって形作られるというセンスメーキングの研究からの主張は，実践としての戦略の研究者によって重要な点である。センスメーキングの研究は，第三者的な見取り図や，代理変数，シミュレーション，実験といったカーネギー学派に触発された数多くの認知研究を超えた研究である（Hodgkinson and Sparrow 2002）。センスメーキングの研究者は，実際の相互作用を直接観察することに最も力を注いでいる。そのために用いる方法論は，エスノグラフィーや参与観察，ダイアリー調査法，リサーチの題材に即して繰り返し実施する日常的なフォーカス・グループなどである（Gioia and Chittipeddi 1991; Weick and Roberts 1993; Balogun and Johnson 2004）。センスメーキングの学派では，集団のレベルの相互作用に重きを置くのが通常で，この集団はいわゆる広範な社会的環境からは切り離されたものとして扱う。例えば，消火活動チームや空母の乗務員，トップ・マネジメントのグループなどである（Weick 1993; Weick and Roberts 1993; Maitlis 2005）。集団的なセンスメーキングが社会的構造の中に埋め込まれているとする研究は非常に稀である。したがって，こうした研究を展開していくことには可能性があるも言える。ルーロー（Rouleau 2005）の研究は，ケベックのファッション産業におけるジェンダーや言語の社会的構造がどのように供給業者と顧客のセンスメーキングにリンクしているかを示したものである。男性であるか女性であるか，あるいは，フランス語を母国語とするか英語を母国語とするかによって，それぞれのセンスメーキングや相互作用に違いが生じているというのだ。すなわち，センスメーキングを現在のミクロへの関心に限定されたものから，より広い社会的構造への関心へと広げていく研究をもっと展開する余地が残されているのである。

　これまで行われてきたセンスメーキング研究は，図2-1で示されているプロセス側の領域にあるという強みがある。センスメーキングは戦略や組織変革の活動に対して，潜在的に極めて重要な活動として生じてくる。ダトンとデュケリッチ（Dutton and Dukerich 1991）は，センスメーキング・アプローチを用いて，ニューヨーク港湾局にとって戦略的課題として浮上してきた「ホームレス問題」に，港湾局がどのように認識し，具体的に行為をしたかを調査した（cf. Dutton and Dukerich 2006）。より最近の研究では，メイトリス

(Maitlis 2005) による3つのオーケストラに対する長期間の調査研究がある。この研究では，重要課題に関する特定のセンスメーキングのパターン（断片化された，制約された，誘導された，最小限の）があることを発見した。そして，こうしたパターンが，その後の組織的行為の一貫性や，重要課題に対する組織の行為者の意味づけに関係があることが明らかになった。古典的な研究では，ジョイアとチッティペディ（Gioia and Chittipeddi 1991：本書後半部分で要約を収録）があり，同研究では参与観察の方法を用いて，関連のあるセンスギビングに関する現象を明らかにした。センスギビングの活動の中で，組織変革に乗り出した大学の学長は，職員に対して彼が何を意図しているか，また，何を実行しているのかについての意味を提供している。ジョイアとチッティペディ（Gioia and Chittipeddi 1991）は，具体的な活動（会議，プレゼンテーション，アポイントメント，コンサルタントの採用，その他）についてのセンスギビングの役割について言及している。しかし，プロセスに関心をもつか，あるいは，実践に関心をもつかの違いについて言及する必要がある。彼らの説明は，抽象的な段階（i.e.ビジョン提示，シグナル伝達，ビジョン再提示，活性化）として変革プロセスの全体に関心を向けている。実践の研究では，むしろ，そうした変革プロセスの内側で繰り広げられている，行為者自身による努力や結果的に成し遂げたものとして，具体的な活動を考察することに関心がある。

　カーネギー学派の中のもうひとつの関連するパースペクティブは，近年多くの研究が展開されているルーティンとダイナミック・ケイパビリティに関するものである（Cohen et al. 1996; Teece, Pisano and Shuen 1997; Becker et al. 2005）。サイアートとマーチ（Cyert and March 1963）は，標準業務手順が時間の経過に伴い，どのように個々の意思決定にとってかわるのかについての洞察を展開した。現在ではこの議論は資源ベース論に統合され，潜在的優位性の源泉だと考えられている。ルーティンは標準的行動であり，経験則である。また，意識的であるかどうかに関わらず，戦略でさえも多くは反復的なものである。これらルーティンは，製造ラインの労働者の行為から，「すべての市場で常に1位か2位になる」という経験則に至るまで幅が広い（Cohen et al. 1996）。ティースら（Teece et al. 1997）の古典的な定義では，ダイナ

ミック・ケイパビリティとは，革新的なルーティン（あるいはコンピタンス）の統合，構築，再構成をする組織の能力であるとされる。ルーティンやケイパビリティが組織の競争優位性の源泉となっていると考えるため，マクロ・レベルよりもミクロ・レベルにフォーカスする傾向がある。また，このパースペクティブのそもそもの関心は，戦略の内容研究であっても，戦略のプロセス研究であっても，特定の組織の間の違いに向けられている。よりミクロなルーティンや能力であるほど，競合相手に容易に発見されたり，模倣されたりすることが難しくなるため，より価値があると考えられている。

　カーネギー学派のルーティンとケイパビリティへのアプローチは，組織全体の内側で起きている詳細な活動をリサーチすることを強く後押しするものである。しかしながら，この学派の多くの実証研究は半－第三者的（semi-detached）である（Johnson et al. 2003）。例えば，ゾロとシン（Zollo and Singh 2004）は，古典的な戦略の内容上の課題である買収時におけるプロジェクト・マネジメントや研修用マニュアルといったルーティンの役割を明らかにしたが，彼らはサーベイ研究の方法でリサーチを実施している。このようなルーティンに対する半－第三者的アプローチは，むしろ固定的なものとしてルーティンを概念化してしまい，解釈や主体的行為という観点が弱い。こうしたアプローチでは，プロジェクト・マネジメントのようなルーティンや実践は，具体的なものとしてみなされてしまう。この問題に応答したのがフェルドマンとペントランド（Feldman and Pentland 2003）である。同研究は，ブルデュー，ギデンズ，ラトゥールに依拠して近年，明示的ルーティンと遂行的ルーティンの2者を分類した。明示的ルーティンとは，別な言い方をすれば，標準的・理想的手続きのことであり，遂行的ルーティンとは実際にイナクトされたもののことを意味している。この論理をもとに，ハワード－グレヴィル（Howard-Greville 2005）は，実践としての戦略の研究として，技術の「ロードマップ作成」についてのエスノグラフィー研究を行った。ここから明らかになった点は，長期的に持続するルーティンであっても，実際の行為に及ぼす影響は，かなりの水準で柔軟性を持っている，ということであった。将来の実践としての戦略がリサーチを行う上での挑戦課題は，ルーティンがいかにして実際に行われているのか，ということをより深く理解することである。これまで

見てきた解釈と主体的行為については，マクロ・レベルの現象を強調する制度理論の数々でも同様の問題を見ることができる。

制度理論

　制度理論の支配的な形態は，新制度派理論である。新制度派理論は，完全経済的合理性を否定する（Scott 2000）という点において，カーネギー学派と同様の前提を持っている。新制度派理論の学派は，図 2-1 の分布でいうと，マクロに傾倒した位置にあることが突出した点である。制度理論は，組織がどうあるべきかを広範な環境の中にある制度的ルールや文化的規範が決定づけるという点において，組織ルーティンの議論とは異なっている（Meyer and Rowan 1977）。今日の高度化した社会における最も強力な規範は，組織は戦略的であるべきである，というものである（Nelson and Winter 1982; Knights and Morgan 1991）。

　一般的な現象として戦略が社会的に制度化されたのは，高まる組織の合理化の中で生じた長期的傾向として見ることができ，この制度化は専門化，国民国家，メディアのプレッシャーの下で生じている（Meyer and Rowan 1977）。合理性からの影響への同調，あるいはそのように見られる行動は，強力な行為主体の目の中で，単純な経済的優位性の計算の下に正当化されている必要がある。この学派の研究者は，制度的環境の影響をこれまで明らかにしてきた。こうした影響は，数多くの組織個体群に及んでいることから説明される。例えば，戦略における多角化戦略（Fligstein 1990），組織構造における事業部制組織（Palmer, Jennings and Zhou 1993），組織部門における人事部（Baron, Dobbin and Jennings 1986），職位における最高財務責任者（Zorn 2004）といったものの広がりが挙げられる。財務会計報告や TQM などの合理主義的実践（Young, Charns and Shortell 2001; Kostova and Roth 2002; Mezias 1990）が新制度派の領域をプロセス側に広げはしたものの，これまでの新制度派の研究は，図 2-1 中では内容の側に重きが置かれている。

　これら新制度派の研究者に典型的な点は，現象をつかむ上で大きなデータベースやサーベイを用いる点である。こうした方法は，実践としての戦略の研

究者にとってある面では非常に有用である。すなわち、人々が傾向としてどのようなことを行っているかを知ることは、特定の相互作用を解釈する上での重要な文脈上の背景を提供してくれる。しかし、これまで展開されてきた多くの制度研究では、集合のレベルの研究にとどまっており、活動の詳細については隠されたままであり、主体的行為がどのように行使されているかは覆い隠されてしまっている。実践としての戦略のパースペクティブは、マクロ・レベルにとどまっている新制度派の理論的視座をミクロの相互作用のレベルまで広げたいと考えている。異なるコンテキストの中での戦略という習慣の妥当性を理解する、という制度学派の考え方は、戦略の実践についてのエスノグラフィーにとって直接的な意義があるといえる。例えば、特定の標準的 MBA の戦略実践の正統性は時間の経過や国のコンテキストによっても変化している。戦略についてのエスノグラフィーを行う研究者に対して、そうした MBA 戦略の実践が特定の状況（例えば、中国のファミリー・ビジネスやヨーロッパの病院）でどの程度妥当かを教える、という役割が制度学派の研究者にはある。

　様々な種類の制度理論家は、すでにこのミクロとマクロの接合についての理論化とリサーチに手をつけ始めている。ディスコース分析や、スクリプト理論、構造化理論、弁証法的概念は、すべてミクロ・レベルの活動とマクロ・レベルの制度との相互依存性を概念化しようとするものだ（Johnson, Smith and Codling 2000; Seo and Creed 2002; Phillips, Lawrence and Hardy 2004）。バーリィ（Barley 1986）の論文（本書後半部分で要約を収録）は、こうした研究の端緒となった研究である。同論文は、新しい CT スキャンの技術を誰がコントロールすべきかに関して、マクロ・レベルの支配的集団間の競合関係と、病院の放射線医と技師との間のミクロの争いについて、構造化理論を用いて結びつけを行っている。マグワイアーら（Maguire et al. 2004）の研究は、このミクロとマクロの相互依存性に関するより新しい実証的説明を行ったものである。この研究では、エイズ活動家が「制度的起業家」として行為することが、どのようにカナダの政治的‒医療的環境の中に新しい実践を想像したかを明らかにした。インタビューや文書、書簡、参与観察を用いて、具体的な個々人の詳細な活動と、活動家組織と製薬会社との間の国家レベルでの新しい協働的規範の制度化とを結びつけることに成功している。

マクロ-ミクロの分断を架橋しようとする試みは有望だと言える。しかし，フーコーディアンのパースペクティブからの制度への考察は，全体的にもっとラディカルなものである。フーコー（1977）にとって，この2者を統合することは，そもそも問題にならなかった。制度的影響は，行為者を人々と定義したことにこそ原因があるからである。このフーコーディアンの制度に対する視座は，これまで戦略の研究へはほとんど応用されて来なかった。しかし，オークスとタウンリーとクーパー（Oakes, Townley and Cooper 1998: 本書後半部分で要約を収録）は，非常に類似した視点を持っている。また，ナイツとモーガン（Knights and Morgan 1991）は理論的研究の中で，高度化した社会における戦略がひとつの実践として歴史的にどのように台頭してきたのか，そして，そうした台頭がどのようにマネジャーの自己理解を官僚的管理者から，自分の成果に対して責任を内面に持った戦略的行為者へと転換させたかについて，フーコーの理論を明確に用いて示唆に富んだ見解を示した。この方法では，「マクロ」は「ミクロ」の一部分になり，行為者の制度的な圧力は行為者そのものを形成するとともに，最小の行為をも制度で満たしていく。次節で取り上げるアクター・ネットワーク理論は，こうした両極性の交差についての議論をさらに発展させている。

アクター・ネットワーク理論

　アクター・ネットワーク理論（一般的にはANTと略称される）の元々の起源は科学社会学である。しかし，今やANTの研究に触発された研究が幅広く展開されている。果ては軍隊の航空機（Law and Callon 1988）から子宮内避妊器具（Dugdale 1999）まで研究が広がっている。このような研究の広がりは，実践としての戦略にとっても新しい研究領域であることは間違いない（Denis, Langley and Rouleau 2007）。ANTは，図2-1にあるような二分法的な視点を批判している点で，より統合された戦略へのアプローチが期待できる。横軸に関しては，戦略の内容に対する静態的な視点を根本から崩し，すべてはプロセスであるという見方を示そうとしている。また，縦軸に関しては，ANTは＜ミクロ＞と＜マクロ＞という二分法的な捉え方に批判的であ

り，ネットワークの水平面上に広がる＜平面的存在論 flat ontology＞の立場をとる（cf. Seidl 2006）。このようなわけで，図 2-1 上に ANT を配置するのは難しい。しかし，ANT が二分法を軽視する姿勢は，ここでの議論にとって有用な点を思い起こさせてくれる。実践としての戦略の研究は，図上の 1 つの象限に留めておけるものではない。第 1 章で示したように，同図はあえて戦略論研究の領域を分解してみたものであり，実践としての戦略は現実が整合しているのと同じように，分断されたものを再統合しようとしているのである。

しかしながら，図 2-1 上で ANT を下側に位置したのは，ANT の起源が研究室での科学者や技術者の科学の実践へのミクロ的研究であったからである（Latour and Woolgar 1979; Knorr-Cetina 1995; Michael 1996）。一言で言うならば，実践としての戦略が ANT に期待しているのは，ANT が「技術者が実際に何をしているのか」（Law and Callon 1988: 288）を理解することに研究上の関心を向けてきたことにある。ANT の研究者は，科学的・技術的知識が生み出されている中で行われている様々な行いを念入りに描き出そうとしている。とりわけ，そこに関わる人々が何を行ったのか，そしてどのようなスキルや道具を用いたのかに着目する。そこで打ち立てられた核となる方法論的原則は「行為者を追え」（Latour 1987; Law and Callon 1988）である。人々が実際に何をしているのか，ということに強く関心を向けていく中で，ラトゥール（Latour 2005）は，強迫的な「近視眼」的リサーチの性質に価値を見出している。エスノグラフィーやフォトグラフィーはリサーチの方法として典型的である（Latour and Woolgar 1979; Latour 1999）。

少なくとも 3 つの点において，ANT は既存の理論的アプローチの基盤を揺るがすインパクトを持っている。第 1 に，ANT は社会現象が＜もの＞として扱われることに対して異議を唱える。ラトゥール（Latour 2005）によっては，集団であれ，国家であれ，市場であれ，戦略であれ，そうした現象は常に生成の過程にあり，また，人々がそうした生成過程に携わらなくなれば存在しなくなるものである。社会現象を絶えざる生成過程として捉えることは，現象の舞台裏へと研究者を誘うものである。そして，舞台裏から現象が生じ続けるための実践家のスキル，コツ，偶発的な出来事などを明らかにすることが研究の対象となるのだ。この原則を戦略に当てはめてみると，図 2-1 の内容の軸は

意味をなさなくなる。また，ANTは戦略の内容との関連性を議論することは可能だが，しかし，その方向性は既存のものとは全く異なる。ANTでは常に絶えざる変化の過程にある活動として理解するからである。2番目に得られる洞察は，非-人的主体の潜在的重要性に関するものである。実践家が利用可能な道具や素材の種類に科学や技術の進歩は根本的な影響を受ける (Clark and Fujimoto 1992)。こうした非-人的主体はこれまで安易に見過ごされてきていた。しかし，ラトゥール (Latour 1992) は，自動ドアや自動車スピード抑制のためにつくられたスピード防止帯などの非-人的主体も人的主体と同様の影響力を持つことから，ANTの議論をあらゆる非-人的主体も含めて展開した。ANTのパースペクティブからすると，道具や素材もそれ自体の活動に影響を持っているのである。

ANTがもたらす3つ目の既存研究への衝撃は，ミクロとマクロの明確で恣意的な線引きに対するものである。アクター・ネットワーク理論は，「行為が行われるために必要とされるつながりの平面的ネットワークに及ぶすべての行為主体を追いかけ続けよ」という主張である。軍隊の航空機プロジェクトの分析を行った研究では，航空力学やエンジニア，航空機メーカー，イギリス政府はひとつのネットワーク内のアクターであり，＜上＞や＜下＞，＜ミクロ＞や＜マクロ＞というものと結びつけて考える必要がそもそもない (Law and Callon 1988)。＜ミクロ＞研究が気を付けなければならない点は，反対側に＜マクロ＞を想定してしまうことである。ラトゥールは，有名な建築家を取り上げた研究で「レム・コールハースは『コンテキストは悪臭を放っている』と言った。疲れたり，面倒に思ったりしたときが，記述を止める方法である」(Latour 2005: 18)。

ANTには数多くの魅惑的な研究が展開されているが，経営学研究に取り入れるにはいくらかの工夫が必要である (e.g. MacLean and Hassard 2004)。しかし，ANTを主唱する研究者は，直接的に戦略論研究と関わりのある研究を展開している。例えば，アクリッチとカロンとラトゥール (Akrich, Callon and Latour 2002) は，人的アクターと非-人的主体の双方のネットワークの集合体というアートとしてイノベーションを分析している。ネットワークの構成要素は，継続的に吟味され，また，最構成されるものとして理解される。

つまり，イノベーションは単なるモノではないのだ。イノベーションとは，常に変化し，進行中の成果なのである（cf. Dougherty 1992）。理論的文献でカロンとロウ（Callon and Law 1997: 178）は，典型的な戦略家（＜アンドリュー＞）を他の人的，非‐人的行為主体のネットワークの中に埋め込まれたものとして描き出している。

　「アンドリューは戦略家である」とつい言いたくなってしまう。しかし，これは短絡的で，誤った理解をもたらす危険性がある。我々が記述してきた様々なアクターすべてのように，「戦略家としてのアンドリュー」は，特異なネットワークなのである。アンドリュー＋FAX＋同僚のマネジャー＋秘書＋本社＋ロンドン行きの電車＋彼のPC＋科学者や技術者の研究成果＋回覧メモ＋従業員が記入した出勤簿というように，こうした組み合わせが戦略的行為を可能にさせているのである。

　この人的，非‐人的な特異なネットワークの概要を示すことによって，ANTは人々が＜戦略を行う＞上で何が用いられたのかについての大きなリサーチ・アジェンダを示すことができる。戦略の行為者は，単に人的なものにとどまらない。そこには，コンピュータや，手順や電車ですらも含まれてくるのである。

4つのパースペクティブから戦略計画へのアプローチ

　これまで議論してきた実践としての戦略についての実証研究を行う上での理論的論点は，いくつかの共通したテーマがある。デューイの哲学から，セルトーの議論を通じて，あるいは，状況的学習やセンスメーキングやANTの各潮流に向けて，活動に対して強力な視線が注がれている。プラグマティズム，状況的学習，ANTの研究では，新制度派理論やルーティンに対するいくつかの研究ではあまり強調されていない視点として，人々が活動の中心的な推進力だと考えられている。ブルデューの関心が「慣れ親しんだものを見知らぬ異国

のもののように扱う」ことにあり，また，ウェンガーの関心が学習の細かな点に向けられており，そして，曖昧で模倣不可能なルーティンの重要性が主張され，ラトゥールのアンビバレントな＜近視眼＞への視線が示されたが，そこでは何度となく＜ミクロ＞の重要性が繰り返し強調されてきている。新制度派理論は，道具や人工物のマクロ的な起源にそれらの使い方を支配する規則や規範と併せて強調点を置いている。ANT はミクロとマクロというカテゴライズの仕方に懐疑的であるが，この2者間のリンクについては，実際によく強調される点である。例えば，構造化論においても，また，徐々に新制度派理論でも中心的なテーマとなってきている。強調点には隔たりがあるが，これらすべての理論的パースペクティブから我々が吸収できることは何だろうか。それは，実践としての戦略の中心には，あらゆる種類の道具に依存しながら他者と協働する人々がいるということ，そして，人々の活動の成功は，組織の中の微細なことに熟達し，外側の広い世界とのつながりを作り出すことにある。

以上のような，様々な洞察をどのように中範囲のレベルでの（Bourgeois 1979）具体的なリサーチ・クエスチョンに転換することが出来るかが，ここでの新しい課題である。いくつかの幅広いアプローチを公式的戦略計画の例を用いて示したい。読者は自分の身の回りで起きている出来事をイメージすることもできると思うが，本書では，戦略計画を典型的な戦略化の活動として選んだ。戦略計画は，様々な批判を浴びてきた（Mintzberg 1994）ものの，何らかの形で未だに最もポピュラーなマネジメント手法の地位にある（Rigby 2005）。確かに戦略計画は息の長い研究上の潮流として議論されてきた。しかし，戦略計画の研究は成果との関連で議論されているものの，その結論は出ておらず，失望を生み出している（Brews and Hunt 1999）。ここに実践としての戦略に基づいた研究を展開する余地がある。実践としての戦略は，すでに戦略計画に対して新規性のある生産的な洞察を提供し始めており（Jarzabkowski 2005），さらに，この節では，前の節までに紹介されてきた4つの理論が，この長きにわたる重要な問題にどのように取り組むことができるかを考えていこう。

ANT がいま少しの間，＜マクロ＞という言葉を使うことを許すならば，まずは最も「マクロ」なレベルから考察を始めることにしたい。新制度派理論は

他のマネジメントの実践が広まったのと同様の問いを戦略計画に対しても投げかけている。例えば、新制度派理論は歴史的に戦略計画が広まった程度 (Fligstein 1990)、産業分野や国の間における普及パターンの同一性 (Whitley 1999)、先駆的企業の特徴 (Palmer et al. 1993)、コンサルタントやメディア、流動的な経営者のキャリア (Abrahamson 1996; Whittington et al. 2003) について研究を展開してきた。こうした研究上の問いは、今までの戦略計画の研究とは異なる方向から、戦略計画がもたらす成果の課題にアプローチすることができる。新制度派アプローチは、企業全体のレベルで見た戦略計画の直接的な経済的成果を単純に明らかにしようとするものではない。そうではなくて、戦略計画の長所と短所をより厳密に知ろうとしている。具体的には、戦略計画の普及の速度や、受容の同一性、先駆者の性質、推進者と反対者を厳密に調べていく。こうした中で、経済的な成果に限定されず、戦略計画が推進されたり、実践されたり、あるいは導入に抵抗されたりする様々な理由を明らかにする研究が展開されている (cf. Langley 1989; Oakes, Townley and Cooper 1998)。戦略計画の総体的にみた成功や想定される失敗 (Mintzberg 1994) は、社会的なレベルのトレンドの観点から評価が可能である。新制度派パースペクティブは、戦略計画に対して、今までとは違う新しい評価軸をもたらしているのである。さらには、戦略計画の限界に対しても、より深い理解も提供してくれる。

　一方で、新制度派のパースペクティブからは、戦略活動をよりミクロ・レベルで研究するための有用な枠組みも提供可能である。構造化理論やその他の理論を応用することによって、戦略計画の制度化された実践を個々の状況下の戦略化のためのルールや資源、スクリプト、ディスコースをもたらすものとして理解可能である (Giddens 1984; Johnson et al. 2000)。戦略活動の特定のエピソードの参加者や成果について、公式的プランニングの実践が個々の活動領域の中で、どのように正当化されたり、ぶつかり合ったり、場合によっては欠けていたりするのか、といった視点から解釈することもできるだろう。このような視点を取り入れれば、戦略計画のマクロ的評価についても、これを制度化された実践として理解することができる。これは、戦略分析のミクロ・レベル分析に直接つながってくるであろう。ここで少しだけその研究内容に触れてみ

よう。ホジキンソンとライト（Hodgkinson and Wright 2002）による出版社のシナリオプランニングの失敗についての研究は，単に参加者の政治や能力だけに起因するものとしては描かれていない。ここでは，戦略計画の実践がその現場でどのように正当化されたかとか，戦略計画を導入したアカデミック・コンサルタントも関係していることが描かれている（Whittington 2006）。

　ミクロ・レベルでは，状況的学習とセンスメーキングの双方の学派が戦略計画に対する重要な問いを提示している。データ収拾と分析によって大半が占められ，次にその結果の伝達へと続く戦略計画にとって，センスメーキングとセンスギビングは明らかに中心的な構成要素である。ジョイアとチッティペディ（Gioia and Chittipeddi 1991）は，幅広いプロセスを説明しながらも，戦略についてのセンスメーキング・パースペクティブの研究は，特定の時間と場所で，プランニングチーム内でどのようなやりとりが行われているのか，その密なダイナミクスに目を向けていくとしている。プレッシャーがかかる状況下における小グループにフォーカスした例（e.g. Weick and Roberts 1993）を出すならば，こうしたセンスメーキングのアプローチは，プランニングの現場やプランニングチームの排他主義や秘密主義のまさにそのタイミングに及ぼされている影響に対して，特に敏感に観察を行う。一方，状況的学習アプローチは，そもそも人々が戦略計画チームの中で十全的に受け入れられていくか，また，どのように影響力を持つ一員になっていくかに関心を持っている。ここではプランニングチームは実践コミュニティとして理解されている。周辺参加は単なるメンバーへの推挙がされることなどではなく，その場にふさわしいローカルな実践を可能にする，ある種の徒弟制として理解されるのである。プランナーになるためには何を必要とするのかという問いがここでは立てられる。この問いは，組織よりも個人の成長へ関心を持つという，長きにわたるプラグマティストの特徴を表している。フェルドマンとペントランド（Feldman and Pentland 2003）の明示的／遂行的の分類をここでもう一度考えてみると，熟練したプランナーのスキルのひとつは，個々の状況下の計画のルーティンを適応的かつ創造的に解釈する能力にあると言えるかもしれない。

　ANTは状況的学習とは違い，個人という単位ではないレベルでプランナーの生成にアプローチするだろう。＜戦略家アンドリュー＞の例（Callon and

Law 1997)を再考してみよう。ANT はプランナーが自分自身の仕事を行うために必要な人的，技術的ネットワークを明らかにしようとする。確かにここにはチームのメンバーもいるが，ANT は組織のもっと外側とのつながりを追いかけようとする。例えば，最初に＜プランニング＞という基本概念となる道具を提供したコンサルタントや以前の同僚，ビジネス・スクールの教員のネットワークである。ANT はまたプランニングの中で使われる具体的な技術に対しても特別な注意を向ける。フリップチャート，茶封筒，携帯電話，ビデオ会議，ラップトップ PC，一般的にはマイクロソフトが作っている表計算やプレゼンテーション用のソフトウェアなどである。ANT が分析するプランニングに関するどのエピソードでも，シアトル（訳注：マイクロソフトの本社所在地）のソフトウェアエンジニアはプランナーと一緒にいるアクターだと言える (Molloy and Whittington 2005)。

結　論

　実践としての戦略は，新しい潮流である。戦略論研究の支配的な研究パースペクティブである内容研究とは大きく異なると同時に，伝統的なプロセス・アプローチとも視点を異にしている。それだけに，この章でのメッセージは研究を後押しする内容であった。実践としての戦略は，哲学と社会理論の現代的な変化の方向性を追うものである。この意味において，実践としての戦略はメインストリームの一部であり，伝統的な戦略論研究は時代遅れだと言える。さらに言うならば，こうした現代の研究全般で起きている大きな変化の流れに乗ることは，実践としての戦略を研究する者にとっては調査研究を行う上でも取り組むべき新しく問いとして，豊かな理論的材料を提供してくれることも意味する。

　本章では，関連する現代理論の大まかな輪郭について理解しようと試みてきたが，これがすべてを網羅しているわけではない。ストルトとファインとクック (Stolte, Fine and Cook 2001) は，こんにちの社会学が＜社会学的ミニチュア主義＞の豊かな伝統に基づいた研究が数多く展開されていることを取り

第2章 実践的な理論 　67

上げている。こうした研究展開に基づけば，戦略の実践に関連する詳細な人間の活動の様々な側面を独自の方法で描き出すことができる。例えば，シンボリック相互作用論，ドラマツルギー，ディスコース分析，エスノメソドロジーなどは，実践としての戦略の研究展開に大きな可能性を与えてくれる。ミード派のシンボリック相互作用論では，戦略家や戦略化集団の文化，シンボル，個人のアイデンティティの役割に注目する。また，ゴッフマンのドラマツルギーからのアプローチでは，研究の範囲を広くとり，より一般的にマネジャーがどのように自らの与えられた（戦略に関連するものや，もっと管理的なものの）役割を役者のように＜演じる＞のかについて研究をしている（Callero 2003; Mangham 2005）。ディスコース分析（Fairclough 2005）は，戦略の中の言語とディスコースについて，ミクロとマクロの双方のレベルに配慮しながら深く探求していくことを可能にする。たとえば，ヴァーラたち（Vaara et al. 2004, 2005）の戦略的提携と買収に関する研究では，特に今後の研究展開をしていく可能性があるところが示されている。具体的には，マネジャーが戦略の中のディスコースを実践的に用いているか，そして，このディスコースがもたらす微妙な帰結について研究を行っている。非常に類似しているものの，さらに詳細なアプローチとしてエスノメソドロジーによる会話分析があげられる。この研究では，戦略に関する会話中で特定のエピソードをうまくやってのける上での技や罠を深く理解する可能性を示している（Samra-Fredricks 2003; Lynch and Peyrot 1991 も参照のこと）。ここで示した理論以外にも，研究を展開していく上で示唆に富んだ，方向を指し示してくれる理論は数多く存在している。

　これまでいくつかの理論に絞って紹介をしてきたが，その狙いは，実践としての戦略の研究者にとって意義のある理論的に活用できる材料や，調査研究上の方法について，その質と幅を端的に明確化することにあった。読者はこれらの中からもっと深く自分の研究上の必要に即して追求してみるものを選ぶかもしれないが，一方で，これら理論や方法は共通する基盤を提供してもいる。ブルデュー，セルトー，フーコー，ギデンズといった哲学上のプラグマティズムや実践理論は，根底には共通する観点がある。ひとつは，日常を出発点とした人々の実践的な活動を真剣に捉えようとすることにある。状況的学習，センス

メーキング・パースペクティブ，遂行的ルーティン概念など，これらすべてはそうした日常的な活動の微細ことがらを尊重し，物事を成し遂げるために必要なちょっとしたスキルを積極的に評価しようとするアプローチである。しかし，制度派理論の一部やアクター・ネットワーク理論は，ミクロな点ばかりにフォーカスすることを戒めている。これらの理論は，もっと広い視点での関係性の中での位置づけに目を向けることに気づかせてくれる。セルトーやエンゲストロームの＜活動システム＞，ANTは，戦略の実践に変化をもたらすものとして物理的な技術も含めて考えるように，視野を広げる必要があることを示している。また，これらの理論全体では，戦略の内容と戦略プロセスとを分けて考えることへのこだわりに警告を発している。新制度派理論やカーネギー学派のルーティン研究は，内容とプロセスの両者に関わるものであるし，ANTはそもそもこうした二分法を打ち破ろうとしている。

　こうした理論的パースペクティブを実証研究の形にしていくことは言うまでもなく重要である。本章では戦略計画を重要な戦略実践の例として，ここで紹介してきたパースペクティブの観点から考察してきた。これらの理論からは，どのように社会的制度が戦略のミクロなエピソードという結果を形作るのか，という点だけでなく，効果的な戦略プランナーになる上でのスキルや技術まで幅広いリサーチ・クエスチョンが出てくる。読者はおそらく取り組もうとしているご自身の特定の現象を目の前にしていることだろう。実践としての戦略のパースペクティブは，そうしたリサーチ・クエスチョンが，戦略計画としてはいかにもありきたりなものであっても，研究上探求する価値があることを気づかせてくれる。数多くの実証研究がここで議論された様々な理論的伝統に基づいてすでに行われているので，この領域で研究するためのよく検討されたモデルを提供してくれている。次の章では，実践としての戦略の研究をさらに一歩すすめるための方法論的な手段について探っていこう。

第3章

戦略の実践を研究する

　これまでの章では，組織メンバーの日々の仕事の中で実践される戦略をより詳しく見ていくことがいかに重要かを検討してきた。また，そうした戦略に関連した活動を理解するうえで役立つ理論的フレームワークもいくつか取り上げてきた。しかし，このような視点に基づいた研究を実際にどのようにすすめたらよいかについてはあまり述べてこなかった。「外へ出て，その目で観察」しなければならない。これこそが研究を行う上で，シンプルだが，もっとも明確な答えである。つまり，「活動」を流れのなかでとらえる方法を見つけて，より詳細に調べて理解していく必要がある[1]。これは一見すると，ありきたりで単純明快な答えのように見える。だが，実践を研究することは，複雑に絡みあっている多くの事柄を目の前にして，そのベールをはがしていくことを意味しているのだ。この方法を理解することが本章の狙いである。そのために，独自の経験，そして方法論についての文献，またこの本の核心を形成する特徴的な論文などを利用することにしよう。

　まずは実践としての戦略パースペクティブを展開するために必須となる質的データについてより深く議論していくことから始めよう。質的アプローチは，比較的その研究領域についてまだよく知られていないときや，新しい視点が必要なときなど，我々がここで扱おうとしているケースに推奨される方法である(Eisenhardt 1989b)。しかし，もっと重要なことがある。それは，調べようとしている現象そのものの性質が，ダイナミックで，複雑で，緊張関係のある人間の相互行為に関するものなのだから，これらの特徴を実証的に把握できる

---

[1] 類似するアプローチとして，ミンツバーグ（Mintzberg 1979）が名づけた＜ダイレクト・リサーチ（直接調査）＞がある。

アプローチが必要だ（Patton 2002）ということだ。横断的なアンケートやア・プリオリなカテゴリーに基づいて集められる量的データベースだけでは，調べようとしていることとの整合性は高くない[2]。その現象にもっと近づいていく必要があるのだ。戦略を行うという内的経験を把握するためには，組織の中での観察，インタビュー，その他の方法を用いる。それらを用いながら，人々が活動を行うことについての解釈を理解するために組織のメンバーとやりとりしたり，会議の議事録や報告書，発表スライドやモノなどの戦略化の人工物が何かを収集したりしていくことが必要だ。実証的に使われるものは，たいてい質的で，しばしば折衷的になるだろう。また，限られた数の組織や状況に対して，ある程度の深さの研究になってしまうだろう。この本で我々が取り上げた事例的論文には，こうした共通した特徴がある（しかし，後ほど見るように，この特徴が数量化において全く意味がないということではない）。

この点を我々の議論の前提の中心に据えた上で，次に戦略の実践に関心を持つ多くの実証研究者たちが直面する方法選択の問題や研究上の課題について詳しく見て，それらに対処するためのいくつかのアプローチを提案していこう。これらの課題は，質的研究を行うどの研究者も直面する課題と共通する所がある。しかし，この章で質的調査について長々と説明するつもりはない。本章は質的調査についての基礎知識をもっている，もしくは，それに関連した哲学や技術や質的基準について情報を得る手段を持っている読者を想定している（例：Lincoln and Guba 1985; Strauss and Corbin 1990; Patton 2002; Miles and Huberman 2003; Yin 2003）。質的研究の基礎知識を説明する代わりに，ここでは戦略化について研究をおこなう上で特有の課題やジレンマについて焦点を向けていこう。

ここからは研究の流れを整理するのによく用いられる4つの題材に従って，実践としての戦略の研究に関係する研究方法の選択とそのジレンマについて議論していく。4つの題材とは，「実践としての戦略にアプローチする」「実践としての戦略の境界を設定する」「実践としての戦略を把握する」そして「実践

---

2 しかしサーベイは，ここで強調されているタイプの研究に先行するものとして，頻度，特定の現象が起こるタイミング，場所，または関係する人々などの記述的な基礎データを固めるために使われうる。

としての戦略を理論化する」である。それぞれのセクションにおいては，認識論的選択と認識論的研究戦略，サンプリングとリサーチ・デザイン，調査対象への接近とデータ収集，そして分析と理論化について取り上げていこう。

実践としての戦略にアプローチする：認識論的選択と研究戦略

先に述べたように，この本で取り上げる研究論文のすべては，かなり質的データに依拠している。そうした共通する姿勢はあるものの，採用する認識論的立場や研究戦略には相当な違いがある。有効な選択肢やそこから引き起こされる幾つかの結果について調べるために，これらの研究論文を取り上げている。アイゼンハート（Eisenhardt 1989a）の＜高速に変化する環境下での迅速な意思決定＞はグーパとリンカーン（Guba and Lincoln 1994）がいうところの「ポスト－実証主義的立場」を取る研究の例である。この研究では，トップ・マネジメントチームが使う一連の戦略決定の速度に関する中範囲の理論を展開するために，比較事例分析アプローチ（Eisenhardt 1989b; Yin 2003）を用いている。この研究には，「独自のリアリティが存在し，集められたデータ（主に徹底的なインタビューから）はそのリアリティに近づく手段を提供する」という前提がある。こうした調査に基づいて展開される理論は，さらなる研究でもその一般化の可能性を検証しうる，らなる研究でも調べられうる一連の因果関係という形をとる。彼女らは各事例について複数のインタビューを行い，異なったインタビューのソースを互いに検証し，インタビューの反応を慎重に構成されたカテゴリー分類することによって，＜事実＞を抽出している。そうやって，これらのカテゴリー間の相関および一連の因果関係についての検証を可能にしている。

反対に，ジョイアとチッティペディ（Gioia and Chittipeddi 1991）の研究は，時間をかけてひとつの組織における戦略形成を研究するために，解釈主義的な立場でエスノグラフィックな（民族誌的）方法をとっている。彼らは組織の参加者たちの認知的理解が戦略転換の遂行の中でどのように進化するのかに関心があった。従って，彼らの前提は＜リアリティは社会的に構成される＞

というものである。そのため組織メンバーが進行中の出来事に対してどのような意味づけをするのかの分析に焦点を合わせている。集められたデータは，事実というよりもむしろ表現されたものとして見ている。したがって，研究者がこれら表現されたものについて公平にじっくり向き合うためには，文化的条件に相当に深く関わる必要性が議論されている。

　実証主義と解釈主義の間にある古典的な認識論的な区別以外にも，ジョイアとチッティペディ（Gioia and Chittipeddi 1991）の研究やバーリィ（Barley 1986）やバロガンとジョンソン（Balogun and Johnson 2004）の研究は，もうひとつの次元において，アイゼンハート（Eisenhardt 1989b）の研究と区別することができる。それは，経時的に作用する力学をたどること，あるいは分散よりもプロセスとして現象を理解（Mohr 1982; Langley 1999）しようとしていることにある。これは，研究者にとってリサーチ・デザインやデータ収集の方法，そして理論化に影響を与えるもうひとつの重要な選択である。分散理論では，戦略の変化のような現象を（変化の）原因となる変数という観点から説明する。しかし，プロセス理論では，さまざまな活動や出来事や選択などが，時間の経過のなかで，戦略の変化を引きおこすと考える。どちらのタイプの理論も，実践としての戦略をもっと理解する上で有用である。なお，前章で紹介した理論（例えば，状況に埋め込まれた学習やアクター・ネットワーク理論，そして実践のより広いメタ理論など）の多くは，プロセスの理論化を好む傾向にある[3]。

　上に述べた研究と異なる研究として，言語にフォーカスした研究が挙げられる。これらの事例においては，インタビュー，記録された観察，文書などを通じて集められるデータは（Eisenhardt（1989a）の研究のように）真実に近似するためのものではない。あるいは（Gioia and Chittipeddi（1991）のように）何が起こっている／起こっていたということを純粋に解釈しようとするものでもない。それらは，＜ディスコース＞（特定の目的を果たすために，意識

3　ここで使われる＜プロセス＞という用語は（変数間の関係ではなく，経時的な出来事の流れや動きとしてとらえる（Mohr 1982; van de Ven 1992を参照）），ある特定の理論形式のタイプを指し示すべく使われていることに，読者は注意して欲しい。これは，前の2つの章で示してきた＜戦略の内容＞よりも戦略経営のプロセスに関心を持つ，＜戦略プロセス＞研究の伝統とは異なる＜プロセス＞の語の使い方である。

的／無意識的に聞き手に向けられる会話あるいはテクスト）として扱われる。研究者が取り組む課題は，ディスコースに潜在する権力とその目的を明らかにすることと，ディスコースの効果を考察することである。例えば，サムラ＝フレデリクス（Samra-Fredericks 2003）の研究は，戦略家たちが同僚を納得させるために使う修辞的な方法を調べるために，ひとつの組織エスノグラフィーの中で繰り広げられた会話への会話分析を行っている。

　オークスら（Oakes et al. 1998）の研究もまた，言語の役割に焦点を絞っている。同研究はアルバータ博物館のコミュニティに事業計画という言語が導入されたことによって，同コミュニティにおける重要な人物や重要なものが何かについて，どのように巧妙な再定義がなされたかを明らかにしている（芸術品や遺物を保存するという伝統的役割よりも，顧客に奉仕する博物館としての観点が事業計画には適合的であった）。文書やインタビューが同研究には用いられた。しかし，本書で提示されている他の多くの論文とは異なる点もある。それは，表向きは至って普通で＜合理的＞で当然なものとして見られているであろうことに潜んでいる力学を暴こうとするために，この研究は批判的な（critical）パラダイムを積極的に採用している点である。

　最後に，戦略の実践についての研究のもうひとつの研究の方向性は，研究者（時にはコンサルタントが）が介入し，その介入の結果から体系的に学ぼうとする＜アクション・リサーチ＞という方法である。ホジキンソンとライト（Hodgkinson and Wright 2002）の研究，グレイナーとバンブリ（Greiner and Bambri 1989）の研究，そしてブルギとジェイコブズとルース（Bürgi, Jacobs and Roos 2005：同研究は本書に収録されている）の研究がこのタイプの研究例である。アクション・リサーチでは，質的データの多くが介入や戦略コンサルティングの過程の副産物である。このアプローチは，通常よりも戦略の実践により近づけるという利点がある。しかし，結論の信頼性については，観察者と観察されることとの距離がかなり近いが故に問題がある可能性がある。

　先に取り上げた様々な研究の志向性（ポスト－実証主義 vs. 解釈主義 vs. 批判的；ディスコース分析；アクション・リサーチ；プロセス vs. 分散理論化）は，実践としての戦略についての研究を進めていく上で様々な存在論的・

認識論的選択があることを示している。自分自身がこれらの選択肢の中からどの立場に依拠するかは，最初に決めなければならない。この選択は，自然と決まってくる場合もあれば，意図的に選ぶこともあるだろう。しかしいずれの場合にせよ，この選択は自らが立てるリサーチ・クエスチョンのタイプと関係がある。また，適切なリサーチ・デザインやデータ・ソースと分析方法も決定するだろう。データの意味（事実なのか，表現されたものなのか，あるいはディスコースなのか）や，導きだされる結論のタイプについても，この選択にかかってくる。ここで重要なのは，前提と方法との間に一貫性を持つことである。

例えば，実証主義では，（Eisenhardt（1989a）のように）特定の戦略的実践は結果と関連するという理論を展開することに関心がある人は，比較事例分析のアプローチや，表にまとめたり比較したりするなど明確に定義されたシナリオ展開を可能にするデータ要約の方法を好むだろう。事例の適切なサンプル量（Eisenhardt（1989b）によると，4から10が理想的であるとのこと）が必要になってくるし，質的データ収集や分析においてデータの深さよりも幅がより重要になる。反対に，ジョイアとチッティペディ（Gioia and Chittipeddi 1991）のように，事例の参加者の解釈に関心がある人は，研究戦略としてエスノグラフィーや徹底的なインタビューを好むだろう。また，明確に定義されたシナリオに収束することよりも深さや詳細さ，ニュアンスを求めるだろう（Dyer and Wilkins 1991）。

そして，経時的なダイナミクスを把握するというプロセス理論の展開に関心がある研究者は，出来事が時間の経過と共に進化する様子を把握するのには，長期的なデータ収集が不可欠だと考えるはずだ。プロセス理論研究者は，分散理論に基づく研究者よりも，（潜在的な時系列の歪みがあるため）時間を遡った報告書に対して疑い深く，エスノグラフィーを好み，歴史分析やリアルタイムのインタビューを好むだろう。しかし，彼らの研究の焦点は（長期間の変化のプロセスやより時間的に有限なミクロのプロセスなど）の理論化にあるので，多かれ少なかれきめ細かな点に関心があるだろう。

戦略の実践における言語の役割に関心がある研究者は，また違ったニーズを持っているはずだ。こうした研究をするためには，自然に発生する語りやテク

ストへの接近が必要である。ここでは，人々が使う単語1つ1つを正確に知ることが特に重要である。したがって，もし，文書が分析の対象であるならば，報告書の最終版だけを集めるのでなく，それに先行するドラフトや関係文書も必要となるかもしれない。もし人々の発話が研究の焦点ならば，電子的に記録する媒体が不可欠になる。ほとんどのディスコース分析の方法は非常に時間がかかるため，高度の選択性が一般的に必要とされる。そこには，一番研究上の洞察に役立つデータのひとつひとつを正確に選びとっていく技が必要である。

　リサーチ・デザインを詳細に発展させていく前に研究者が考慮するべき重要な点がもうひとつある。それは調査の現場に入る前に，（研究に）必要とされる理論的・概念的枠組みをどの程度形作っておくかである。興味深いことに，この本で取り上げた事例論文の多くは，強い帰納的傾向がある。これは伝統的な実証主義の意味での仮説検証の作業を意味しているわけではない。また，取り上げた論文が，理論に基づかない研究ということを意味するのでもなく（実際ほとんどの研究は，強い理論的志向がある），初期のデータ収集をすすめるうえで何らかの概念や考えがなかったということでもない。その中の何人かの研究者（例えば，Eisenhardt 1989a; Bürgi et al. 2005）は，データ収集が進行してみてはじめて，理論的切り口や特定のリサーチ・クエスチョンがはっきりと見えてきた（Eisenhardt（1989b）の主張を参照）。またほかの研究者（Langley 1989; Gioia and Chittipeddi 1991）は，最初からはっきりとしたリサーチ・クエスチョンをもっていたが，それらは答えが固定したものではなくオープン・エンドな問いであり，様々な反応や理論的貢献につなげられるものであった。他にも，一般的に広いメタ理論的枠組みから派生した＜生成概念 sensitizing concept＞を用いたバーリィ（Barley 1986, 1990）では，シンボリック相互作用論が使われていたし，オークスら（Oakes et al. 1998）ではブルデューの生産の場の理論（1990）が使われた。

　こうした強い帰納的指向性は，現在の知識がどのようなものであるかが調査のフィールドに反映される。これはまた，新たな洞察を生成する我々自身の取り組みが内包するバイアスをフィールドに反映させるであろう。そのフィールドでは，ミクロなプロセスを詳細に描写しようとしており，量的な調査研究では限界があるだろう。それに，研究の始まりが何であれ，ほとんどの質的研究

が，予期していなかった発見を生み出していることも事実である。質的データは，多義的な性格を持っている。つまり，ある時は異なった事柄を表すことがあり，また，異なる認識論的前提からは異なる意味を持つ可能性がある（Alvesson and Sveningsson 2003 参照）。クリエイティブな研究者は，予期しないことが起こってもその機会を学びに大いに活用するであろう。

　そうとはいうものの，調査者は明確なリサーチ・クエスチョンをいくつか持ち，研究の焦点をどこに置くかを定め，データ収集と分析を構築するための複数の理論的方向性を持って調査の現場に入ることをすすめる（調査者がリサーチ・クエスチョンについて十分に考えていない場合でも，戦略の実践家が有益な示唆を与えうることは間違いない）。ごく最初の予備的調査によって，本格的な調査プロジェクトが実現可能かどうかの感触を得ることは望ましいことではある。だが，最初の段階ではそうではなくても，よい質的研究というのは最終的には論理的なリサーチ・デザインになるものである。多くの研究者はリサーチ・デザインとして収斂する以前のランダムな調査にそんなに時間を割く余裕はない。そこで，次のセクションでは，リサーチ・デザインについてじっくりと考えて見ることにしよう。

実践として戦略を規定する：サンプリングとリサーチ・デザイン

　戦略の実践に関心があるどんな研究者でもすぐに直面する悩みは，適切な分析単位の設定，分析単位の境界の定義，研究対象に該当する＜サンプル＞の特徴などである。本節ではこれらのことについて考察する。

分析単位を選ぶ

　分析単位とは，研究対象そのもののことであり，研究者が結論を導きだそうとする存在・実体のことである（Patton 2002; Yin 2003）。この設定上のジレンマを説明するために，戦略化という概念に何が含まれ，何が含まれないのかを考えてみよう。どのように戦略化という事象の周囲に境界を設定できるだ

ろうか。また，どのようにその事象についてのサンプルを構築できるだろうか。この問いには決まった答えが用意されているわけではない。また，トップのマネジャーだけでなく，戦略化に関わっていると想定される他の組織メンバーの中から，あるひとつの見方を取り上げていこうとすればなおさらのことである。数名の研究者たちがこのアプローチについて論争を繰り広げてきた (Westley 1990; Balogun and Johnson 2004; Rouleau 2005)。組織の方向付けに貢献する可能性があればどんな活動も（公式的に明確に示される戦略計画の過程のことだけでなく）含むものとして戦略化を定義する限り，その概念自体，ほとんどの組織活動が戦略化の一部であると考えられるところまで，場所や時間を超えた広がりを持ってくる (Pettigrew 1990)。企業を資源ベース論で捉える場合，組織のルーティンやダイナミック・ケイパビリティはどちらも企業全体に深く埋めこまれたものであり，それらが広く分配されている中に競争優位性がある。しかし，ウィルダフスキー (Wildavsky 1973) の言葉を言い換えるならば，もし戦略化にすべての活動が含まれるのであれば，おそらくそれは何もないという意味になってしまう。

　たいていの研究者は，この極端な曖昧性を避けたいと思うはずだ。活動に力点を置くということは，分析の単位をミクロの条件で定義する必要性を示している。しかし，どのくらいのミクロであれば十分なのだろうか。焦点となる分析単位をとても狭く捉える場合もありうるし（個々の戦略研修やワークショップ，マネジャー個人ごと，会議のひとつひとつ，会話のひとつひとつなど），あるいはより広く捉える場合もある（戦略的意思決定や戦略的イシューなど）。本書で取り上げた事例論文で，実際様々な戦略をみることができる。例えば，一番広義のレベルで捉えているのはアイゼンハート (Eisenhardt 1989a) の研究で，彼女は戦略決定というひとつのまとまりに焦点を絞っている。ジョイアとチッティペディ (Gioia and Chittipeddi 1991) の研究では，戦略転換の開始というエピソードに焦点を絞っている。また，オークスら (Oakes et al. 1998) の研究では，組織における広いプランニングの哲学とその遂行に焦点を絞っている。一番狭義で一番ミクロなレベルにフォーカスしたのはサムラ＝フレデリクス (Samra-Fredericks 2003) の研究で，戦略家同士の様々な条件下の会議の中で交わされる会話の小さな断片に目を向けている。取り組もう

とするリサーチ・クエスチョンに関連して，数えきれないほどの選択肢があるのは明らかである。

ルーマン（Luhmann 1995）の社会システム理論を用いて，ヘンドリーとサイドル（Hendry and Seidl 2003）は実践としての戦略の研究を行う上で，特に魅力的な分析単位を示した。それは，＜戦略のエピソード＞という考え方である。ルーマンの理論における＜エピソード＞とは，「コミュニケーションの実践における通常の制限が停止し，代替のコミュニケーションの実践を探っている」間の「開始と終了という視点で構成された一連の出来事」（Henry and Seidl 2003: 180）のことである。ヘンドリーとサイドルが示した考え方は，組織的な活動のほとんどはオペレーショナルなルーティンで構成され，型にはまった方法で再生産されているということである。時間の経過とともに，それらのルーティンが不完全な形で再生産されるように，この活動の流れにおいてランダムな変化が起こるかもしれない。しかしながら，コミュニケーションの構造が変化しないかぎり，この変化のシフトは必ずしも＜目的に向かった＞ものでもないだろうし，戦略的な意味を持ったものでもないだろう。戦略の再検討や研修あるいはその他の会議などの形で，異なるルールが適用され，そしてそのエピソードの外に存在する運用上の組織ルーティンについて，熟慮の末の考えが具体化される方法でコミュニケーションの構造が変化する。このような，ある特定の時間と場所で起きる環境として，＜戦略のエピソード＞の創作を見ることができる。この見方からすると，＜戦略化＞が実際おこるのは，これらのエピソードの中においてである。なぜなら，そこには戦略の軌跡の変化の可能性が潜んでいるからである。ヘンドリーとサイドル（Hedry and Seidl 2003）は，これらの戦略のエピソードを分析の単位にすることを提案している。ルーマン（Luhmann 1995）の理論が，戦略の実践におけるエピソードの役割が理解されるものだとする場合，調べる必要のあるこれらエピソードのタイプについて多くの示唆をしている。エピソードの中での発見やアイデアや実践の展開方法は，後になってオペレーショナルなルーティンに再結合される。それならば，エピソードの外側にあるオペレーショナルなルーティンとエピソードを切り離す形でエピソードを始めるやり方は重要である。

最後になるが，エピソードの中においてどの程度，今までとは異なったコ

ミュニケーション構造が新しく展開される余地が与えられるかが，そのエピソードの有用性を決定づけるであろう。このようにヘンドリーとサイドル（Hendry and Seidl 2003）によって展開された戦略エピソードの考え方は，実践としての戦略の研究における分析の単位を定義するうえで，理論的にはしっかりした土台を持った興味深い方法である。しかし，分析の単位について考える他の方法の展開の余地はまだ他にもある。

分析の単位の定義付けと境界付け

　分析の単位を選択するための明確なロジックが存在するときでさえ，実証研究において操作的に分析の単位を定義することは，困難なことである。ラングレィ（Langley 1986）の博士論文（この本の中で収録された論文はこれを発展させたものである）は，この問題と対処しうる方策について示している。ラングレィは戦略的な意思決定におけるフォーマルな分析が有している役割に関心があった。しかし，分析における主要な２つの単位について定義するという最初の困難に直面した。ひとつは＜分析＞とは実際何を意味しているのかということであり，もうひとつは＜戦略的意思決定＞が何を意味しているのかということであった。では，これら２つをどう認識したらよいのだろうか。

　ラングレィ（Langley 1989）は，最終的にフォーマルな分析は，「ある事柄を体系的に研究した結果を報告した文書」のことであると定義した。一見するとこれは単純なように感じる。だが，この研究内容を読んでみると，筆者は何が最も重要かをつかもうとする一方で，フォーマルな分析の意味を取り巻いている曖昧性に対処するため，幾つかの方法を進展させることが必要だと気がついた（Langley 1986）。最初の方策は，除外する基準についてかなり長く，細かく明示するリストを作ることであった。この基準を適用し，記述的な報告書や同じ文書の複数のドラフトなどを分析の対象から除外した。この手法は＜分離法＞と呼べるかもしれない。この手法は，極端な分離が許される客観的基準を展開することが真に可能な場合において有効である。２つめの方策は，選ばれたサンプルの性質が変化することを認め，リサーチ・デザインそれ自身の中において細かくその性質を把握することであった。したがって，集められた文

書はその分析的内容の度合いを測る一連の基準にしたがってコード化された。これは，研究のなかでコントロールできる変数のひとつとなった。

　何が＜戦略的な決断＞として考えられるかの境界を規定することは，また困難な問題だった。実際の生活における決断というのは，そう簡単にピンポイントで突き止められるものではない。決断は，時には目に見える足跡を残さずになされるし，また決断がなされないこともある。決断事項が互いにひとつづきに連なっているときもあれば，よく似た関連する事柄についての次の段階の決断を派生させることもある（Langley et al. 1995）。ラングレィは結局，分析単位を＜戦略的意思決定＞から＜戦略的イシュー＞に変えた。なぜなら，組織の意図は，決断よりもずっと論点の周辺で作られるように見えたからである。しかし，ここでも多くの戦略的イシューが，研究対象の組織のなかで相互に関係しているようであった。この曖昧さの問題をうまく避けるために，上で述べた2番目の方策を再び用いた。つまり，変化を認識し，どの程度異なる論点が関連しているのかについての細かい描写を研究のなかに入れこんだのである（Langley 1986）。

　要約すると，たとえひとたび主要な分析単位を決めたとしても，体系的な実証研究を可能にするくらい十分に分析単位を規定することは簡単にはいかない。これに対処する方策は，還元主義（曖昧さを排除する狭い意味で定義された対象に焦点をあてることによって特徴づけられる分離法）から，曖昧さを慎重に維持することまで様々である。実証主義的視点を採用する研究者は前者の方策を好み，エスノグラフィーや解釈的視点を採用する研究者は，ヴァン＝マーネン（Van Maanen 1995: 139）が言うように「はっきりと確定するためには，我々は曖昧な存在でなければならない」と考えている。そのため，後者の方法を好むであろう。つまり，研究そのものは経験的状況において，曖昧さの存在を反映しなければならないということである。たとえ，研究の対象が曖昧さを含んでいたとしてもそうである。中範囲の方法の有用性を我々は信じているが，それはラングレィ（Langley 1986）が強調している方策でもある。つまり変化を認め，リサーチ・デザインの中にその変化を取り入れるということである。

サンプリング

　分析の単位を定義するということは，サンプリングに明確に関係してくる。いったん主要な分析単位（決断，会社，戦略エピソード，戦略など）を定義したなら，次の疑問は，その分析単位をいくつ調べるのか，どれにするのか，どこで見つけるのか，そしてどうやって分析単位についての情報を入手するのかということになる。質的調査におけるサンプリングについて，3つの原則が重要になるようだ（Patton 2003; Miles and Huberman 2003）。

　ひとつめの原則は，主要な分析単位のサンプリングは確率的な方法や無作為という方法よりは＜意図的＞な方法であるべきである。総サンプルサイズは小さくなったとしても，サンプルはそこからいろいろな推測や洞察などの導きだされる情報の価値が最大化されるように，慎重かつ意図的に選び出されるべきだ。もちろん，このタイプの調査において利便性というのはサンプリングにおけるひとつの要素となるが，ただ利用できればどんな分析単位や現場でもいいというわけではない。選び出される分析単位はたいていは選び出されるだけのなんらかの理由が背景にあるものだ。

　例えば，戦略研修あるいは社外研修などの詳細なエピソードを研究するのに，概ね4つの組織から情報を得ることができるとする。その4つの組織は様々な方法で選ばれるだろう。ひとつは，ただ，来た順に（そして，その出来事にアクセスできる場合，これが一番簡単な選択法だろう）に選ぶという方法である。だが，意図的にケースを選ぶという方法の方が，より興味深く，しかも役立つ可能性が高い方法だろう。例えば，新しい CEO が就任した組織の戦略研修を2つ選び，同じリーダーが継続している組織の研修を2つ選ぶというやり方，あるいはコンサルタントが関与している研修2つと関与していない研修2つを選ぶといった方法である。上で述べた戦略エピソードの議論に続いて，このエピソードの選択は，イベントの最初のコンテキストがそのイベントのなかで起きることにどのような影響を与えるのか，そして特に，経営陣が以前の戦略を問題とするような自省的活動にどの程度関わるのかについて考察できる。さらに，選ばれる4つは，他の要素をコントロールするために，他の際

立った次元について（産業内の乱気流の度合いや規模など）はできるだけ同じような組織にするとよいだろう。

　一般的に，サンプルの選択においてどの次元を主要なものにするかを決めるのが，研究における理論的目的であるといえる。ここで示した2×2のデザインは，ひとつの次元に沿った比較研究を繰り返して行うために選ばれる4つのケースであり，大きな成果が期待できる。次元の対比は，その次元の役割についての案を発展させることを可能にし，さらに別の似たような組み合わせで繰り返し再現できる。これは，導きだされる結論の信用性を高め，一般化への可能性を開いてくれる。（イン（Yin 2003）は，これを文字通り理論的な再現であると表現しただろう。）もし4つのケースがなんらかの枠組みなしに選ばれたなら，その研究で得られる推測の確かさは低くなるだろう。

　パットン（Patton 2002）は，意図的なサンプリング戦略について役に立つリストとそれらの考えられる長所と短所を示している。特別な示唆が得られる例外的ケースのサンプリングや，組織の広範囲について当てはまりそうな結論を確実に導き出せるようにバリエーションを最大化するサンプリングや，多くの他のものの見本になりそうな典型的なケースのサンプリングなどがある。全体的に主張する点は，どのデザインが一番よいということではなく，サンプルはそれらから示される推測に対する潜在性を機能させるものとして，注意深く慎重に選ぶべきであるということである。

　質的調査におけるサンプリングについての2つめの重要な原則は，＜飽和＞である。一度，主となる分析の単位やケースのサンプリングを行ったら，その単位については十分に理解したことを確実にする必要がある。そのため，できるだけ多くの情報源から，可能な限り完璧に情報収集するよう努めるべきである。したがって，ケース内部のデータ・ソースのサンプリングは，ケース自体のサンプリングとは若干異なったルールで行われる傾向がある。飽和を実現するために，一般的に研究者は（別のインタビューや他の観察など）他の情報源から特定のケースについての新たな理解や視点が得られることはなさそうだというようなところにまで達するまで，データ収集を続けるのである。

　最後の3つめの原則は，幾分最初の原則に関係しているが，＜比較＞ができるように調査をデザインする必要があるということである。比較をすること

で，繰り返しの型や興味深い対比を認識することができる。比較によって，理論化が強化され，洞察と理解が促進されるのである。比較が必要であるという主張は，個別主義的ストーリーから得られる内容の豊かさや洞察を強調する研究者たちには異論があるかもしれない（Dyer and Wilkins 1991）。しかし，アイゼンハート（Eisenhardt 1991）の主張には反論しておこう。一番良い（戦略の実践あるいは他の現象の）ストーリーというものは豊かで洞察に満ちている。なぜなら少なくとも部分的には比較の要素がストーリーの中に埋め込まれているからである。例えば，ジョイアとチッティペディ（Gioia and Chittipeddi 1991）は，本書で取り上げている論文の中で，グレイザーとストラウス（Glaser and Strauss 1967）が提示した，グラウンデッド・セオリーの理論化のために＜絶えず比較をする＞方法が，ある大学における戦略化についての経験的で理論的ストーリーテリングの基礎であることをはっきりと示している。

　経験的研究をデザインする時に考えられる，比較することについての立場は，いくつもある。ひとつは，特にひとつのケース・スタディを扱う場合にうまくいく比較は，実証データと理論を比較することである。このアプローチは，この本ではとりわけオークスら（Oakes et al. 1998）の研究において使われている。彼らが集めた経験的観察データとブルデュー（Bourdieu 1990, 1991）の生産体制の理論を比較している。最も明らかな比較研究というのは，異なったケースを全体的に比較するということである。この方法は，アイゼンハート（Eisenhardt 1989a）の研究で行われていて，意思決定のより速い会社とより遅い会社とでその決定過程の比較をしている。ラングレィ（Langley 1989）の研究のように，いくつかの＜フォーマルな分析研究＞をその研究の目的や実行される中での相互行為のコンテキストの観点から比較するというように，ケースをより小さな単位に分解して，その単位間での比較を行うこともある。ジョイアとチッティペディ（Gioia and Chittipeddi 1991）の研究や，特にバーリィ（Barley 1986）の研究のように，時間も比較の対象になりうる。最後に，サムラ＝フレデリクス（Samra-Frederiks 2003）の会話の断片集や先に述べたジョイアとチッティペディ（Gioia and Chittipeddi 1991）の研究のように，比較はひとつのより大きなケースの中での小さな出来事に基

づいてなされる場合もある。

バーリィ（Barley 1986）の研究は，際立った質的リサーチ・デザインの例である。その研究は，比較的少ないケースから得られる有益な洞察を一般化する可能性を最大限にするために意図・飽和・比較の3つの原則を一体化したデザインである（図3-1およびこの論文についての後述のコメントを参照）。

バーリィ（Barley 1986）の研究は，いくつかの分析のレベルと比較の次元が含まれている。

バーリィは，新しい科学技術（ここでは新しい放射線画像技術）の導入がどのように組織構造に影響をあたえるのかに関心があった。彼は，構造を人々の相互作用のしかたに方法に反映されるひとつの新興の性質と定義した。彼は意図的に特定の科学技術（CTスキャン）を研究の焦点に選び，そしてそれがどのように人々の相互行為に影響を与えるのかをその導入当初から数ヶ月後まで時間をかけて分析した。この研究には，いくつかの比較レベルが含まれている。より古い技術とより新しく洗練された科学技術では，それを取り巻く人々の相互行為がどのように異なるのかを突き止めるために，研究開始当初でのこれらの技術をとりまくオペレーションを比較した（＜共時的＞分析）。この分析は，それに続く＜通時的分析＞の基準としての役割を果たし，人事的にも構造的にも変化のある，異なる時点でのCTスキャンを取り巻く相互作用を比較した。最後に，当初の条件と他の選択肢による違いが新しい構造へ影響をあたえうるかどうか明らかにするために，同じ新しい技術を導入した2つの組織間での＜並行＞分析を行った。

しかしながら，より大きな分析単位の知見を作り上げるために，小さな分析単位を使っているという点は図表に表れてこない。この研究のデザインの特徴である。基本的に，バーリィは放射線検査の間，放射線医師と放射線技師との間で交わされる会話の分析によって，新しい技術の導入の各段階について理解していった。彼は，放射線検査の間に会話の参加者達の間で交わされる会話の内容と流れに関連した＜スクリプト＞を類型化し，スクリプトを特徴づけるだけでなく，各発展段階のなかで現れるスクリプトの頻度を推測することができたのである。したがって，起こっている相互作用の型をすべて把握するために，彼は放射線検査のサンプルを扱う仕事をする必要があった。＜飽和＞の原

則は明らかにこのより小さな，マクロ・レベルで適用される。ここで得られる詳細で余りあるくらい十分な情報の豊かさは各段階で何が起こっているのかを十分に記述するために必要であった。また，それと同時にどのように／なぜ新しい段階への進化が発生するのかを理解するのに必要だった。このリサーチ・デザインはある特定の文脈において，特定の目的のために展開された。しかし，彼が経験的にミクロの過程とより大きなマクロの組織の出来事を結びつけた方法（後述の要約や編集後記を参照）や，これを得るためのエレガントなリサーチ・デザインから，実践としての戦略の今後の研究は学ぶことが多い。我々の最初の言葉を使うなら，研究者たちは＜外へ出てその目で観察する＞こ

図3-1　バーリィ（Barley 1986）の〈3つの比較デザイン〉研究（Barley 1990: 226　から再現）

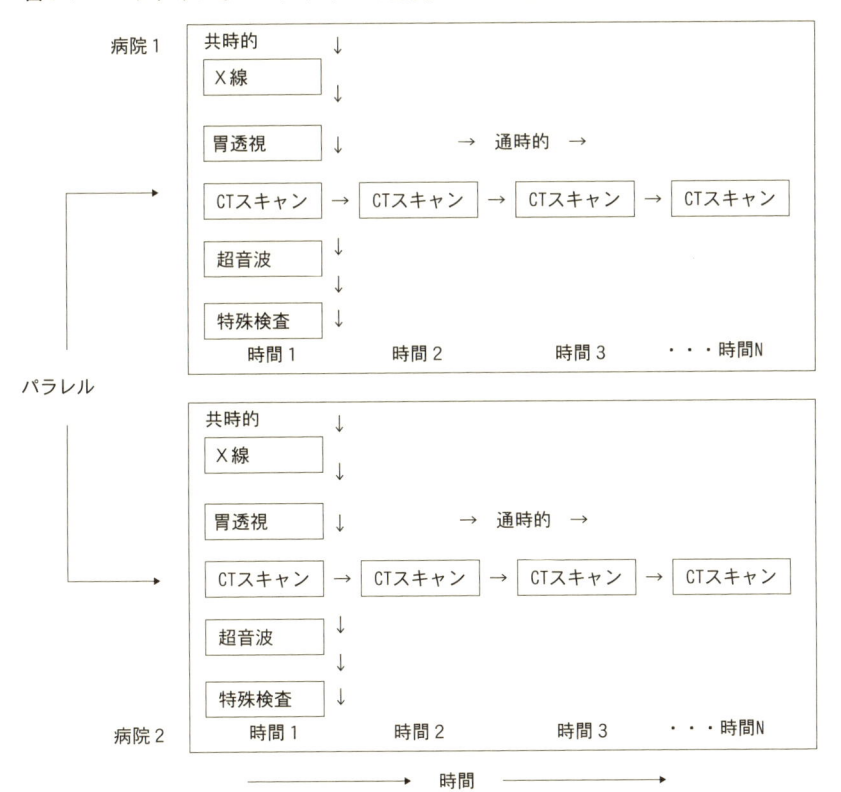

病院1

共時的	↓			
X線	↓			
胃透視	↓	→ 通時的 →		
CTスキャン	→ CTスキャン	→ CTスキャン	→ CTスキャン	
超音波	↓			
特殊検査	↓			
時間1	時間2	時間3	・・・時間N	

パラレル

病院2

共時的	↓			
X線	↓			
胃透視	↓	→ 通時的 →		
CTスキャン	→ CTスキャン	→ CTスキャン	→ CTスキャン	
超音波	↓			
特殊検査	↓			
時間1	時間2	時間3	・・・時間N	

時間 →

と，そうはいっても道を探す手助けとしていくつかの道具（コンパス，地図など）を携えることを薦める。

実践としての戦略を把握すること：アクセス，データ収集，倫理

　これまで，我々は戦略の実践についての知識を直接入手することの重要性を理解し，またその知識を入手するためのいくつかの全体的リサーチ・アプローチとリサーチ・デザインの原則を見てきた。しかし，これらの考えを真剣にとらえる研究者が直面しなければならない3つの重要な問題についてはまだ検討していない。ひとつ目は，戦略の実践に関するトピックに，どのように実証研究を行うためのアクセスを獲得するか，である。ほとんどの戦略の実践は，文字どおり慎重さを求められ，かつ，極秘事項でもあるからである。2つ目はどんなデータ・ソースが戦略の実践を把握するのに最もふさわしいのかということ，そしてどうやってそうしたデータを入手できるのかということである。3つ目は，どんな倫理的問題がこうしたリサーチから起こるかということである。このセクションでは，これらについて取り上げることにする。

接近と近接のトレード・オフ

　戦略の現象に近づくという問題は，確かに困難である。しかし，やりがいのあるテーマでもある。本書で取り上げた幾つかの論文が公的セクターのデータに基づいているというのはおそらく偶然ではない。公的セクターは，競争上の地位への懸念や機密性についての制限は比較的緩やかである（例：Gioia and Chittipeddi 1991; Oakes et al. 1998; Langley 1989）。しかし，手本となるのは民間の事業を対象としている研究である（Balogun and Johnson 2004; Eisenhardt 1989a; Bürgi et al. 2005）。本書で紹介している研究は，明らかに上手く関わることができた例であり，ここでの課題に対応する方法があることを示している。しかし，どうやって入手できるかについてのヒントや，研究者と組織メンバーとの間で展開される関係の正確な機能・働きについてのヒン

トはわずかしか提供されていない。

　組織と調査チームとの間で相互にメリットがない場合や（Pettigrew 1990, 1992a），一定レベルの信頼関係の構築がない場合，戦略の現象という慎重さを求められるプロセスに接近することは普通はできないであろう。組織のトップ階層であればなおさらである。少なくとも組織側は，調査から何かを学べることを望み，そして役立つフィードバックを期待するだろう。組織内の出来事に対する外部者の視点を得ることに関心が十分に得られる時とは，マネジャーの知的好奇心が強く，研究者との関係が以前から良好で，調査への参加が社会への貢献の一部だと考えている場合（想像よりもこうした姿勢はよく見られるかもしれない）であろう。しかし，組織や文化的コンテキストによっては，もっと実質的な利益が得られるときにしか，接近を許可しないこともあるだろう。

　多くの研究者にとって，組織に還元できる利益は単にアクセスへの対価としてだけでなく，組織メンバーに割いてもらった時間と努力への重要な責任でもある。また，研究者が以前の調査やベンチャーをコンサルティングしたときなどに得られたベースとなる知識を提供することも重要な責務である。例えば，アクション・リサーチを行っているベイトとカーンとパイ（Bate, Khan and Pye 2002）は，研究者は研究している組織に問題があり，その有効な解決策を自分たちが持っているときには，その組織をサポートすることをためらってはいけないと主張した。しかし，それに続く観察が，もし研究者が直接関わらなかった場合に得られたであろう状況と同じ状況にはならないことは明らかである。

　さらに，調査は協力的に行われるのが理想であると主張する研究者もいる。知識を発展させることについて研究者も組織メンバーもお互いに協力してもよいだろう。特に戦略に関連するようなミクロな実践を研究する場合には，戦略を実践している人々に明らかにアドバンテージがある（Balogun et al. 2003）。彼らの実践的な知識は，研究者と組織が平等な立場で参加したときに共有される利益のためにのみ明確に作られる（Reason 1994; Balogun et al. 2003）。

　そのような立場は緊密な接近を促進するが，通常ほとんどの研究プロジェクトよりもリサーチ・クエスチョンの設定や回答に対する組織メンバーの関与は

より大きくなる。

　最後に，接近の問題は経済的援助と（または）コンサルティングの問題とも切り離すことは出来ない。調査を援助するためにお金を支払う組織における調査は明らかに（他の部分については違うかもしれないが組織的活動のある部分への）接近の質を高めるかもしれないが，研究者の責任や自由な判断が下せる能力，そして結果的に生み出される知識の性質までも変えてしまう（例として，この本の中のブルギの論文とそれについてのコメントを参照）。つまり，参与観察や直接の関与から得られる戦略の実践へ近接することと，アカデミックな研究者が通常期待している独立性の間にはある種の矛盾があるのである。図3-2はこのトレード・オフについて示している。距離が近いと，他の研究者達には利用できない状況に近づくことができ，収集されるデータの質を高められる可能性がある。反対に，距離が近くなると，少なくとも3つのリスクをかかえることになる。ひとつ目は，研究者の行為が研究しようとする対象の性質を変えてしまう危険（汚染），2つ目は，研究者が組織の視点に適応し，研究者がその組織特有の視点をはっきりと客観的に識別できなくなる危険性（＜組織の住人化＞），3つ目は，研究者が組織の中のひとつだけ，あるいは特定のグループに政治的に同調するようになり，バランスのとれた視点を提示することが難しくなる危険性である。

　あまりに距離をおきすぎて，フィードバックやインプットを提供するのを拒む研究者は，たちまち重要な情報を見逃す自分に気がつくだろう。反対に，度を超えて接近することは，他の意味でデータを危険に晒す可能性がある。しかし，緊密に接近することは，ミクロの過程についてのデータを入手するためには価値があるので，図3-2では，リスクを和らげるための方策を提示している。

　複数のデータ源と複数の研究者の関与は潜在的なバイアスを抑えるのに大変役に立つ。これはこの本で取り上げられている幾つかの論文においても指摘されている。接近のリスクを減らす上で特に興味深い方策はジョイアとチッティペディ（Gioia and Chitipeddi 1991）で使われている。研究者のうち1人（＜内部者＞）は，組織の構造のなかで戦略策定の過程に近い地位（しかし上位のレベルではない）にあった。そうやって，戦略会議や他の戦略に関連する

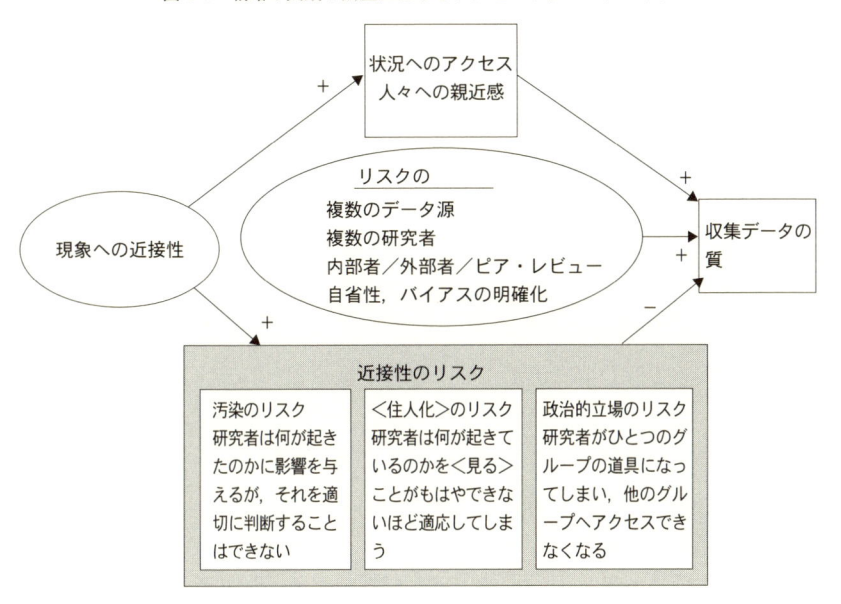

第3章 戦略の実践を研究する　89

図 3-2　戦略の実践の調査におけるアクセスのトレード・オフ

```
                    状況へのアクセス
                    人々への親近感
                ＋ ↗              ↘ ＋
                                     収集データの
   現象への近接性 → リスクの                質
                  複数のデータ源  ＋ ↗
                  複数の研究者
                  内部者／外部者／ピア・レビュー
                  自省性，バイアスの明確化
                ＋ ↘              ↘ －
                    近接性のリスク

   ┌─────────────┬─────────────┬─────────────┐
   │汚染のリスク │＜住人化＞のリスク│政治的立場のリスク│
   │研究者は何が起│研究者は何が起きて│研究者がひとつのグ│
   │たのかに影響を与│いるのかを＜見る＞│ループの道具になっ│
   │えるが，それを適│ことがもはやできな│てしまい，他のグ│
   │切に判断すること│いほど適応してしま│ループへアクセスでき│
   │はできない    │う          │なくなる     │
   └─────────────┴─────────────┴─────────────┘
```

出来事にも接触し，トップ・マネジメントチームに対する知識も持ちながら，詳細な観察をすることができた。もう一人の研究者（＜部外者＞）は，同じ組織の中の構成員だが，描写される出来事に直接関与はしなかった。彼らの異なった視点を組み合わせることによって，この調査の信用性を高めることができたのである。最後に，このタイプの研究では，調査現場へのアクセスの条件がどうであったか，また，研究者のバックグラウンドやバイアスが調査結果に与える可能性について，研究者自身や読者に対して正直でいることが重要である。そのような内省は出版された研究でも，見失われがちである。この見方からすると，この本で取り上げた研究（Barley, 1986）の姉妹編のバーリィの研究（Barley 1990）は，特に清々しいものがある。それは，研究を行う際のバーリィの個人的経験を描写する＜告白話＞の形をとっている。同研究は，図3-2 で提示されているすべての事柄について言及している。また，オークスら（Oakes et al. 1998：後述を参照）も，これらの事柄を考慮している多くの研究論文よりもかなりはっきりと言及している。

データ収集

　データへのアクセスの問題をクリアした次には，データ収集そのものへ話題を移そう。ここまでで，複数のデータ源の重要性とそれらが果たす異なった役割についてすでに言及してきた。過去の戦略実践についての相当な数の研究は，主たるデータ源としてインタビューを利用してきている（本書収録の研究も当てはまる）。インタビューは依然として出来事についての個人の感じ方を把握するためには強力で重要なデータ源として有用である。しかし，インタビューは，戦略実践の要素であるミクロの行動や相互行為を把握するのには向いていない。我々は，内部観察はデータ源としてはまだ利用が十分になされておらず，戦略化の理解を前進させるのに特に重要であると主張する。ジョイアとチッティペディ（Gioia and Chittipeddi 1991）やサムラ゠フレデリクス（Samra-Fredericks 2003），そしてバーリィ（Barley 1986）は，それぞれ異なった方法で，インタビューからは得られないこの内部観察タイプの研究資料から導き出せる洞察のタイプを説明している。

　バロガンとジョンソン（Balogun and Johnson 2004）は，インタビューに代わる創造的で面白い代替案に加え，インタビューを補完するものをいくつか提示している。彼らは，大きな組織全体の戦略転換の展開についてデータを集めるために，ミドル・マネジャーの日記とフォーカス・グループを広く活用した。日記は戦略の実践についてのデータを集める道具として，少なくとも2つの主な利点がある（Balogun et al. 2003 も参照）。ひとつは，戦略に巻き込まれるかなり広い範囲の個人のデータ取集が可能であるということである。これは，研究の焦点がトップ・マネジメントを超えたところにあるときに，特に重要となるだろう。次に，日記は時間的に埋めこまれているので，人の視点が時間の経過でどのように進化するのかについてのデータを収集することができるという点である。フォーカス・グループあるいはグループ・インタビューを利用する（Morgan 1997）のは，同様の利点があるが，別の利点もある。戦略化に多くの人々が巻き込まれているコンテキストにおいて，フォーカス・グループを利用することは，研究者の時間の節約になる。また，インタビュー

と観察の中間にあるデータ収集のアプローチとして，フォーカス・グループを通して人々が出来事の周りでどのように相互交流するかを見ることができるし，意見の対立を直接みることができる（Balogun et al. 2003; Balogun and Johnson 2004）。これらの方策を他の方法と共に体系的に用いることで，ミドル・マネジャーの間の戦略的方向づけの実施についての研究に特に豊かなデータベースを作ることができた。もちろん，フォーカス・グループに参加するという事，そして，日記を書くという事が組織の中で何が起こっているのかにどう影響を与えるのかということに疑問を持つ人がいるかもしれない。それらの活動が内包している強制的な自省作用はどう影響を与えているのかということだ。

しかし，同じ疑問が個人へのインタビューについても言えるのではないだろうか。研究者の存在は完全に中立ということはありない。図3-2で示されたトレード・オフの問題がここで再び顔をもたげてくる。もうひとつの革新的なデータ収集の方策はストロンズ（Stronz 2005）が行った，ある保険会社の実行チームについての研究である。彼女は，自然発生する戦略実行チームのミーティングを数ヶ月の間ビデオに録画した。ひとつの行動科学の枠組みを使い（Argyris, Putnam and McLain Smith, 1985），チームメンバーに提示するためにこれらのミーティングからの抜粋をして，ミーティングの間の彼らのゴールについて，あるいは，彼らの行動戦略や別のやり方があったのではと感じたことや，ミーティングの結果についてどう見るかなどの質問を行った。このアプローチは，戦略化を起こったままに把握する点やインタビューされる人が戦略化の過程にどう反応するかを振り返るときの助けになる点で特に役に立つ方法に見える。このインタビューの過程がデータ収集の最後の時点で行われる限り，このアプローチは研究者が建設的なフィードバックを組織メンバーに提供することや研究者がフォーマルに介入をすることなく学問的知識や組織の学習に貢献することを可能にするかもしれない。

最後に，研究者はよく補完的なデータ源として証拠書類を使うが，戦略の実践において物理的な人工物やものの役割にはこれまでほとんど関心が払われて来なかった（例外については，Molloy and Whittington 2005を参照）。戦略計画は文書の形で公布されることが多いが，他のテクストと同様に，戦略プ

ランの生産・普及・実行の過程は他の人工物（パワーポイントのプレゼンテーションやフリップチャートなど）を生み出す。＜言葉を推敲すること＞は，複数の参加者が関与するコンテキストの中で実行可能な戦略の文書を作る過程の重要な役割になるだろう。創発的戦略はテクストが書きなおされるときに意味が変わる可能性がある。つまり，戦略がよりフォーカスされたものやしっかり練りあげられたものになっているかもしれないし，またはもっとオープンで曖昧なものになっているかもしれない。重点をおくところが異なった方向性にシフトすることが大いにあるかもしれない。ある初期に書かれるテクストのドラフトは，完全に無視されるかもしれないし，ほかは大々的に使用されるかもしれない。戦略のテクストが作られ，再生産され，普及される方法は，より接近して注目したい戦略化の重要な部分である。複数のバージョンの戦略計画や，その計画に関係したり，追随したりする他のテクストや人工物は，それ自体が詳細な分析をする価値がある。また，それらの分析では，文書を周辺的なデータ源としてではなく，理解の中心に置いている。理想的には，一連の相互に関連している戦略の文書を研究する上では，インタビューや観察などの他のデータ源を使ったコンテキストとの結びつきを発見する必要があるだろう。

　現時点で研究に十分に用いられていないもうひとつの道具は，写真である。戦略の実践の研究においてはかなり活用できる可能性がある。なぜなら，写真でなくては気が付かない戦略化の作業の詳細を捉えることができるからである。例えば，モロイとウィッティントン（Molloy and Whittington 2006）は再組織化の実践について研究を行った。彼らは社外研修の場面の写真を用い，戦略のシンボル（物，バインダー，図表など）やポストイット，コンピュータ，OHP，パワーポイントのスライドのような戦略化に用いられる日常的な道具に注目した。またこの間の人々の物理的配置（例えば，ジュニア／シニアのコンサルタント，シニア・マネジャー，他の参加者）について検証した。そのような詳細な点は一見するとありふれたもののように見える。しかし，再組織化の成功や参加者にとって，それが持つ意味という点において，これらの要素やそれらをどのようにコントロールしたり，整理したりしたかは，重要な象徴的・本質的示唆を持っているであろう。ホジキンソンとライト（Hodgkinson and Wright 2002: 961）は，戦略コンサルタントの介入の研

究において，どのように CEO が巧妙な方法でその介入を台無しにするかを描写した。部屋の中では他のメンバーたちとは物理的に離れたところにいて，そしてホワイトボードの図表を書きなおすための＜マーカーペンを物理的にコントロールし＞，他の参加者達は，＜カーペットを見ている（目を下に向けている）＞。もっと分厚く詳細な分析をする上で，写真は言葉での報告が持っている影響力よりも，意味ある場面を捉えて形を持ったまま保存することでき点で強い力がある（Collier and Collier 1986）。

倫理的問題

　このセクションのまとめにあたり，少数の組織における徹底したデータ収集を行う上での倫理的問題について注目してみたい。研究者は，取り扱いを慎重にしなければならない（公にできない）資料や，たとえ組織の名前や個人名を匿名にした調査報告であっても，その組織内の他の人からは簡単に誰だか特定できる人々に接触することがよくある。そのようなアクセスができるようになるためには，一定の秘密性の保持と協力者たちの保護を確保する必要がある。しかし，研究者として，調査した現象について得られたことを改善できる範囲で報告する責任もある。ジレンマはさけられない。もし，調査協力者が調査の後になって，自分の発言を引用することを許可しない場合，すばらしく興味深い，示唆に富む発言をどう取り扱えばよいのだろうか。

　ちょうどこのような出来事についてのやりとりが＜実践としての戦略＞についてのディスカッション・メーリングリストで起こった。研究者が（録音したテープを元に）すべて書き起こしたインタビューの内容を確認のために情報提供者（インタビューを受けた人）に送ったところ，情報提供者はインタビューの幾つかの箇所を変更するように主張したというものである。そのメーリングリストでの議論は，研究者は何ができるか，何をすべきかについての様々な意見が表現された興味深いものであった。ある者はインフォームド・コンセントの姿勢を主張し，情報提供者の主張する変更を受け入れ元の資料を使うべきではないとした。またある者はその研究者が元の資料と変更したものをデータとして両方使い，さらに情報提供者に対して変更の理由をたずね，それまでも

データをして使うことを強く勧めたのである！この提案は魅力的なものに見えるが，明らかに一般的に受け入れられている倫理ガイドラインに一致していない（少なくとも情報提供者からこのことについてインフォームド・コンセントを得られない限りはそうである）。正確な調査報告をするということと，協力者への配慮という両方の観点において，その研究者がとるべきアプローチは，インタビューの書き起こしを見せるのではなく，むしろ調査報告の最終版を協力者に見てもらうことだったのかもしれない。しかし，ここでもある程度の意見の相違は生じることになるであろう。

もし自分の解釈が重要で正確であると信じているなら，研究者は組織のメンバーを喜ばせるために自分の解釈を大幅に変えることは絶対にできない。この意見の相違に対処するひとつの方法は，回答者が必ずしも研究者の解釈すべてに一致しているわけではないということを調査報告書の中ではっきりと示すやりかたである（この方法は，オークスら（Oakes et al. 1998）で使われている）。我々が見てきた中で，もうひとつのクリエイティブな対処法は，関連テクストの中で，研究者の解釈に異論があるマネジャーに自分の解釈を提示させるという方法である（Hafsi and Demers 1989）。しかし究極的には，秘密性保持の必要性や，もっと重要なのは調査に対して，喜んで，信じて研究者に時間を割いて協力してくれる人々を傷つけることを避ける責任である。これが調査報告にある程度影響を与えることは避けられないことである。したがって良心のある研究者は，見たものについて真実を語り，真実だけを語るが，常に真実のすべてを語るということではないだろう（もし我々がこのことについて正直であるならば）。

実践としての戦略を理解する：分析と理論化[4]

この章ではこれまで，戦略の実践をより深く理解するためには，よく観察することが重要だと主張してきた。しかし，少ないが徹底的に調査したサンプル

---

[4] 質的データ分析のテクニックは戦略化について研究するのに適しており，他の研究対象についての質的研究に適しているテクニックと根本的にはほとんど違いがない。したがって，ここでは内容

を使うことは，かなり特定化したコンテキストでの戦略化の重要な明示だけでなく，そうしたコンテキスト以外でも価値がある知識を発展させようとする，もっと一般的な研究ともう一度関連させる方法が必要になってくる。これは明確には保証できない（Langley 1999 も参照）。一般化のためには，先に議論したようなしっかりとした実証的リサーチ・デザインと理論を伴った前提の両方が必要となる。我々が提唱する実証的アプローチのリスクのひとつは，それが単にその場にしか通用しない記述的知識しか生み出さないかもしれないということである。

この節では，このタイプの研究が提供できるいくつかのインプリケーションのタイプ（よりシンプルなものから複雑なものまで）をみていく。その中で，研究からの結論の信頼性をもっと高めるいくつかの戦略と，研究対象の特定のフィールドを超えた有用性について検討する。

記述的貢献

複雑な質的データセットを武器にして，戦略を行うことへの一般的な理解を深める上で研究者ができることは一体何だろうか。そのひとつは，丹念に記述するということである。どのように戦略が作りだされるかについての記述的な語りの提示がほとんどない状況では，詳細な調査報告は価値があるだろう。しかしここでも，研究者はなぜその報告が興味深いのか，そこから何を学べるのかということを説明する必要がある。記述的説明の価値を明確に示すひとつの方法は，それを＜一般に受け入れられている見方（考え方）＞，別な言い方をするならば，実践家の理解の仕方やビジネス・スクール教育で広まっている規範的説明などと対比させるということである。例えば，ミンツバーグと彼のグ

分析やコーディング，コンピューターソフトウェアについての技術的疑問について多くのスペースを割くことはしていない。読者は，これらについてくわしく書かれた本を参照することを勧める（Strauss and Corbin 1990; Miles and Huberman 1994）。ディスコース分析には特定のテクニックが必要となるだろう（例：Mann and Thompson 1992; Fairclough 1995; Phillips and Hardy 2002）。これらのテクニックを詳細に述べるよりも，むしろこのセクションでは，この本に含まれているいくつかの実例で使われている可能性のある方法を解説しながら，戦略の実践についての価値のある理論を生み出すためにデータを収集させるという，より大きな挑戦課題を強調したい。

ループが行った,様々なコンテキストにおける戦略形成の研究は,合理的な戦略計画こそが戦略を広めるための唯一の方法だということが誤りであることをうまく証明した。具体的に行った研究は,起業家的企業の研究（Mintzberg and Waters 1982）,公的セクターの映画製作機関についての研究（Mintzberg and McHugh 1985）,大学についての研究（Hardy et al. 1984; Mintzberg and Rose 2003）である。国立映画委員会の研究（Mintzberg and McHugh 1985）は,＜創発的戦略＞という概念の突出したケースを明らかにする方法として非常に有効であった。

　しかしこのタイプのインプリケーションの範囲は限られている。いったん皇帝が裸であると指摘されると（例えば,戦略が必ずしも公式的なプランニングを通じて作られるものではないと指摘されると）,この洞察をより深める他の形式での貢献が必要とされる（例えば,戦略が生み出されるほかの方法は何か？という問いが出てくる）。本書で取り上げるブルギらの研究は,より理論的であるが,ミンツバーグらの研究と同じクオリティがある。ブルギらの研究は,戦略形成における触覚の過程の果たしうる役割という,とても強力な例を理論と実証的ケースの両方を引用しながら説明している。この考え方は戦略の領域にとって驚きを与え,また,斬新であった。また,同研究は,一般的視点と明確な対比をなしており,この論文の意外性という点で大きな貢献をしている。

　類型の生成は,記述的な研究ではあるが,語りに基づく研究よりも概念的な研究に貢献する可能性があるタイプの研究である。類型学や分類学は,戦略の実践に関わる多様な現象や実践を突き止め,これらがどのように機能しているのかを示すのに特に有効である。例えば,この本で取り上げるラングレィ（Langley 1989）は,いくつかの組織における形式的な分析の中で演じられる役割を類型化し,その役割が導入されるコンテキストとの関連を明らかにしている。サムラ＝フレデリクス（Samra-Fredericks 2003）が展開した効果的レトリック戦略の類型は,またもうひとつの興味深い例である。

　類型学や分類学の理論的立場は賛否両論あり,これらの記述的方法はあまり知識の質を向上させるものではないと主張する議論もいくつかある（Bacharach 1989）。しかし,我々はそれらが学問の発展のための価値ある部

分を構成していると主張する。今後の研究でも役立ちうるミクロの実践の類型（フォーマルな分析の利用など）も、比較的少ない数の調査対象組織という条件下で検討される実践にとって有用である。こうした類型がこれら条件を超えて観察されれば、条件自体が十分に幅広いバリエーションを包含していることになるからである。最後に、もし既存の理論的枠組に体系的につなげられる場合やコンテキストとの関係や結果との関係の展開にもっと利用されるのであれば、実証的に発展させられたカテゴリーの価値はより大きなものになるだろう。

分散の理論化

　実証的アプローチによる研究の2つめの貢献は、戦略的実践といくつかの結果との関係を明らかにする中範囲の理論の展開である。ミクロの戦略の研究に関係しそうな結果は、ミクロあるいはメゾのレベルにとどまる傾向がある。企業のパフォーマンスは複合的なものであり、外的要因、内的要因の存在は、ミクロのレベルでの研究ですべてを把握することは難しいだろう。アイゼンハート（Eisenhardt 1989a）の研究は、このアプローチの良い例である。この研究では、トップ・マネジメント・チームの間での意思決定戦略が意思決定の速さとどのように関係しているのか、中間結果を示している[5]。アイゼンハートの研究をとりあげてみると、彼女がどうやって限られた数のケース（論文では8ケース）から意思決定の速さについて信頼できる中範囲の理論を生み出すことに成功できたのか詳細に検討する価値がある。彼女のデータ分析や理論化の方法は特に興味深い。意思決定の速さと関係する5つの主要な意思決定プロセスのパターンを特定し、その各パターンをそれぞれひとつのしっかりと系統化された提言の形で提示しているからである。また、（8つの）ケース間の比較とそれに続く、パターンの関連性の存在を描写するための量的・質的指標を動員して理路整然とした構成概念の展開から、これら5つのプロセスのパターンは、帰納的に導きだされたものである。各提言を支える論拠は論文の中で、4

---

[5] アイゼンハート（Eisenhardt 1989a）は、意思決定の速さと企業パフォーマンスの関係についても研究しているが、これがこの研究の最重要部分ではない。

つの別々の段階で提示されている。アイゼンハートは，最初に量的証拠を表にして示した。考えられる意思決定過程のパターンと意思決定の速さとの相関関係を8つのケースにわたって示した。事例分析の中で量的指標を用いることが結果の信用性を高めるのにいかに有効かを見ることができる。次にアイゼンハートは意思決定の素早い人と遅い人の質的例を示した表に深みを加えるべく，短い引用を数多く紹介している。3番目は，非常に重要なステップである。アイゼンハートは「なぜ？」と疑問をなげかける。なぜ提示した意思決定プロセスのパターンと意思決定の速さに関係性があるのだろうか。そして，自身が得た質的データと，発見した実証的関係性を説明するのに役立つ一連の3つの媒介変数を生み出した文献の両方を引用しながら，これらの関係性について理論化を行った。最後のステップである4番目では，意思決定の速さについての先行文献の観点から，自身の観察について，彼女の提言を示しながら再検討した。彼女の提言は直感的に理解出来ないものもあるが，この分野での先行する知識と一致するものである。8つのケースだけをもとに統計的な一般化可能性を主張することはできない。しかし，8つのケースにわたって結果を再現する体系的方法や，特になぜこれらの結果が起こりうるのかを理解することに力点をおくことによって，意思決定の速さに関する信頼性のある理論の強固な土台をアイゼンハートの研究は提供してくれている。その理論は，複合的なコンテキストにおいて有効であることが示された総合的理論という意味で，イン (Yin 2003) が「分析的一般化可能性」と呼ぶものである。この理論はそれ以降の実証的でサーベイ（調査）の方法を用いたほかの研究においても再現されている (Judge and Miller 1991)。この研究で裏付けられた体系的比較分析と理論的なロジックは，明らかに戦略の実践に関連する他の様々な事柄についての理論的発展の可能性を示している。戦略の実践と結果の関連性に加えて，戦略とそのコンテキストが関係する他の法則定立的アプローチを展開する余地もある。

プロセスの理論化

研究結果の3つめのタイプは上述したものとはいくらか異なり，＜分散

（variance）＞よりも，＜プロセス＞理論の展開を考慮したものである。この両者の違いについては先のセクションで言及したとおりである。プロセスの理論化は経時的な進化の理解に基づいて現象に対する説明の展開を行う。つまり変数間の関係よりも，出来事，活動，選択という一連の流れについて時間をかけて考察していくものである。分散の理論化は静的なものになりやすい。プロセスの理論化はダイナミズムを再度取り込むため，実践の視点と共鳴する部分がある。ツーカスとチア（Tsoukas and Chia 2002）が変化を時間1と時間2の間の測定できる差ではなく，＜組織的生成（organizational becoming）＞として記述したのは，この見方を反映したものである。プロセスの理論家たちは，＜生成＞に重きをおいているので，詳細な最終結果の説明にほとんど関心がない。プロセスの視点からすれば組織のパフォーマンスは極めて一時的な現象であり，原因であり結果である。例えば，組織のメンバーが奮闘している一片のデータであるかもしれないし，彼らが持ち続け，彼らの行動を通じて影響を与えようとしたり，操作しようとしたりする対象かもしれない。さらに，実践とプロセスの理論化において，＜パフォーマンス＞という言葉はいくぶん違った意味も持っている。例えば，フェルドマン（Feldman 2003）にとっては，パフォーマンスとはある特定の実践やルーティンを獲得・成立させることを意味する。このことはプロセスの理論家たちがまったく結果に関心がないということを意味しているのではない。彼らが必ずしも結果をすべて重要なものとしてみているわけではないということを意味しているのである。結果というのは，一連の進行中の出来事の中の途中駅なのだ。結果は，前の出来事の結果であるかもしれないが，それに続く活動の開始地点でもあるからだ。

　プロセスの理論化が必ずしも結果に焦点を合わせていないのであれば，一体何に貢献できるのだろうか。プロセスの理論化は主に理論的理解のレベルの向上に貢献すると我々は考えている。この本で取り上げるプロセスを元にした2つの研究は特にこの点において有用だと思われる。すなわち，ジョイアとチッティペディ（Gioia and Chittipeddi 1991）とバーリィ（Barley 1986）の2つである。両者とも変数の展開よりも出来事や事件のコーディングに基づいた，とても体系的なデータ分析のアプローチに関心がある。バーリィ（Barley 1986）のリサーチ・デザインの関心についてはすでに述べた。彼の研究の特筆

すべき点は，技術と構造間の相関関係を超えて，新しい技術が時間をかけてどのように現在進行中の組織のなかに組み込まれていくかにまで正確に到達できる点にある。研究では，新しい技術が導入された際に，その新技術に対する個々人の行為を事細かに明らかにしている。ミクロの相互行為は時と共に積み重なり，構造上の変化を促進するようになる。次に，構造上の変化はある種の安定性を獲得するまでは，構造におけるさらなる変化をもたらすミクロの相互行為の変化をもたらす。バーリィが観察したものと戦略の実践のレベルの間には，類似性を見い出すことができる。例えば，新しい CEO が既存の経営陣に加わったときに何が起こるだろうか。相互行為は構造と戦略のなかでの変化を生みながら，どのように進化し，これらの新しい構造や戦略がそれに続く相互行為にどう影響を与えるのだろうか。ちょうどそのようなプロセスが，デニスとラングレィとピノー（Denis, Langley and Pineault 2000）の研究の焦点であった。バーリィの研究もまた，先に一部分だけ紹介したが，その分析的アプローチとしては典型的なものである。彼女（Langley 1999）は，時間的な囲い込みという形式を用いた。これは，データを比較できる時間周期に分解し，これらの各時間の中にミクロの出来事を体系的にコード化し比較をするための方法である。異なるコンテキストだが，アイゼンハート（Eisenhardt 1989a）のケースのように，質的研究の中での定量的データの使用が結果の信頼性をどのように高めるかも興味深い。このことについては，この論文の後にある編集後記で，より深く検討する。

理論の検証

　ミクロの戦略研究からの研究結果についての最後に示せるインプリケーションのタイプは，既存理論を用いて説明したり，理論検証を行ったりするものである。バーリィ（Barley 1986）は，自身の分析を発展させるために，実際にかなり明確に構造化論（Giddens 1984）と交渉化された秩序理論（Strauss 1978）を引用している。オークスら（Oakes et al. 1998）も既存の理論から着想を得ている。今後の研究の展開のためには，前章で提供した多くの視点も含めて既存の理論を幅広く利用していく余地はあると考える。また，同じ研究

の中でミクロの戦略プロセスを理解するために異なった理論枠組の対比をすることもできる（Allison 1971; Langley 1999）。しかし，これらの理論的材料を用いて建設的に戦略の実践に対する洞察を展開することには，罠が潜んでいる。認識論的問題として，多くの社会理論（構造化論，政治理論，アクター・ネットワーク理論）の概念は応用可能性が高く，これに反証することがかなり難しいということである。研究者にとっての挑戦は，新しく生み出された解釈が，現在研究されている特定の現象を理解するための手段として，いかに説得力があるかを示すことにある。そうでなければ現象を理解することはできないだろう。

結論：戦略を行うことについて研究する

　この章では，戦略を行うことについての研究を実施する際に研究者が直面しやすい主だった事柄と選択について概観してきた。そして，これらについての議論を展開するためにこの本で提示したいくつかの論文を引用した。最後のセクションでは，戦略の実践について研究するための，3つの一般的な課題について手短に考察を行う。すなわち，定量化の役割，実践者の役割，創造性の役割の3つである。これら3つは先の議論の根底にあるものである。

定量化の役割

　この章のはじめに，詳細に戦略の実践を把握する質的データは，戦略を＜行うこと＞をもっと理解するために不可欠であると論じた。この結論のパートでも，その姿勢は変わらない。そして，純粋な量的指標・視点に基づいた研究への回帰は，そもそも実践を研究する道を新たに切り開く必要性を生み出した，脱文脈化され，抽象化された研究へと研究者を引き戻してしまうことになるだろう。しかし，これは定量化には意味がないということではない。確かに本書で例示している論文のいくつかは，質的指標や質的データを補完する様々な定量的手法を使っている。定量化は質的観察をカテゴリー化したり，要約したり

する必要があるとき（Barley 1986; Langley 1989），質的な判断を確認し，質的判断のトライアンギュレーションをする必要があるとき（Eisenhardt 1989a），考えられる一般化を提示するためにケースや期間やほかの分析単位を比較する必要があるときに特に有効である。数値もまた戦略に関連する組織的な人工物である。数値が戦略の実践に用いられたり，戦略の実践に関係する範囲で，数値は事実上詳細な記述（例えば金融的数字や売上の数字など）の一部になる。最後に定量化は論文が掲載される上で，質的研究を正当化するのにも役に立つ。

しかし，量的手法が使われるときは，戦略の行いについて獲得した詳細な理解を隠すことではなく，明らかにすることが常に重要である。著者のうちの1人は，観察や録音を行った戦略についての会話を，純粋に量的尺度の観点から分析した興味深い論文をレビューしたことを想い出した。このレベルの抽象化は議論をどんな実際の現実の経験ともつなぐことを可能にした。上で提示した理由のどれか，あるいは，すべての目的で数量化せよ，しかしその背後にあるデータの豊かさを見逃してはいけない。

戦略の実践者の役割

戦略の実践について研究することは，ほとんど必然的に戦略の実践者に何らかの方法で関与することになる。実は，彼らは最初の＜研究対象＞なのである。先のセクションですでにトップ階層へのアクセスの必要性から起きるジレンマや，慎重に扱うべき議論のジレンマについて言及した。とりわけ互恵関係の必要性，潜在的バイアス，そして開示と守秘義務に関連した倫理的問題について言及した。これらの疑問はまだ残されたままである。しかし，このセクションでは実践者が果たす他の役割について注目する。

というのも，実践者（少なくとも経験のある人）は，単に学者が観察できる＜研究対象＞というだけでなく，＜専門家＞という意味もある。つまり，彼らは「実践としての戦略」の視点がある程度明確にすることを目的としている戦略の実践についての暗黙知をデータとして豊富に持っているということである。もし実践を文字通りの意味で取った場合，実践についての綿密な知識は参

加することによってのみ適切に獲得されうるという可能性を考えなければならない。少なくともこれは第2章で記述した状況的学習の視点の立場になるだろう。この議論は，そのような知識を把握する一番の方法が，実際の実践者になることかどうかを考慮することにつながる。

　もちろんある学者達は戦略のコンサルタントでもある。しかし，コンサルティングを行うと，彼らが書くものが戦略の行いについての日常的経験ではなく，形式的テクニックに力点をおいたものになりがちである。もちろん，戦略の実践者が専門家になるやいなや，戦略に関わる暗黙知がかなり無意識になってしまうかもしれないという他の問題もある（Polanyi 1966）。暗黙知を一番表現できる（この描写できる）人たちというのは，もしかすると＜見習い初心者＞かもしれない。彼らは専門家との近接した接触のなかで経験を通じて実践を学んでおり，しかしまだ学んだことを明確に述べることができる。これはすべて，実践についての知識を発展させる可能性があるひとつのアプローチは，＜マスター＞（戦略の実践の専門家あるいはコンサルタントと認知された）を見つけ，その＜見習い＞になることである。これは参与観察が特に必要とされる形である！当然，アクセス，機密性，信頼性，そして倫理的問題はこの研究の形式ではより大きなものとなる。しかし，ある意味戦略の実践ベース論の強烈な形を受け入れた論理的な結論のシンボリックな形だと言える。

　実践者の役割について最後に指摘しておくこととして，彼らは研究の対象や専門家であるだけでなく，「実践としての戦略」研究の流れから利益を受ける可能性がある人々であるということだ。現段階では，ここで記述した研究のタイプから新しく出てくるであろう研究論文を読むことで，彼らが利益を得る可能性があるかどうかははっきりと言える段階ではない。関連する知識を共有し伝達するための，新しい方法を見つける必要がある。例えば，教育のケースの発展も，経験に基づく様々な種類の教育的道具の創造も必要である。これについては，バロガンとジョンソン（Balogun and Johnson 2004）の研究とストロンズ（Stronz 2005）のような異なった形式の協働的研究に可能性が見いだせる。実践者が自身の実践について生産的な内省（バロガンとジョンソンのケースでは日記やフォーカス・グループを使い，ストロンズのケースではビデオを使った）をすることは，研究者にとってのデータ収集と実践家にとっての

建設的な学習の機会をクリエイティブに結びつけるものとなるだろう。

創造性の役割

　我々の最後の主張は，「実践としての戦略」の視点はかなり広い範囲の方法論的革新を提供するものであるということだ。我々は，過去の研究者，特にこの本で取り上げた人々が，このリサーチ・トピックに関連する課題に対処した方法をいくつか考察してきた。また，まだ行われていない研究の可能性についても言及してきた。しかし，この分野は未だ飽和状態には達していない。戦略の実践という現象を理解するための，新しくよりよい方法を創造できる，創造的で興味を持っている研究者を我々は歓迎する。

第 II 部
事 例 研 究

イントロダクション

　第II部では8つの論文を簡潔に紹介する。各論文ともに実践としての戦略という研究の鍵となる観点を事例を通じて見事に描き出している。これらの論文は主要な経営学に関連する学会誌にすでに発表されたものだが，独自の方法で，我々が実践としての戦略を志向する論文にとって重要であると確信する諸特徴を極めて明瞭に示していることから，あらためて本書に所収することとした。これらの論文が提示する重要な要素には，様々な調査方法や異なった理論的レンズの使用法，調査がどのように組織における行為者の役割やその行為に眼を向け説明するか，行為を綿密に捉え，どのように戦略立案や組織構造に関連づけるか，などが含まれている。もとより，実践としての戦略という研究はごく最近に発達を遂げた研究領域であり，この論文の著者の多くは，少なくとも執筆時においては，自らをこうした研究の一員であると位置づけてはいなかったであろう。ここに収録した論文が，多くの研究者たちにとって新たな刺激となり，この分野への貢献が生まれることを期待したい。

　各論文の紹介にあたっては，同じ構成を用いることとした。最初に，当該論文の著者による＜要旨＞を置き，次いで，＜編者による概要紹介＞として本書の著者による紹介をつけた。この概要紹介では，当該論文を本書に収録した主たる理由について述べている。その後に，＜論文概要＞を置き，論文からの逐語的な引用とその特長となる観点に我々自身が光をあてて行なった要約から構成した。各論文の紹介の末尾には＜編者によるコメント＞として，実践としての戦略に関連して各論文から学ぶべき重要な教訓を要約した。第II部の目的は

実践としての戦略という研究にとって模範とすべき良い研究の実践例を示すことにあるが，この観点に従うと，それぞれの論文の強みにフォーカスしてコメントを行うことはある意味で当然だが，我々はそれぞれの持ちうる限界についても示唆を行なった。我々は，本書の読者にとって，論文がなぜ選ばれ，何を描き出すのに特に成功しているかが明確になることを望んでいるからである。収録の順序は発表年次によるもので，最も早く発表されかつこの上ない刺激を与えてくれる 1986 年のバーリィの論文から始めている。

　本書で要約した論文で実践としての戦略という領域が余すところなく議論し尽くされているという訳では決してない。しかし，この領域の研究者たちにとって，本書は新たな研究と刺激の源となると確信している。本書の最終章では，これらの 8 つの論文に戻り，比較の観点からより包括的に取り上げ，それぞれのリサーチ・クエスチョン，依拠した理論的背景，用いた方法の類型について要約を行う[1]。

1　第 II 部は原著論文を本書の視点に基づいて考察したものである。そのため，図表番号は原著論文のままになっており，章によっては必ずしも 1 から始まらず，また連続しない場合も残されている。

第4章

構造化への契機としての技術
―CTスキャナーがもたらす放射線科の社会構造への影響―

（著者）　ステファン・R. バーリィ（Stephen R. Barley）
（出典）　*Administrative Science Quarterly*, 31（1986）: 78-108.

要　旨

　CTスキャナーなど新たな医療用可視化装置の導入は，これまでの放射線科専門医と放射線技師の役割関係に影響を与え始めている。時に新たな技術が放射線業務に関する組織構造や職種間の序列に変化をもたらすことがある。しかしながら，技術と組織形態の関連についての現在の諸理論では，役割の変化から多様な構造が生じる可能性には考慮が払われていない。本稿は，制度と行為に関する最近の社会学の動向を踏まえ，技術がどのようにして制度化された役割や相互作用の型に変化をもたらし多様な組織構造を生み出すかについて，新たな理論的な輪郭を得ようとするものである。本研究においては，技術は物理的なものではなく社会的なものとして，また構造は実体ではなくプロセスとして概念化されている。こうした考え方の持つインプリケーションについて，同じCTスキャナーが別の病院の放射線科で類似した構造化プロセスを生み出しながら異なった組織形態に至っていく過程を見ることによってさらに検討する。本事例が示唆するところによれば，技術がどのようにして組織構造を変化させるかを理解するには，社会的行為の研究と社会の形態についての研究を統合しなくてはならないのである。

編者による概要紹介

本稿は，戦略論とはいえないが，次の3点で重要である。第1に，極めてよく準備されたミクロ調査であること。第2に，第1章で示した図1-1における制度と行為の関係（V3），および，行為がいかにして組織のアウトカムに影響するか（V1），という二点を同時に扱う，他に類のない研究であること。第3に，スタイルと構成において真に範となる論文であること，である。

ここでは，本稿の意義を理解する鍵となる4つの観点を指摘しておきたい。すなわち，(1) 理論的課題と調査課題の設定 (2) 調査設計と方法論 (3) 発見事項を提示する際の比較事例研究の活用 (4) 定性的研究による発見事項の定量的研究による基礎付け，である。

論文の概要

本稿は，研究者間では，技術が社会を変え組織構造を変化させると広く一致が見られているにもかかわらず，どのようにしてその変化が生じるかは明確になっておらず，むしろ「混乱し矛盾が見られる」と指摘することから起筆される。バーリィの論点は，そうした混乱や矛盾を解明しようとするのではなく，組織構造に対する技術の影響は常に同じものとは限らないことを認め，何故，常に同じものになるとは限らないかを明らかにすべきだと考える点にある。

次いで，本論への要領を得た準備として，次のように，組織レベルの研究と部門間関係の研究の両方を併せて行ってはじめて，人々の実際のふるまいと外的な力である技術との双方向の連関（ギデンズのいう2重性）への関心に応えるものとなるという彼の理論的立場を手際よく打ち立てていく。

■技術と構造化

技術と組織の関係を扱う研究者のほとんどは，構造という用語を，様々な社

会的背景のもとで営まれる日々の行為に対し制限を与える，抽象的で形式化された諸関係として用いている。構造を自律的で形式的な制限要因として扱うことには，典型的には，以下の3つの前提が伴っている。ひとつは技術を物理的な原因とみなすこと，次に技術と構造の関連を因果律と捉えること，最後にこの関連はコンテキストに関わらず成立すると考えること，である。この関連が通常コンテキストを超越するとされる以上，研究者が技術の構造への影響について主に組織レベルで分析を行うこととなったのは当然と言えよう。この構造の概念およびその系が技術の組織論的研究の中心に位置していることは，部門間の比較研究調査として広く行われる研究手法，あるいは，組織論の文献に多く登場する「技術的要請」(Khandwalla, 1974; Fry, 1982 等) といった用語に含意される技術決定論として示されている。

こうした主流派の構造の把握とは対照的に，シルバーマン (Silverman, 1971)，ワイク (Weick, 1979)，ファン・マーネン (Van Maanen, 1977, 1979)，マニング (Manning, 1977) らの組織論者たちは，構造をパターン化された行為・相互作用・行動・認知と捉えている。第1の用法では，構造は，人間の様々な行為の外に，かつ，先立って，存在するのに対し，第2の用法では，構造は行為が進行していく中で発生する特性とみなされる。この2つの対照的な捉え方は，社会学の伝統における，構造を行為のテンプレートと捉えるか，行為の輪郭と捉えか，という本質的な相違を反映したものである (Burrell and Morgan, 1979; Salaman and Thompson, 1980 参照)。後者の構造の把握は様々な影響を生み出すが，技術の研究は間違いなくもっとも深い影響を受ける分野のひとつである。

しかしながら，どちらか一方だけを取り上げていては，技術がどのようにして職場の構造に影響するかを十分に捉えることはできない。ゴフマン (Goffman, 1983) が好んで観察したように，日常生活においては，行為者は社会秩序の表れでもあり，社会秩序を欺いて伝えるものでもある。社会構造が人々の行為以外のものから生じるとは考えがたいが，人々の行為が形づくられるには，人々のコントロール可能な範囲を超えた，言い換えると，その置かれた直接的な状況を超えた力が働いていることは間違いない。従って，構造変動を全体的に捉えるにあたっては，構造を人間の行動の産物として捉える立場と

制限要因として捉える立場の統合が不可欠であると言えよう。

　交渉的秩序の理論および構造化理論はこうした統合を推進する2つの試みであると言える。ストラウス（Strauss, 1978, 1982）が明らかにしたように，交渉的秩序の理論はシンボリック相互作用論に由来し，出発点に日常生活のひとつひとつの出来事を置く。対照的に，構造化理論は社会理論のレベルで機能主義と現象学の社会秩序の概念を横串として通そうとしている。この両者は，視野の広がりと詳細において本質的に異なるが，理論として妥当性を持つためには，構造をプロセスと形式の両方の観点から扱わねばならないとする点で一致している。

　バーリィの主張は，理論的な視点でみると，ギデンズの構造化理論とストラウスの交渉的秩序アプローチには類似点があると言っていることとなる。「構造とは，ある行為が受容できるかどうかを判定するパラメーターとなる規則の集合である。しかし，構造は，また自らが顕わになる行為においても変化する。それはちょうど言語が毎日の発話行為において変化するのに似ている」(80)。従って，彼は，そうした構造と行為のプロセスにこそ研究の焦点が当てられるべきだと主張する。このことは，制度論の重要性を指摘することでもある。というのは，「行為者は，環境の中で自らの役割の構築や様々なひと／もの，出来事の解釈を行うにあたって，制度化されたパターンに訴えて意味づけ，重要さの決定，正当化を行うからである」（ギデンズ 1979：82）。しかし，バーリィは，その過程で＜ずれ＞と彼が呼ぶものが生じると言う。特に新しい技術の登場など環境側に変化が生じたときには，日常生活の行動といえども決して制度的な規範をそのまま反映したものではなくなる。行為にずれが生じ，なお繰り返されると，パターン化され，制度的な構造に影響を与えるのである。

　バーリィは，こうした観点から組織研究が満たすべき幾つかの条件を提案する。第1に，組織研究は時間軸上のプロセスに関わることとなるので，時系列的な研究が部門間比較研究と並んで必要となること，第2に，異なった組織で同じ効果が生じると想定するのではなく，それぞれのコンテキストを重視する必要があること，第3に，どのようにして技術がその組織の成員の日常生活に

統合されるかを研究する必要があること,の3点である。
　以上のことは,すべて,技術が原因となって組織構造に変動が生じるという捉え方自体を問い直さねばならないということを意味している。むしろ,技術は,「組織の輪郭を修正あるいは維持する社会的ダイナミズムを引き起こす契機のひとつ」と捉えられるべきなのである (81)。

第1節　構造の進化のマッピング

　バーリィは,次いで,この理論的立場を,彼の分析を特徴づける通時的モデルへと転換し,図を用いて説明している。「制度と行為は,社会的組織の2つの領域であり,平行した水平方向の矢印と表現でき,それぞれが時間を通じた流れであることを意味する」(82)。ただし,ここで言う時間とは,「組織の成員によって重要とみなされる環境の変化や外的な出来事,組織戦略の変更」(82) によって区分されるもので,必ずしも一様に過ぎ行くものではない。
　こうしたアプローチは,経験的研究にとっての幾つかの課題を明らかにする。まず,問題となる技術が導入される以前の伝統的な行動や相互作用,解釈のパターンを知らなくてはならない。次いで,導入に伴い,そうした解釈や行動,相互作用に,どのような変化が生じるかを捉えなければならない。そのためには回顧的説明や文書データでは不十分であり,参与観察が必要となる。バーリィは,参与観察にあたって,スクリプトを起こし,材料として用いている。スクリプトとは,彼によれば,「観察可能な,行動に関する言葉を用いて示された,行為者たちの役割の本質 (Schank and Abelson (1977)) となる相互作用のパターン」(83) と定義される。彼の論ずるところによると,これにより「行為者たちのアイデンティティはそれぞれが演ずる地位に置き換えられ,行動や言葉は実際に行われ,話されたとおりの形式と内容で示され,行為のつながりは典型的な所作で構成される,通時的な軸上の区分の連続として捉えられる」(83) とされる。従って,新技術の影響は,スクリプトにとってどのような妨げとなり,修正を迫るかという点に求めることができる。こうした形式で描きだすことができると,「技術は行為の型に影響する社会的な文脈と

いう多くの要素の中のひとつに過ぎない」(84) ものとなり，何故同じ技術が異なった結果につながるかを捉えることが可能となる。

　バーリィの研究はマサチューセッツの2つのコミュニティ病院で行われた。彼は一方をアーバン，他方をサバーバンと呼ぶ。両病院ともに当時の新技術であったCTスキャナーが放射線科に導入されることとなった。彼は，まず，スキャナーが実際に使用される以前の状況について，レントゲン写真撮影と蛍光透視という放射線科のふたつの核となる技術に焦点をあてて観察を行うとともに，第2次データの収集を行っている。その方法について次のように述べる：

　・・・私は，ひとつひとつの検査の始めから終りまで出席し，そのデータをすべて集めた。それぞれの検査で生じた出来事やそのタイミングは，経過に従って小さならせん綴じノートに記録し，観察された過程のすべての行動記録を作成した。参加者たちの会話は録音するか，この調査で耳にする独自の用語にも対応できるように速記術を工夫し，書き留めた。これらの行動記録に加えて，参加者が検査の場で生じた出来事についてどのような解釈を持っているかについても，その出来事が生じたときに，あるいは，直後に，尋ねて記録した。

　9月後半にスキャナーが作動を始めると，観察の中心はレントゲン検査エリアから2つの新しく設置されたCT検査エリアへ移った。しかし，観察方法および行動の詳細に関する情報収集方法に変更はなかった。今回の研究全体を通じておおよそ400の放射線検査事例について全容を観察したが，その中には96のCTスキャナーによる検査事例が含まれていた。クリスマス休暇の6週間の中断を除いて，1年間に亙って両病院で1日交代でデータ収集を行った。2カ所でのCTスキャナーの観察から得られたフィールド・ノートと録音記録を分析のための生データとした。

　分析の出発点は，それぞれの調査地点で構造化のフェイズを定義するブレークポイントを発見することであった。各フェイズのスクリプトを作成する前にフェイズをマッピングしておけば，スクリプト自体の知識に基づいて仮の区分を設定しなくてよい。ブレークポイントを発見するのにスクリプトの相違を参照することは，同一フェイズ内の，あるいはフェイズ間の，スクリプトの同一

性あるいは異質性を最大化することによって区分するという，理論的なご都合主義，時系列的なもっともらしい誤りを犯すことになる。構造化の経時的モデルを論じた際に示しておいたように，フェイズの起点とは，外的環境での大きな出来事の発生，あるいは，戦略の変更といったように組織内の人々が判断するものでなくてはならない。スキャナー自体の到着は別格としても，スキャナーを扱うスタッフ当番制の変更は，両病院の放射線科のメンバーたちによって広く本質的な不連続と捉えられていた。従って，この変更は，それぞれの組織において構造化のフェイズを時間軸上で区分するものと解釈することができる。フィールドノートは，こうした基準に従うと，サバーバンは2回，アーバンは4回の構造化のフェイズを経験したことを示している。

　分析の第2段階は，放射線科医と放射線技師の相互作用を繰り返し精査し，両病院の相互作用の構造上の特徴を示すスクリプトを明らかにすることである。放射線科医とCT技師の相互作用に関するすべての記録をフィールドノートから引き出し，現場ごとに時間軸に即して配置した。各エピソードは，先に述べたアプローチを用いて，最初のプロットに基づいて整理された。包括的なプロットの記述はエピソードの相互比較によって磨き上げ，それぞれのプロットの頻度は各現場での構造化の諸フェイズを横断して一覧表にまとめた。両病院の時系列的なプロットの相対的な頻度を調べることによって，構造化の各フェイズにおけるCTエリアでの相互作用に特徴的なスクリプトを明らかにした。スクリプトの内容と形式は2つのCTエリアでの役割関係をレントゲンエリアのそれとを比較する基盤となり，スクリプトの時間軸上の分散はスキャナーの影響を受けて変化する相互作用の秩序を示すものとなる。

　分析の第3段階および最終段階は，両病院での相互作用の秩序をスクリプト化したパラメーターを用いて両病院のCTエリアの公式の構造特性に関連づけることである。権限の集中が，実質的にも経験的にも特に関連していると考えられた。以下に詳述するとおり，放射線科の伝統的な業務分担では，所定の範囲内での裁量および自律性の尊重が基本となっていた。また，集中の度合いを測定する基準を構築するためのデータもスクリプトや相互作用から独立に入手することができた。従って，権限の集中の具合に焦点を当てることにより，2つの相互作用の秩序と放射線科の基礎的な制度の関連をスクリプトから独立し

たデータを用いながら検討することが可能となったのである。

集中度の測定基準は，フィールド・ノートの記録からルーティン化された意思決定の諸事例を取り出し，これにコード番号を打つことによって作成された。どちらの病院であるかを問わず，すべての CT によるスキャンは，9つの操作上の決定により区分される：すなわち，(1) 新たな患者のスキャンをいつ始めるか，(2) どこからスキャンを始めるか，(3) どの深さまでスキャンするか，(4) どの技法を使うか，(5) 患者の位置を修正する必要はないか，(6) コントラストを注入すべきか，(7) どの窓を使いセンターをどこに置くべきか，(8) 放射線科医がスキャン画面を見る必要があるか，(9) いつ検査を終えるか，の9点である。それぞれの決定はスキャンの進行に合わせて行われ，決定の結果は明示的な行動に表れるので，私の観察の義務の一端として，また，ルーティンとして，意思決定者のアイデンティティを記録した。私のフィールド・ノートは CT スキャンについて名目上の担当者にすぎない放射線科医が意思決定しているのか，放射線技師が判断しているのか，を区分するには十分に注意して詳しく記録されている。こうしてスキャンのプロセスにおいて放射線科医が下した決定の割合を権限の集中度の指標とできるのである。時系列における指標のプロットがその病院の集中の外形となると解釈された。

CT エリアにおける制度と行為が本当に構造化プロセスを通じて関連しているならば，それぞれの病院での集中化の進行は，スクリプトの通時的分析によって明らかにされる傾向と類似するはずである。我々は，この仮説を以下で検証する。検証のひとつの方法は，集中化スコアをそれぞれでスキャンが行われた操作日で回帰させることであり，いまひとつの方法は，その値の平方をとってスクリプトの分析から示唆される線形および非線形の傾向を検証することである。集中化スコアは，それぞれの構造化において定義されたフェイズ分けの妥当性を評価するために用いることもできる。もし様々なフェイズが正しく見出されているなら，それぞれの集中化の指標のひろがりが，類似した周期性を示すはずだ。フェイズ分けの妥当性を検証するために，それぞれの集中化スコアはサバーバン病院の2段階モデルとアーバン病院の4段階モデルを定義するダミーベクトルによって回帰分析を行う。それぞれのスキャンは，実施された日に従って，それぞれのステージに当てはめられた。もしフェイズ分けが

正しければ，サバーバン病院およびアーバン病院のデータを予測するのに，フェイズを結び合わせてモデルを得ることが期待できる。このモデルは，2段階モデル，4段階モデルと同様の予測力があるはずだ。

第2節　放射線科の制度的文脈と伝統

　放射線科は，バーリィによれば，「専門職による専制状態」に陥っている。放射線科医が，あるいは，放射線科医のみが放射線画像診断装置から得られる画像の解釈を行い，他の職の者たち，例えば，他科の医師などを排除し，一緒に仕事をする放射線技師の業務をコントロールしている。放射線技師は設備の操作方法を承知し，患者に応対し，放射線科医のためにフィルムを作成することはできるが，診断を下すのは，放射線科医なのである。しかし，放射線科医もX線設備を操作することができた。こうして，「放射線科医は放射線技師が知っていることは，すべて同様に知っているが，その逆は真ではない」(87)という序列が構築されており，この序列は日々繰り返し強化されていた。

　バーリィは，2つの集団の観察を行っている。どちらの病院においても，相互作用は，多くの場合，放射線科医が放射線技師に対する命令という形で指示を与えるものであった。通常，指示の根拠や説明が示されることはなく，放射線技師の助言や意見を求めるということもほとんどなかった。一方で，放射線技師たちは，たとえどのような処置をとる必要があるか分かっていても，放射線科医からの指示を待っていた。放射線科医の側でも，放射線技師と患者の容態について議論することは避けていた。こうした点から，権限は放射線科医に集中していたと言えよう。

　放射線科医は放射線に関する技術の進化には，徐々に進歩していくものである限り，ついていくことができていた。しかし，CTスキャニングというこれまでとは全く異なった新しい技術は，「放射線科医が，診断のためには，新しく読み取り方をマスターしなければならない徴候の体系を作り出した」(88)のである。どちらの病院でも放射線科医および放射線技師に対する新しい技術の紹介は4日間しか行われず，その主たる部分は，ルーティン化した操作方法に

ついて行われ，データの解釈やいかにスキャナーが機能するものなのかといった点については，ほとんど時間が当てられなかった。これは，放射線科医と放射線技師の間の伝統的な専門性のバランスを大きく破壊する契機となった。

第3節　サバーバン病院でのCT操作業務の構造化

　バーリィは，比較事例研究（第3章参照）として，経験的発見事項の報告を行っている。彼は，自らのナラティブと逐語的引用を用いて，時間軸上のステージ分けを行い，それぞれの意義を示してみせている。ここではその要約を提示するが，エピソードのひとつのみについてバーリィの記述を全文に亘って紹介する。

　最初に，サバーバン病院にCT技術が導入された時の状況を紹介する。この新しい技術については誰も経験もなく専門知識もなかったので，サバーバン病院ではその操作のために新たなスタッフを雇用することとした。まず，十分にCT操作を行えるだろうと認定された6人目の放射線科医を，併せて，CTスキャナーの操作経験を持つ2人の放射線技師を新たに雇用した。CT技術の経験のない2人の放射線技師と併せて，彼らがスキャナー班となった。バーリィはCT導入の最初のステージについて次のように報告している。

■フェイズ1：裁量権の交渉
　サバーバン病院で導入した型式のCTスキャナーについては，担当となった職員の誰一人として操作したことはなく，また，一緒に仕事をしたことのない関係だったので，最初のステージの多くが役割の明瞭化に費やされた。バーリィは相互作用の諸形態を以下の通り区分している。

△妥当性の確認を求めないこと
　導入後間もなく，これまでにはなかったスクリプトが現れた。(1)放射線技師が放射線科医に相談することなく，行動することが多くなった；(2)放射線科医が放射線技師に対し，何を行ったかを尋ねる場合が見られ，その多くは当

該機についての情報や原理を尋ねる質問であった；(3) その後で放射線技師たちは自らの行動の根拠を説明した；(4) こうした場合，典型的な例では，放射線科医が放射線技師たちの行動を追認し，その行為についてねぎらいの言葉をかけたのである。

バーリィは，この過程について逐語的な例を提示し，結局のところ，放射線科医はスキャンをどう行うかについての意思決定を行う放射線技師の能力を認めるようになっていくと議論している。名目上は放射線科医が主要な役割を保持しているが，スクリプトは双方の専門知識を確認しているのである。

△答えを予期した質問

放射線技師はまた自らが行為をとる前に放射線科医と相談することもあった。このことは，次のような答えを予期した質問を生み出すこととなった。「(1) 放射線技師が放射線科医に直接に質問を行った，(2) 放射線科医が放射線技師に直接に回答を行った，(3) 放射線技師が自らが次に採るべき行動について意見を述べた，(4) 放射線科医が技師の述べた計画を適切なものと承認した」(90)。この文脈では，質問をしてはいるが，形式的なものと思われ，放射線技師も根拠を十分に承知しているように思われた。この効果は，「答えを予期した質問は，技師の側の専門知識を正当性に根拠を与えるとともに，医師の地位を保全する」(90) ものである。

△自らの意見を表明すること

技師たちは，CT の操作には経験を有するが，放射線科医の持つ疾病，解剖学，診断についての知識には敬意を抱いている。放射線科医が CT 操作について自らの意見を表明したことは驚くべきことではないが，そうすることによって，自らの意見の根拠を提示することとなった。このことを契機として，技師たちも議論を行うことを歓迎した。これは，まさに，「レントゲンエリアでは見られなかった疾病や解釈についての長い議論に関わる」ことであった (91)。このことは，また，放射線科医が技師を根拠を付けて説明を行う相手として扱うことであり，その結果，自らの信頼性を高めることにも役立った。

「妥当性の確認を求めないこと，答えを予期した質問，自らの意見を表明することという相互作用は，放射線科医の伝統的な権威と専門性を確認するもの

であったが，それは同時に技師が職業的な知識を求めることを認めるものでもあった」(91)。3 週間もたたないうちに，彼らは協力して仕事上の問題解決にあたる体制を組織した。そこでは，放射線科医がルーティンに関与する度合いが減少し，技師の責任が拡大していくというものであった。バーリィは，技師が注射を管理し始めたことを極めて象徴的なものと捉えている。

バーリィは，続いて，新しい技術の採用の第 2 フェイズに移行する。

■フェイズ2：自律性の獲得

CT スキャンが始まったばかりの頃は，経験の少ない放射線科医は，その場にいても，経験のある放射線科医に従った。しかし，技師に対しては質問をすることもなく，相互作用もしようとはしなかった。しかしながら，4 週間目にはいると，経験のある放射線科医はスキャンに同席しないこととなった。ただし，経験のない放射線科医は経験のある技師たちの中に残しておくとされた。これまでの相互作用のパターンが幾つかの点で変化した。

△規範的行動に隠された教育機能の逆転

スクリプトに記載された行動は彼らの規範であるので，経験のない放射線科医たちもこれに従った行動をとっていた。彼らもまた意見を述べた。しかし，彼らには，最後まで実行する知識も経験もなかったので，不可避的に技師と情報交換を行うことになった。このことは，結局のところ，外見上はどうあれ，技師の答えが放射線科医に対する教育に相当することとなった。例えば，「技師たちは典型的には放射線科医に対し質問や意見を述べるという形で対応した。彼らの質問や意見は，放射線科医に対し相互作用において知識を持ったパートナーとして自己の提示を行うのに不可欠な情報を提供するものであったが，それは必要な情報にわずかに触れる程度の提供の仕方であった」(92)。放射線科医は，それでも，それらを受けて自分が言ったことを調整するのだった。言うまでもなく，このことは，伝統的な役割を逆転させることであり，というのも伝統的には放射線科医が技師に教えていたのだから。次いで，このことは，よりあからさまな役割の逆転という形を取り始めた。

△役割の逆転

　これまでは，診断は常に放射線科医から技師に流れていた。もっとも明瞭な役割の逆転は，放射線科医が技師に診断上の解釈を尋ね始めたことである。このことは，特に放射線科医が他科の医師により至急に情報を提出するようプレッシャーをかけられた時に生じ始めた。ここでもバーリィは，そうした出来事の逐語的な相互作用を提示している。このことは極めて明瞭に伝統的な役割を逆転するものではあるが，放射線科医にも技師にも探究心を呼び起こすものでもあった。

放射線技師に対する責任の追及

　構造化の第2フェイズで生じたすべてのパターンの中で，相互作用の秩序がいかに大きく変化をしたかを示す事例として，放射線科医が機械のトラブルを技師の無能力と誤解した時の対応ほど明確なものはない。こうした時には，放射線科医は，(1)把握した問題について質問を発するか，意見を述べる，(2)この問題が技師の責任であると示唆するか，直接主張する，(3)問題の本質は技術自体にあるのだという技師の主張を退ける，というものであった。典型例を挙げよう。

　　　放射線科医：(無愛想に) 困ったことだ。さっきの患者さんのフィルムが暗くて読めないな。何とかならないか？
　　　技　師：どうしたもんでしょう，私には分かりかねますが・・・
　　　放射線科医：分かりかねますってどういう意味だい？
　　　技　師：問題は，プロセッサーか，カメラ自体のものでしょう。でも，私はどちらも詳しくないのです。X先生ならカメラをどうセットするかは知っていますよ。ここまでご足労頂いて，カメラをセットしなおしてもらいましょう。それから私がもう一度プロセッサーとカメラを繋ぎ直しましょう。
　　　放射線科医：(頭部スキャン時の脳の基底部をはすかいに横断するラインを指差して) この部分の映像は他にないのかい？
　　　技　師：そうですよ。先生にはどうしようもないですよ。
　　　放射線科医：どうしようもないってどうして分かるんだね？　君にもどう

しようもないのかね？
技　師：それは，すべてボーン・アーティファクトだと思いますよ。［脳の基底部にボーン・アーティファクトが現われるのは，すべてのテクニケア 2060 が長くかかえていた問題だった］

　役割の逆転も，規範的行動に隠された教育も，また，技師の責任追及という出来事も，徐々に新たな相互作用の秩序を定義するものとなっていった。放射線科医の精神的な権威は曇り始め，技師たちも経験のない放射線科医を蔑視しはじめた。新たな相互作用のパターンに対応するために，技師たちは次のように考えた。すなわち，放射線科医たちは当然持つべき知識を持っておらず，そのおかげで余分な仕事が増え，CT 操作という本来の仕事もスムーズにいかなくなっている，と。放射線科医たちもこうした状況にイライラを抱えていた。その結果，放射線科医たちは技師たちに敵意を示すようになった。

　不安や憎悪が大きくなり始めると，双方がそれを抑える方法を探した。技師たちは，ルーティン・ワークについては，一方的に責任を取ることとして，放射線科医たちに相談することなく処理を始めた。このことに放射線科医も否定的な対応をせず，やがて，これが規範となった。放射線科医たちは，ルーティン・ワークには関与しなくなり，自らのオフィスに閉じこもり，ドアの奥に潜んでしまったのである。

　こうして，サバーバン病院では，CT 技師たちが業務に関して大きな自律性を獲得したのである。

第 4 節　アーバン病院での CT 操作業務の構造化

　バーリィは，次に，アーバン病院で生じた状況を記述する。前節同様にフェイズを分けていく。

■フェイズ 1：依存を生み出す相互作用

　アーバン病院では CT 技術に対して異なった対応を示した。同病院は，CT

第 4 章　構造化への契機としての技術　　121

技術に通じた放射線科医を雇用した。この医師は，同病院で長く働いてきた放射線科医と一緒に業務に携わるように配置された。後者は，CT 技術について直接の経験はなかったが，身体のスキャニングについては文献で理解していた。彼らは，現在同病院で仕事をしている 8 人の技師たちとひとつのグループを形成した。ここでも，バーリィは最初のフェイズを特徴づける相互作用をいくつかのカテゴリーに分けている。

△指示

　アーバン病院では，放射線科医たちに専門的な知識や訓練が与えられたので，技師たちは放射線科医から学ばねばならなかった。放射線科医も決して教師役として訓練を受けていたわけではないので，状況が変わるたびに OJT を行わねばならなかった。こうした環境では，スクリプトは次のようになった。(1) 放射線科医が技師にどうするかを教える，(2) 技師は，多くの場合，質問もせずに，指示されたとおりに実行する。

　バーリィは，このことを逐語的な例で示し，その結果を記述している（その後に，フェイズ 1 の 2 つめの相互作用カテゴリーへ移行する）。

　指示は，経験のある放射線科医が自らの言葉の根拠を述べないという点で，意見を述べることとは異なる。したがって，教育の戦略としてのスクリプトの成功は，技師が自ら行為の仕方を学び取り，抽象的に規則化できるかどうかという能力に左右される。スキャナーが導入されて 1 カ月ほどで上述の事態が生じたということや CT によるスキャニングについてこれ以上にルーティン化されたものがほとんど見出せないということから，このスクリプトの有効性には疑問が提起される。言い換えると，指示は，教育の戦略としては失敗しているのである。というのは，それは，放射線科医は考える人，技師は実行する人という役割分担を前提とした一方向的なコミュニケーションにすぎないものだからである。そこから，相互作用のパターンとしては，教育として失敗したばかりではなく，いつどのボタンを押すかという些細なことにまで放射線科医の権威を拡大し，その職業的な優越性を再確認するものとなっていくのである。レントゲンエリアでの放射線科医の指示でさえ，そこまで詳細に亘ることはほとんどなかった。

指示の矛盾：技師たちが放射線科医の指示から規則性を推測できなかったことは，部分的にではあるが，2つめの相互作用の型によって説明される。ここでも，スクリプトは，命令－行為という順序を取るが，その文脈は指示におけるものとは異なっていた。純粋な指示は，技師が行動を取る前に放射線科医が意見を述べ，コミュニケートすることを前提としていた。しかし，放射線科医たちも常に将来のすべてのケースを見通して指示を与えていた訳ではない。彼らも後になってからこうした方が良かったということが理解できる場合も少なくなかった。放射線科医たちは，そういう場合には，当初の指示と矛盾するものであっても，典型的には，検査のやり直しの指示を出すだけであった。当初の指示を無効にする指示－命令という順序は，矛盾する指示の提示というスクリプトを作り出すこととなる。

指示の矛盾は，決して例外ではなく，数多く見られた。その理由は，診断の都合による場合もあったが，また，「放射線科医の個人的な性癖であったり，対抗心によるもの」もあり，あるいは，経験のある放射線科医が新しい技術を試している場合もあった。こうした指示の矛盾の理由は技師には明らかにされなかったので，「気まぐれ」としか見えなかった。その結果，技師たちには自律的な行為をとる基盤を確立することができず，さらに放射線科医たちの指示に依存せざるを得なかったのである。

△コントロールの強化

アーバン病院では，経験のある放射線科医が，CTスキャンを行うに際して，時に口もきかずにいきなり技師の手を掴んで操作を教えるという方法を採った。技師たちは，これを「自分たちの役割を無視し，自分たちの能力に対する侮蔑である」(96)とみなし，当初は拒否していいたが，結局はルーティンとして認めた。

△指示の要請

技師たちはまた放射線科医からガイダンスを受けることを要望したが，このことは結果的にはより直接的に指示の提供を求めることとなった。すなわち，(1)要望が出され，(2)放射線科医たちが応じ，そして(3)技師たちが従ったので

ある。このことは，本来は，学習と関係のあることだが，継続するとともに社会的秩序のひとつとなった。

以上の3つのスクリプトは，すべて，放射線科医の優越を強化するものであった。技師たちは放射線科医に指示を求めたが，これは当初は対処法が分からなかったからだが，その指示が恣意的なものにすぎないと考えたからでもある。このことは，放射線科医たちの眼には技師たちは学習意欲も主体性もないと映り，さらに大きなコントロールを発揮するようになる。

■フェイズ2，および3：「無能さ」という＜社会的事実＞が構築され，確立されること

放射線科医たちは，技師たちの学習意欲が欠如していると考えたので，業務分担スケジュールを変更し，技師たちが毎日ローテーションをしていくのではなく，2週間ごとにずれていく体制とした。放射線科医たちも自らの研究室で過ごす時間を多くし，そうすることによって技師たちから受ける依存を減らせるものと考えていた。

△予期しない批判

こうした方法は，技師たちが自らの技量に自信を持つ機会を与えないまま導入され，しかも，放射線科医からの距離もさらに大きくするものであった。一方で，技師たちは彼らと相談した上で業務に携わった方がよいと考えていた。放射線科医たちは研究室で過ごす時間を多くしていたので，技師たちは用件がある時には研究室を訪ねなくてはならなかった。彼らは研究室でも多忙にしていたので，このことはさらに技師が彼らに依存する度合いを高め，技師たちの間にイライラが募った。技師たちは，皮肉やあてこすりの言葉を口にするようになった。以前のように技師の手を掴んでスキャナーの操作を教えるという方法に戻ったほうがましだという意見も出てきた。

△非難

とうとう放射線科医たちは，技師たちを無能とみなすこととなった。彼らは，技師たちにその無能ぶりをちらつかせ，厳しく非難するようになった。ここでもバーリィは，例を挙げている。40日間が経過し，放射線科医たちは技

師の手を掴んで操作を教えるという責任を再度引き受けた。

■フェイズ4：独立の獲得へ
　16週間たって，最も能力がないとみなされた4人の技師たちが他の部署へ異動となった。放射線科医たちの中で経験のあるものが放射線科の他の業務を引き受け，CTの業務経験のない放射線科医に経験を与えるようにした。このことが，サバーバン病院での相互作用を彷彿とさせるパターンが生じる切っ掛けとなった。

△技術的な相談
　サバーバン病院と同様に，経験のない放射線科医は技師に助けをもとめることとなった。しかし，サバーバン病院ではこのことは比較的オープンに行われたが，アーバン病院では目立たない形で行われた。にもかかわらず，同じ効果を持った。アーバン病院のこれまでのスクリプトは変化を重ね，次のようなものに転換した。「1）放射線科医が適切な行為のプロセスについて尋ねる，2）技師が放射線科医に答えを与える」(99)というものである。

△相互協力による実践
　サバーバン病院とは異なり，アーバン病院では放射線科医と技師の相談は技術的な情報交換に限られていた。放射線科医は診断の解釈にかかる役割を保持し続けた。また，スキャナーの日々の操作業務から手を引くこともなかった。しかし，日々の操作業務に関しては，彼らは技師たちの技術的能力に頼っていた。その結果は，「相互協力によるCTスキャニング・プロセスの実行」(99)である。こうして技師たちの専門性は実践を通じて，放射線科医たちにも認められ，役割は以前ほどには「堅固ではなくなり」，それぞれが「価値ある相補的な技術を持っている」と部分的に認め合うこととなった。

第5節　新たな組織形態の定着

　次に，バーリィは，定量的データを用いて，本稿でここまで説明してきたカ

第 4 章　構造化への契機としての技術　125

テゴリーやパターンが，両方の病院での研究期間の経過とともに，定着してきたことを示す。論文中に引かれた数字は，新たなスクリプトが各フェイズのフィールド・ノートに表れる回数を示している（スクリプトはそれぞれの病院に固有なものと論じられていたが）。それによって，2つの病院で同じ技術に対し反応が異なったことに光を当てることができ，バーリィは相違の大きさを量的に示すことを可能としている。

　例えば，バーリィは，「意見を述べること」は両病院で見られるが，アーバン病院での第1フェイズにおいての方がサバーバン病院の第1フェイズにおけるより多く表れているにも拘わらず，他のスクリプトとの関係を検討すると，サバーバン病院においての方が大きな意味を持っていることを見て取ることができるとする。特に，「＜意見を述べること＞の＜指示＞に対する比は，サバーバン病院の第1フェイズでは，1：1.7であったが，アーバン病院の最初のフェイズでは，1：4.7であった」(102)。これにより，アーバン病院では認知されていた放射線科医の優越が再強化され，サバーバン病院では協調関係が大きくなっていることが分かる。

　このようにデータを数字で示してみせると，他のパターンの意味あいも同様に確認することができる。そこではっきりと表れてくる全体的なメッセージは，同じ技術のインパクトを受けながら異なる組織構造を導いた相互作用には，進化していくパターンがあるということだ。しかし，バーリィは，こうしたことが生じるには，「異なったスクリプトから2つの相互作用の秩序が作られるというだけでは不十分であって，それぞれの相互作用の秩序における様々なスクリプトが2つのシステムを分化させる全体的な特徴を具体化しているものでなければならない」(102) と指摘する。バーリィは，この分化についての記述的・定性的な説明および定量的説明の双方を用いて，どのようにしてこれらの「ふたつの相互作用の秩序が一貫して全く異なったパターンに至るか」(102-3) を提示してみせる。彼によると，「サバーバン病院のスクリプトにおける構造化は，相互の交換によって特徴づけられる相互作用の秩序から，技師がほとんどの情報の送り手になり，放射線科医が受け手になる相互作用へ進化したものであり，対照的に，アーバン病院の構造化は，放射線科医がすべての情報を持ち，送り手になるという相互作用の秩序から，よりバランスの取れた

情報の共有によって特徴づけられる相互作用の秩序へ移行していった」(102-3) ものとされる。全体としてみると、サバーバン病院で成立してきたパターンは、アーバン病院におけるよりも、権限の脱－集中化が進んだものであり、放射線科の伝統から根本的に大きく変化したものとなっている。しかしながら、バーリィは、さらに、定量化を通じて、2つの病院で放射線科医によって行われた意思決定の比率をプロットすることによって、サバーバン病院の脱－集中化の度合いの方が大きいことを実証してみせている。こうして、彼はふたつの病院での脱－集中化の進展が違った速度で進むことを示す。彼はまた「放射線科医が行うルーティンの意思決定の比率を、はじめに、スキャンが行われた操作日によって示されるリニア・モデルによって回帰分析を行い、次に、その値の2乗を加えることによって得られる2次曲線モデルによって回帰分析を行って」(104) 得られた視覚的プロットを検証する。彼はこの2つの量的分析の結果を示して、それらがグラフ化されたプロットとさらに定性的調査によって見いだされた結果といかに整合し、一致しているかについて論じている。

彼は、次に、定量的分析を用いて、彼の見いだしたところを意思決定の脱－集中化に関するフェイズごとに分けて検証している。

集中化のスコアがそれぞれの病院でのフェイズ分けを根拠づけるかどうかを検討するため、放射線科医が行った意思決定の比率を目的変数として、最初に、スキャンの日付をそれが行われたとされるフェイズを通じてコード化したダミー変数を用いて回帰分析を行った。サバーバン病院では2段階のフェイズを経験したとされ、アーバン病院では4段階のフェイズを経験したとされているので、サバーバン病院のデータは、構造化の第1フェイズを表すひとつのダミー変数で、アーバン病院のデータは最初の3フェイズを示す3つの変数で回帰分析された。次に、連結した分析を行い、それぞれのデータを4つのダミー変数で回帰された。もしそれぞれのフェイズ分けが正しく定義されているなら、連結されたモデルは放射線科医の行動を、一方の地点での構造化のフェイズを描き出すように作られたモデルと同程度に予測できるはずである。表2に回帰分析の結果を示す。それによると、次のような結果のパターンを示している。どちらの事例においても、連結モデルはそれぞれの病院自身のモデルに

よって説明される分散比を実質的に増やすことはない。従って，データは，サバーバン病院では構造化は2段階で進行し，アーバン病院では4段階で進行するという主張と一貫している。

表2 放射線技師が関与する業務上の意思決定の割合を予測する各部門の構造式の妥当性

病院名	モデル	Int.	サバーバンフェイズ1	サバーバンフェイズ2	アーバンフェイズ2	アーバンフェイズ3	R^2	Df	F
サバーバン	サバーバン	0.17 [7.46]**	0.50 [9.96]**				0.67**		
	連結型	0.13 [3.99]**	0.53 [6.91]**	0.01 (0.21)	0.07 [1.31]	0.14 (2.12)*	0.71**	[3.44]	1.43
アーバン	サバーバン	0.47 [8.20]**		0.36 (4.77)**	−0.04 [0.39]	22 (2.90)**	0.45**		
	連結型	0.47 [8.66]**	0.22 [2.34]*	0.21 (2.19)*	−0.04 [0.41]	0.22 [3.06]**	0.52*	[3.37]	1.54

* $p<0.05$, ** $p<0.01$
括弧内の数字は，各パラメーターに対応するt検定による。

第6節 結　論

バーリィが「主意主義的理論」と呼ぶマネジメントによる選択の考え方を強調する人々は，放射線科医が人員配置の決定を行っていることに目をつけて，構造を決定するのは意思決定者であると結論づけるかもしれない。しかし，バーリィは，そうした意思決定の結果は多くは意図されていないものであることを示しているのである。また，制度的構造に特権を当てようとする人々は，新しい技術によって導入された不確実性に避けることのできない複雑性を強調するかもしれない。

しかしながら，バーリィの結論は「同一の技術が，時によっては，類似したダイナミクスを引き起こすが，異なった構造的な結果を導くことがある」(105) というものである。彼は，こうしたことは大量のサンプルを用いて部局

横断的に研究を行っても，明らかにすることはできなかっただろうと主張する。というのは，そうした研究は往々にして組織的文脈のダイナミクスを無視するものだからだ。形式的な構造に差異が見出されたとしても，それらは相互に打ち消しあう傾向さえあるのだ。技術の変化の真の重要性は，それらによって導入される複雑性や不確実性として単純に理解されてはならない。むしろ，社会システムにおいてそれがいかに意味づけられるかという文脈で理解されなければならないのである。また，このことは単純に役割や階層と関係があるわけではなく，むしろ関連のある行為者間の相互作用のモード，言い換えると，実際に何をしているか，に関係しているのである。

編者によるコメント

　第1章で我々の役割が，野望を持って，戦略に関連する人々の行為—人々が実際に行うところ—を様々なアウトカムに結びつけることにあると議論したことを想起いただきたい。本論文は，制度的なレベルにおいて，技術的な力の相互作用を通じて人々が技術にどう対応し，その結果が組織の構造化にどう影響するか—極めて戦略的な意味を持つ—を追跡した，例を見ない論文である。バーリィは，言うまでもなく，戦略論研究者として本稿を執筆したわけではないし，本稿が1986年に発行されたことを考えると，本書における議論を知りえているはずもない。しかし，本論は，第1章の図1-1に示したすべてのレベル間の相互作用について考察した稀有の研究例であると評価できる。加えて，本稿は，こうした相互作用がいかに生じ展開するかについて非常に細かく追跡しているのである。

　多くの点で，本稿は，伝統的なアメリカ型の経営研究の調査設計を代表するものといえる。調査手法は，何を明らかにしようとしているかという観点から注意深く準備されたものである。データは見事にトライアンギュレーションが行なわれたもので，比較対照法による事例研究であり，また説明変数をコントロールし，本質的にはグラウンディド・モードの研究でありながら，さらに定量的研究によって得られた知見も検討している。第3章で提示したように，このことが類似したパターンを引き出すことを可能としており，極めて微細な点

まで追跡し意味ある結論に至るとともに、記述的および数量化の両方のデータ収集、および、観察できる行動と人々の語りの両方のデータ収集を含んでいる。

ひとつの物語を織り成すような、本稿の叙述データの豊かさに心を奪われていることはたやすいことだが、本稿の冒頭において打ち出されているポジショニングのエレガンスさについては、特に、コメントしておく価値がある。調査課題は、実践的な課題としても、また、関連する理論的課題としても、はぎれよく、また、極めて明確に提示されている。理論的なフレーム・ワークも明確に手短に説明されており、当代のかなりの文献がカバーされているが、決して過剰にはなっていない。本稿のイントロダクションは、経験的研究論文のモデルとなるものであり、著者に自らが何を説明しようとしているかが明らかである時には、広い範囲に亘って総花的な文献レビューを行う必要はないということをよく示している。この逆が危険であることは明らかだ。明確な理論的ポジショニングがないときには、著者は自らの研究に関係がありうるすべてのことを説明しようとして取り残されるというリスクを伴うこととなる。その結果は、通常は、本論と逆であることは言うまでもなく、何を言いたいのか全く分からない論文となるのである。

しかしながら、バーリィ自身が本調査のような研究で理論の役割についてどう説明しているかを見ておくことは興味深い。「背景に理論的関心が存在していることは極めて重要である。というのは、それらが準拠枠を与え、人が何かを知る時の知るきっかけとなる概念を与えるからである・・・しかしながら、ほとんどのエスノグラファーがそうであるように、私がこの研究に取り掛かったのも幾つかの一般的な問題意識以上のものはなく、十分に明瞭化された強力な仮説などないも同然であった」(Barley, 1990:220-1)。研究は、研究自体が本来的に帰納的なのである。本稿の冒頭で説明されたような理論的な枠組みは、作業が進行するにつれ、発生するものであり、発展していくものなのである。しかし、論文中では、議論の枠組みを整理するために首尾一貫した形で提示されるのであり、そうすることが効果的なのである。

また、提示されたデータの選択も、この事例を説得力の強いものとしている。バーリィが提出した説明から、明らかに、彼のフィールドノートは極めて

包括的なものだったことに違いないことが伺える。本稿で提示されたデータは，そのほんの一部にすぎないだろうが，それらは全体として一貫しており，説得力のあるものである。論文という限られたスペースの中ではデータを意味ある形で提示できないと言い訳するのが研究者というものなのである。本稿は，そういうことが可能であることを示し，しかし，そのためには材料を選択し，述べ方についての技術が不可欠であるということを示している。このことは，上で理論について述べたこととほとんど同様のことである。本稿では，バーリィには自らが何を探求しているのかが明確に捉えられているのである。そのことは，仮説検証型の論文のようには事前に計画されたものではなかったかもしれない。しかし，彼の調査課題と理論的立場を通して，それは明らかなのである。以上のように考えると，データの提示という業務はより容易になろう。彼は，ここで，彼のデータの広さを示してみせようとしているのではなく，彼のデータを用いて彼の見出したことを示そうとしているのである。また，見出されたもののスコープの中に，理論が示されるのである。繰り返すが，逆は問題となる。そうした明確さがないときには，研究者/著者は，どのデータを提示するかに迷い，往々にして混乱した提示となるのである。

　この点で，本稿は，我々の多くが直面する問題に誰よりも接近している。ミクロの行為に対する主たるインプットとアウトプットとの関連においてミクロの重要性を示すために，ミクロ・レベルのヴィネットやストーリーを用いることが出来ているのである。これは，ギアツ論者たちの民族誌を読むようだ。日々の生活の細かで込み入った要素が，実は，様々な社会的な制度の大きな力が織り合わさったものであるかを引き出して見せるのは，また，言うまでもなく，いかにそれらが組織を，あるいは，制度でさえ変更していく潜在的な力を持っているかを，示してみせるのも，才能なのである。

　ここで用いられているストーリーも説得力がある。しかし，データの数量化は，ストーリーにはできない簡潔さで新たなパターンの発生について示し出している。さらに，バーリィは，数量化を自らの新たな発見を「検証する」ためにも用い，そのことによって彼の新たな説明を読者にとってより説得力のあるものとしている。多くの定性的な研究者は，こうした定量化は必要だろうかと問題を提起されるであろう。この議論は価値あるものだが，この論文が数量化

研究なしに多様なアカデミック・コミュニティに対して与えたインパクトを持ちえたかどうかは疑問である。数量化を行うことで，それまで持ち得なかった広い読者層を得ることができたのだ。しかし，バーリィは自らの定性的研究による発見を批判的に検証することに深く関心を持っていたことは指摘できよう。すなわち，発生したパターンは数量的な吟味に堪えられるのだろうか？ここで，再度，定性的データに関心を持つ研究者たちは，ほとんど，自ら数量的調査による再検証を可能とする調査設計を行わないのは何故か，という問題が提起されることとなるのである。

　本稿では余り多くは議論されていないが，ここには実践についての重要なインプリケーションも含まれている。この論文は，人員配置についての意思決定は重要ではあるが，時にどのようにして意図せざる結果に至るかを示している。また，いかに教育の欠如が組織の効率に影響するかを示している。職業的な専門職の相互作用を見事に描き，問題を提起している。本稿は，また，技術のマネジメントに問題を提起し，洞察を与えてくれる。

　この論文に批判的にならねばならないとすれば，おそらく，その結論部分であろう。ここでは，バーリィの主たる関心は，諸個人の行動と技術の構造化効果の相互作用に関して彼の発見のインプリケーションについて議論することに向けられている。しかしながら，本稿の書き出し部分で導入し，彼の研究を特徴づける理論モデルの持つ広いインプリケーションには立ち返って議論していない。この点がより完全に展開され，後に行為という領域と制度化された構造という領域の間の相互作用の理論化と調査に大きな影響を与えるようになるのは，ずっと後になってトルバート（Tolbert）と一緒に行う研究（Barley and Tolbert 1997）においてである。

第5章

急速に変化する環境における迅速な戦略的意思決定

（著者）キャスリーン・M. アイゼンハート（Kathleen M. Eisenhardt）
（出典）*Academy of Management Journal*, 第32巻第3号（1989年）：5430-76頁

要 旨

　急速に変化するマイクロコンピュータ産業で、経営陣はどのように迅速な意思決定を行っているのか。マイクロコンピュータ関連の8社に関するこの帰納的研究はこの問いを吟味する命題を導き出した。迅速な意思決定者は遅い意思決定者より、少ない情報ではなく、より多くの情報を使用している。前者はさらに少数ではなくより多くの代替案を十分考え、また2層の助言プロセスを使用している。さらに、戦略的意思決定と戦術的計画の間のコンフリクト解消と統合は意思決定のスピードに関して重要である。結果として、この行動パターンに基づいた速い意思決定は、優れた業績をもたらす。

編者による概要紹介

　この事例論文は、1989年に戦略的意思決定の実践に関するいくつかの新しく驚くべき発見事実を提供した。また、それは、迅速な戦略的意思決定の条件、特性、促進要因に関する多くの命題を生むための帰納的事例研究の方法論を体系的に利用しており、そのため選定された。この論文は、研究デザイン全

体で研究の優れた取り組みを示している。それは，機能的推論をするための複数の事例分析の利用，提示された命題の根拠と例証による実証的説明の利用，命題を深めるために使われる理論の利用方法，戦略的成果の明示的関係付けといった点である。

　この論文で紹介されている発見事実は興味深い。なぜならそれらが迅速な意思決定に関するこれまでの見方とは全く対照的であるからである。この論文は，迅速な意思決定者は，より少ない情報ではなく，より多くの情報を使用すると結論づけている。彼らは，少数ではなく，より多くの代替案を開発する。さらに，戦略的決定と戦術計画の統合は，意思決定のスピードを下げるのではなく，上げる。

　しかしながら，この論文で報告された結果は，特定の経験的文脈（つまり1980年代中頃のアメリカのマイクロコンピュータ産業）に基づいているため，急速に変化する環境（high velocity environments）という特定の競争的文脈での一般化に制限される。この論文は，全く強力な方法で理論は文脈に依存するという重要なインプリケーションを導いている。この点については，本論文の要旨の後の編者によるコメントで振り返ることにする。

論文の概要

　本論文は，革新的な技術変化によって特徴づけられる急速に変化する環境に注目し，戦略的意思決定のスピードを探求している。特に，論文は，以下の2つのリサーチ・クエスチョンに答えることを目標としている。第1に，迅速な戦略的意思決定が経営陣によってどのように実際に策定されるかというプロセスに関する課題，第2に，意思決定のスピードが業績にどのように関連するかという因果関係の課題である。今回研究されたマイクロコンピュータ産業は，急速に変化する産業として定義される。ここでは，技術だけでなく需要と競争も含め，速く，非連続な変化を意味している。論文の発見事実は，迅速な意思決定者は，遅い意思決定者よりも，より多くの情報を使用し，より多くの代替案を開発することを示している。

さらに，コンフリクト解消は意思決定スピードにおいて重要であり，また，意思決定間の統合は意思決定のスピードを速める。さらに重要なこととして，迅速な意思決定は，経営幹部が外部変化についていくことを可能にし，またより良好な業績にも繋がる。結果は一連の命題として報告されている。そこでの理論上の出発点は，迅速な意思決定に関する研究の3つの潮流に対する挑戦的課題である。これらの潮流では，包括性の水準が高いと意思決定を遅らせる，関与の制限と集権化が意思決定を速める，コンフリクトの制限が意思決定を速めると論じている。アイゼンハートは，この論文で報告された研究で注目した2つの重要な現実を先行研究は無視していることを指摘し，次の2つの問いを示した。戦略的意思決定者は，高い不確実性に直面した不安から生ずる先送りしたいという気持ちにどう打ち勝つか。意思決定者は，高速で変化している中でどのように意思決定の質を維持するか。

この2つの問いは，先行研究が不正確な方法で迅速な意思決定を記述しているということを示唆したものである。さらに，迅速な戦略的意思決定についての限定的ではあるが研究の基礎が存在し，それがこの論文で報告された帰納的研究戦略の論拠となっている。いくつかの情報源の組合せによって作られた複数事例の研究デザインは，次の節で詳述する。

研究方法

この研究は複数事例の研究デザインを用いたが，これはいわば一連の実験であり，各々の事例が他の事例から導かれた推定を検証または反証するために提供され，追試の論理を可能にする（Yin, 1984）。表1は，今回調査されたマイクロコンピュータ会社8社を示している。

この研究は，各々の企業の次の3つのレベルに焦点をあて，複数のレベルで分析を行う部分事例の研究デザインも採用した。すなわち，(1)トップマネジメントチーム，(2)戦略的意思決定，(3)企業の業績。部分事例の研究デザインは複雑であるが，それは濃密で信頼性の高いモデルによる帰納法を可能にする（Yin, 1984）。

データ源

　リサーチグループのメンバーは，CEO および彼らの直属の部下を含む，各会社のトップマネジメントチームのすべてのメンバーとのインタビューを行った。チームは，おもに CEO や，販売，財務，技術といった主要機能の担当役員により構成されている。

　ここでは，4 つのデータ源，(1) 最初の CEO インタビュー，(2) 企業のトップマネジメントチームの各メンバーへの半構造化インタビュー，(3) チームの各メンバーによって回答された質問表，および (4) 2 次的資料，が利用された。

　<u>CEO インタビュー</u>　最初のインタビューは，各会社の CEO に対して，半構造化フォーマットを使用し実施された。このインタビューは，企業の競争戦略の説明を求める質問から始められた。

　続いて，CEO には，企業の優位な能力，主な競争相手，および彼らの業績についての質問がされた。続いて，それぞれの CEO はいくつかの最近もしくは現在進行中の主要な意思決定案件を特定した。そして，研究の中で引き続き行われるトップマネジメントチームの各メンバーへのインタビューの対象とする意思決定案件を選択した。この選択は，他の研究者が戦略的意思決定の定義として用いたものと類似の基準に基いて行われた（Hickson et al., 1986; Mintzberg et al., 1976）[2]。選択される意思決定案件は，(1) 戦略的ポジショニングを含んでいる，(2) 大きな賭けである，(3) できるだけ多くのその企業の機能を含んでいる，(4) その企業のおもな意思決定が行われるプロセスの典型例と見なされる，といった条件を満たしたものである。

　<u>経営幹部へのインタビュー</u>　最初の CEO インタビューの後，CEO を含むトップマネジメントチームのすべての経営幹部への半構造化インタビューが行われた。そのインタビューは 16 個の自由回答型質問から構成されていた。帰納的研究の方法に従い，これらの 16 個の質問に加え，インタビュー中に，深掘りすることが有効と思われる質問が補完された。インタビューは，典型的には 90 分から 2 時間の長さであったが，時には 4 時間にもおよぶ場合もあった。

　このインタビューは，企業の競争戦略の説明を求める質問から始められた。

その後，それぞれの経営幹部は，自身の領域における機能別戦略，トップマネジメントチームの他のメンバー，チームのそれぞれのメンバーとの相互作用の頻度と特徴，および意思決定会議の状況について説明した。このようにして，企業内の一般的な戦略的意思決定プロセスの全体像が明らかになった。

インタビューの2つ目の部分として，CEOへの最初のインタビューで選択された各戦略的意思決定の物語がトレースされた。これにより，会社内の個別の意思決定プロセスの状況が明らかになった。トップマネジメントチームのすべてのメンバーの見方は，インタビューの標準質問を使用して明らかにされた。質問は，法廷と同じやり方で，回答者の解釈よりも事実と出来事に集中した(例えば，いつこれは最初に問題になったか？何を行ったか？いつ？)。

2人の調査者が，1人はインタビューの責任者となり，もう1人はメモを取り，各インタビューを実施した。インタビュー直後に，調査者は事実と印象をクロスチェックした。

いくつかの規則に従った。「24時間ルール」では，詳細なインタビューノートと印象はインタビュー後，1日以内に完成することが求められた。2番目のルールは，インタビュー時に判明した重要性にかかわらず，データをすべて収集することだった。3番目のルールは，インタビューノートの最後に各会社の現在進行中の印象を記述することだった。

複数の情報提供者，法廷スタイルの質問および複数人へのインタビューという組合せは，経営幹部の記憶に頼るという研究のいくつかの以前の批判に対処したものである (Schwenk, 1985)。さらに，先行研究 (Huber, 1985; Mintzberg et al., 1976) は，重要な意思決定，特に主要な最近の意思決定が，経営幹部たちの記憶の中で時間を経ても良く安定していることを指摘している。

[2] 理想的には，それぞれの企業で多くの戦略的意思決定を調査すべきであろう。しかしながら，戦略的意思決定は頻繁に起こるので，それはほぼ不可能である。ここでのアプローチは，企業内での戦略的意思決定に対するアプローチ全体の証拠を備える1つか2つの意思決定事例からの洞察に対し，トライアンギュレーションにより分析することであった。このアプローチの正当性は，先行研究が指摘している企業が一貫したパターンで意思決定を行う場合高められる (Fredrickson & Iaquinto,

1987; Miles & Snow, 1978; Nystrom & Starbuck, 1984)。それは，たとえトップマネジメントチームのメンバーで異動・交替があったとしてもである（Weick, 1979)。

　それぞれの調査対象企業において，トップマネジメントチームのメンバー5～9人が，情報提供者としてインタビューされた。マイクロコンピュータ会社8社は，Zap社，Forefront社，Promise社，Triumph社，Omicron社，Neutron社，Alpha社およびPresidential社(すべて仮名)であるが，従業員数は50人から500人までであり規模的には多様である。

　2つのタイプのインタビューデータは次のもので補足された。
2次情報：産業レポート，内部文書および財務業績データ等。
量的データを生成するための質問票：質問は，おもに権限とコンフリクトのような先行研究で示された意思決定に関する多くの変数をカバーした。

第1節　データ分析

　定量データについては，主として質問票から，コンフリクトと権限に関するチームレベルのスコアが計算された。インタビューおよび他のデータ源から得られた質的データについては，次のような分析が行われた。

　定性的な回答は，トップマネジメントチームのメンバーが提出した記述に基づき，各経営幹部と意思決定傾向のプロファイルとしてまとめられた。特に複数の経営幹部から言及された特性が，プロファイルに含められた。例えば，Alpha社の社長の4人の同僚のうちの3人が，彼を「せっかち」と評した。この特性は彼のプロファイルに含められた。しかし，1人のみから言及された他の特性については除外された。

　意思決定の物語は，すべての出来事を含んだタイムラインの中に各経営幹部の談話を組み入れることにより開発された。意思決定がいつ始められたか，意思決定がいつ下されたか，またその意思決定がどのようになされたかという重点な論点については，回答者の中で概して高い合意があった。再びAlpha社を

例として用いると，調査対象とした意思決定案件の推進は特定の役員会議で行われ，CEOが単独で意思決定をし，またCEOは年次計画会議の直前にそう決定したという点について，経営幹部は皆同意していた。少数ではあるが，矛盾する報告が物語の中に含まれていた。それらは，通常，観察できる行動や出来事ではなく，他の人の動機や意見に対するある人の推測に関するものだった。

いったん予備分析がそれぞれのデータセットから開発されると，私はその分析を組み合わせ，事例研究から理論を構築する方法を用いて，命題を帰納的に導出した (Eisenhardt, 1989 [b]; Glaser & Strauss, 1967)。企業のペアを選び各ペア間の類似点や差異を聞くこと，そしてCEOへの助言者の有無のような興味深い変数により会社を分類することによって，命題の探索が進められた。これらのリストや比較から，私は命題の仮説を帰納的に導出した。命題の仮説の開発の後に，各々の事例は，それらのデータが提示された関係を検証できるものか，そうでないかを見るため，また内在するダイナミクスについての理解を深めるためにその事例が利用できるかどうか再検討された。データと命題との間の何回もの反復の後，私は帰納的プロセスによってもたらされた洞察を鮮明にするために既存文献を使用した。明らかになったのは，情報，代替案，助言，コンフリクト解消，統合を意思決定スピードや業績と関係づける命題だった。演繹的研究によれば，命題は証拠に適合しているが，事例を完全には説明してはいない (Sutton & Callahan, 1987)。

第2節　迅速な戦略的意思決定はどのように行われているか

この論文の核心は，迅速な戦略的意思決定が実際どのように行われているかについての5つの特性に関する発見事実を説明することである。命題として表現されたそれぞれの発見事実は，研究プロセス中で帰納と演繹の組合せに基づいたものである。この要約では，アイゼンハートが示した5つの命題すべての推論のタイプ，実証的証拠と例証を含め，第1命題についての大部分は逐語的な詳細記述を提供する。残りの4つの命題は簡潔に要約されている。

第3節　スピード，計画およびリアルタイム情報

　先行研究は，包括性が戦略的意思決定プロセスを遅らせると示唆している(Fredrickson & Mitchell, 1984)。わずかな専門知識源から情報を得て少数の代替案しか考えないこと，そして限定的な分析は，戦略的意思決定プロセスを短縮させる (Janis, 1982; Mintzberg et al., 1976; Nutt, 1976)。この観点は情報の利用が大きいほど，戦略的意思決定プロセスのスピードが落ちることを暗に意味している。

　本調査によるデータは異なる見方を示している。迅速な意思決定を行う経営陣は広範囲な情報（たいていは遅い意思決定者が使うより多くの情報）を使用していた。しかしながら，その情報は予測された情報ではない。もっと正確に言えば，それは特に企業の競争環境と業務オペレーションに関するリアルタイム情報だった。リアルタイム情報は，企業の業務オペレーションや環境に関する発生と報告の間の時間的遅れがほとんどもしくは全くない情報として定義される。公式的に表記をすると，

命題１：リアルタイム情報の利用が多いほど，戦略的意思決定プロセスのスピードは速くなる。

　著者は，その後インタビューと物語のデータに基づきスピード全般を評価し，意思決定スピードについての実証的証拠を要約している。その後，定性的分析は，各戦略的意思決定の総継続期間の指標測定を用いて補強された。この測定では，戦略的意思決定プロセスのスタート時は意図的な行動（会議のスケジューリングや情報の収集等）に関して最初に言及された時を指しており，終了時は実行が決定された状態である。

　表２が示しているように，意思決定スピードのバラツキは大きい。リストに挙げられた最初の４社（Zap社，Forefront社，Promise社，Triumph社）は，調査した意思決定案件を４か月未満で下した。そして，インタビューと物語から

の十分な証拠がこのような速い速度が通常であることを裏付けていた。例えば、ほとんどの Promise 社の経営幹部は、促さなくても「迅速に」意思決定したということを言及し、そして彼らが戦略の方向に関する意思決定を4か月で行ったということはデータと矛盾していない。この論文を通して、これらの4つの会社は「迅速な」企業として参照されている。その次の企業4社 (Omicron 社、Neutron 社、Alpha 社、Presidential 社) は、調査した意思決定案件を下すのに少なくとも6か月、通常12か月かかっていた、そして、定性的証拠 (表2を参照) はこの遅いペースが、その企業の通常のペースであることを裏付けていた。従って、私はこれらの企業を「遅い」と捉えた。

　表3は、リアルタイム情報の利用の証拠を要約したものである。これらは以下の4つによって評価を行った。すなわち、(1) 業績指標と目標の定期レビューに関するインタビュー質問の経営幹部の回答、(2) 現在の業務オペレーションをレビューするための定例会議の総数、(3) 財務担当ヴァイスプレジデント (VP) の存在 (調査したような企業では一般にリアルタイム情報の主要な提供者)、および (4) 企業の CEO の情報に対する態度、の4点である。経営幹部の多様なコミュニケーション媒体に対する好み、各企業で調査された戦略的意思決定をする際のリアルタイム情報の利用も記載されている。

　表2および表3に示されたデータは、迅速な戦略的意思決定がリアルタイム情報の広範な利用と関連していることを示している。迅速な意思決定を行う経営幹部は、日常的に定量的指標、すなわち、受注、仕損、在庫、キャッシュフロー、エンジニアリングマイルストン、そして競合他社の動きについての日次・週次の実績に細心の注意を払っていた。彼らは利益のような集約された会計レポートよりもこれらの業務オペレーション上の指標を好んだ。これらの経営幹部は週に2〜3回の定期的な営業会議を開催した。また文書のような時間のかかる媒体を通してではなく顔を合わせての会話や電子メールといったリアルタイムなコミュニケーションを好んだ。

　Zap 社の場合は、リアルタイム情報の利用と意思決定スピードの間のつながりを例証している。Zap 社経営幹部は、「すべてを測定している」と言い張った。そして、CEO は、こちらから特に催促をしなくても正確な売上総利益の目標と、研究開発費、販売費、一般管理費について説明した。経営幹部は受注

表2 戦略的意思決定のスピード

企業	例[a]	意思決定と重大な問題	意思決定期間(日)
Zap	我々は1番手を目指す（技術担当VP） もし我々が行き詰ると彼（CEO）が暴れる（VP, マーケティング） 最悪の意思決定は何も決めないことだ（CEO）	提携：戦略的提携をすべきか，株式公開すべきか	3
Forefront	我々は意欲的で，ことを実現させる（マーケティング本部長） 迅速に実行しないと大きな機会は通り過ぎていく（VP, マーケティング）	新製品：新製品を開発すべきか	2
Promise	私は速い意思決定を好む（CEO） 私たちは速い意思決定を行う（システム開発担当VP）	戦略：新たな戦略方針が必要か	4
Triumph	Triumph社の意思決定は非常に速い（財務担当VP） 彼（CEO）は聞き，準備し，実行する。彼は意思決定プロセスを短縮した（販売担当VP） 何かをせよ。心配事の傍らで留まるな（CEO）	戦略：新たな戦略方針が必要か 新製品：どのような新製品にすべきか	1.5 1.5
Omicron	動くのが遅い（生産担当VP） 礼儀作法の多さに不満がある。合意形成は大変重要だ（販売担当VP） 我々が意図したことを行った。しかし必要以上に時間がかかった（CEO）	戦略：新たな戦略方針が必要か 戦略：新しい戦略をどのようにすべきか	12 6
Neutron	我々は遅い（財務担当VP）	提携：戦略的提携をすべきか	12
Alpha	我々は一度も集中してやっていなかった・・・何かに集中した時間もない・・・成り行きまかせ（販売担当VP） 我々は配役の中の王様だった（財務担当VP）	新製品：IBM互換製品を作るべきか	12
Presidential	会社は焦点が定まっていない。我々は集中していなかった（EVP） 調整不足－決定しない（生産担当VP） 組み立てがない・・・何も達成されない（研究開発担当VP） 何も起こらない・・・アイディアをまとめていくのは難しい（EVP）	新製品：新製品を開発すべきか	18

a　VP = vice president, EVP = executive vice president

額を毎日確認していた。エンジニアリングスケジュールのレビューは週次で行われている。財務担当 VP は，毎週コンピュータモデルにより経営状況を把握していた。マーケティング担当 VP は継続的に市場環境をモニターした。彼女は我々に，「私は市場から目を離さずに，情報収集する」と語った。研究開発担当 VP は，広範囲な友達のネットワークを通して，テクノロジーに関する「情報やうわさ」をモニターしていると我々に伝えた。経営陣は，従業員一人当たり売上高，利益，受注残，仕損，キャッシュフロー，在庫を含む広範囲の定量指標を月次でレビューした。これは，意思決定が遅いチームが使うよりも，より広範囲におよぶ指標のセットである。Zap 社の CEO は我々に次のように述べた。「我々は強力な経営管理手法を持っていて，MBA を超えている」。また，Zap 社の経営幹部は対面コミュニケーションと電子メールを通じて絶えず情報交換していることを報告した。彼らはメモを避けた。例えば，ある経営幹部は，CEO および他の数人の VP とのコミュニケーションを「定期的」と説明した。最終的に，調査した戦略的提携を加速させる意思決定は，将来の資金不足を予測した現金収支推定モデルが引き金となったものである。Zap 社経営幹部はこの意思決定を 3 か月で行った。Zap 社経営幹部は，「最悪の意思決定は何も決めないことだ。」と主張した。

　Triumph 社のケースも，リアルタイム情報の利用と迅速な戦略的意思決定の間の関係を示している。例えば，現在の CEO によって雇われた最初の従業員は，仕事が新製品開発プロジェクト（マイクロコンピュータ会社で最も重要なもの）を追跡するデータ・ベース管理者だった。企業のメンバーは CEO を「定量的」と評している。また，CEO は「私はすべてを一覧で把握している」と主張した。インタビューされた人は Triumph 社での毎週のスタッフミーティングを「不可欠なもの」と評した。ある経営幹部は「誰も月曜日には出張しない。」と言った。私自身の訪問が，月曜の会議が重大であったことを明らかにした。月曜日は，今週何が起きるか，すなわち売上高，エンジニアリングスケジュールおよび発売がどうなるかを網羅した 4 時間の会議で始まる。午後には，Triumph 社の経営幹部は品質保証および新製品進捗の会議に参加した。経営幹部は，さらに従業員が上級経営幹部にフィードバックを与える定期的な「円卓会議」フォーラムを実施した。Triumph 社の経営幹部は，彼らの戦略方

表3　リアルタイム情報

企業	財務担当VP？	定常的な計数目標と指標	業務会議数／週	CEOの情報に対する態度	例
Zap	いる	キャッシュフロー 受注 仕損 在庫 利益 売上高／従業員	3	数字に強い人	我々は強力な経営管理手法を持っている。我々はMBAを超えている・・・何でも測定している（CEO）
Forefront	いる	受注 受注残 取扱高 売掛金 顧客サービス その他	2	短期重視	長期的開発に直面しているどんな企業も「こと」がどのように進展することを知ることはできない。外の世界を監視し，知ったことに対する進化戦略を示すだけである（財務担当VP）
Promise	いる	キャッシュフロー 受注 在庫 費用 その他	2	数字に強い人 行動志向 実践的	我々は会社がどう動いているかに関する脈拍を定期的にとっている（財務担当VP）
Triumph	いる	キャッシュフロー 受注 エンジニアリング 　マイルストン 売上高 品質保証 その他	3	定量的 焦点重視	私はすべてを一覧化している（CEO）
Omicron	いる，しかし財務に弱い技術者	言及なし	2	夢想家 距離を置く	我々の経営計画はいくぶんかの経営水準を目標として掲げている，しかし具体的ではない・・・私自身の目標は主観的なものである（CEO）
Neutron	いる	言及なし	1	夢想家	私の役割は離れた立場から批評することである・・・私は取締役と投資家のために財源と資産を守っている（財務担当VP）
Alpha	いる	売上総利益	1	常に突進	我々はあまり多くの情報を持っていない（生産担当VP）
Presidential	いない	売上総利益・粗利	0	夢想家 距離を置く	とりとめのない会話によるマネジメント（生産担当VP）

針を変えるべきかどうかについて6週間で意思決定し，さらに中核製品の意思決定も6週間で行った。ある経営幹部は，「何かをしろ，意思決定することを悩むな。」と助言している。

対照的に，遅い意思決定をするチームからはリアルタイム情報への言及はほとんどなかった。言及されたことは，そのような情報と彼らの意思決定プロセスとは特に密接な関係がないことを示唆している。

著者は，遅い意思決定をする企業4社からの実例となる証拠を続けている。8社すべての企業からの発見事実に基づき，なぜリアルタイム情報の利用がより迅速な戦略的意思決定をもたらすかについての3つの理由が特定された。

  リアルタイム情報は課題の識別を速める。つまり，問題と機会が経営幹部によってより素早く発見されることを意味する。

  連続的にリアルタイム情報に注意を払う経営幹部は直観を発達させている。つまり彼らは，企業や環境の変化により速く正確に反応できることを意味する。(この理由を支持する証拠は非常に限定されているが，人工知能と直観に関する文献に基づいている; Hayes, 1981; Simon, 1987.)

  リアルタイム情報に継続的に注意を払っている経営陣は，一つのグループとして対応することの有効性を経験しており，迅速なアクションが必要な状況で，ルーチンとして素早く反応できる。

戦略的意思決定スピードのための情報の役割に関する結論は，リアルタイム情報が経営幹部に意思決定のスピードを速めるであろう深い知識を提供するということである。他方では，将来の予測を試みる計画情報は戦略的意思決定を加速させない。

第4節　スピード，タイミングおよび代替案の数

意思決定に関する文献（Fredrickson and Mitchell 1984 他）は，おそら

く多様な代替案の生成と評価は戦略的意思決定プロセスを遅らせるだろうと結論を下した。対照的に，アイゼンハートの調査からのデータは，少数ではなく，より多くの代替案がより迅速な意思決定をもたらすことを示している。これは次の命題を導く。

命題2：多くの数の代替案が同時に考慮されるほど，戦略的意思決定のスピードは速くなる。

同時に複数の代替案を検討することが迅速な意思決定につながるという上記の命題を立証するために，意思決定の物語を含むインタビューデータは，代替案の数という定量指標と結合された。各代替案の開始と棄却の時期も判定された。より迅速なチームの意思決定者は意思決定プロセスの間に多数のオプションを維持した。一方でより遅いチームは代替案をほとんど考慮しておらず，代替案がもはや実現可能でなくなったとき，新しい代替案を初めて探索した。著者は，なぜ結果が多くの代替案を同時に考えることは時間がかかるという見解を支持しないかということに対し，3つの理由を提供している。

　　各意思決定代替案は分離して独立に評価するのが難しい。代替案を比較すると，意思決定者にとっては代替案の長所や短所を把握しやすくなる。

　　同時の複数代替案により，いずれか一つの代替案に対する傾注が高まることを抑えることができる。また，意思決定者は代替案の中のどれかに関する新情報に基づき代替案間を素早く移動することができる。

　　いくつかの代替案を考慮する場合，それらの代替案はより速く分析される。

第5節　スピード，権限および助言者の役割

政治的要因は，意思決定のスピードに影響を与える。先行研究（例えば，Mintzberg et al. 1976; Hickson et al. 1986）は，集権化は意思決定を速めるはずであると結論を下した。繰り返しになるが，先行研究では明確なパター

ンとしての発見事実がえられていなかったが，本研究ではそれと対照的に，集権化が決定スピードにどのように影響するかが明らかになった。迅速な意思決定プロセスは，他の経験を積んできたトップマネジメントチームのメンバーが CEO に助言するという特徴を有しており，これは次の命題を支持する。

命題3：経験を積んだ助言者を利用するほど，戦略的意思決定プロセスのスピードは速くなる。

遅いチームはチームの中に助言者がいなかった，もしくはカウンセリングする役割を果たす経験を積んだ経営幹部が少なかった。その一方で迅速な意思決定を下すすべてのトップマネジメントチームは，少なくとも1人は CEO に影響力のあるアドバイスを与える経験を積んだ助言者がいた。

なぜ経験を積んだ助言者が意思決定を速めるのかという点に関して，2つの論点が提示された。

 多くの場合経験を積んだ助言者は，CEO との長期的な付き合いがあり，また有用な助言を与えて意思決定代替案の開発を促進するのを支える信頼できて有能な経営幹部である。

 経験を積んだ助言者は，急速に変化する環境で大きな賭けとなる意思決定を行わなければならないという曖昧さに対応しようとするチームを支援している。

さらにいえば，意思決定の権限を CEO に付与する集権化は，難しい意思決定に際しての情報的，物理的障害を克服することに寄与しない。このような場合，経験を積んだ助言者が重要な役割を果たしうる。

第6節　スピード，コンフリクトとその解消

先行の研究（たとえば，Hickson et al. 1986）は，コンフリクトは戦略的意思決定の長さに影響を与え，つまりコンフリクトの増大は戦略的意思決定のスピードを遅らせるということを示している。この論文の中で報告された調査では，意思決定スピードがなんらかのレベルのコンフリクトと関係するという

証拠は見出せなかった。代わりに，コンフリクト解消はきわめて重要だった。迅速な意思決定を行うチームは積極的にコンフリクトに対処し，それらを解消した。一方で意思決定が遅いチームはコンフリクトの解消に問題があった。従って，重要なのはコンフリクトのレベルではなく，むしろ今後起こるコンフリクトを解消する能力だった。

> **命題4**：コンフリクト解消を積極的に行うほど，戦略的意思決定プロセスのスピードは速くなる。

第7節 スピード，フラグメントおよび意思決定の統合

迅速な戦略的意思決定と遅い意思決定を区分するための5番目の特性は，戦略的意思決定と他の戦略的意思決定およびより戦術的な意思決定の統合化についてである。

> **命題5**：意思決定案件相互の統合が大きいほど，戦略的意思決定プロセスのスピードは速くなる。

調査された意思決定は，他の戦略的意思決定，および予算策定のような戦術的計画との統合の度合いとの関係について検討された。より迅速に意思決定するチームはすべて，他の重要な戦略的意思決定とより戦術的な意思決定を統合していた。一方，遅いチームは各意思決定を個別のプロセスにより扱った。

なぜより多くの意思決定の統合がより迅速な意思決定につながるかに関して，アイゼンハートは次の理由を示す。

> 異なる意思決定の統合は，トップ・マネジメントが特定の代替案の実現可能性をより速く分析するのを助ける。

> 重要な戦略的意思決定は他の意思決定と繋がっており，そのような曖昧さに対処する上で，意思決定の統合はトップ・マネジメントを助ける。そして，関連する意思決定の詳細情報は，高い賭けをする意思決定で経営幹部が経験する不安を緩和する。

148　第Ⅱ部　事例研究

　　意思決定の統合は，意思決定間の不連続性に関するリスクと，戦略的意思
　　決定を抽象レベルで対応する時のリスクを抑える。

第8節　戦略的意思決定スピードは業績にどのように繋がるか

　この論文中の第2の主な発見は，戦略的意思決定のスピードが業績にどのように関係しているかについてである。調査された8企業の業績は次のものによって評価された。
・各CEOによる企業有効性に関する計数的自己報告
・各CEOの自社と主な競争者の評定比較
・成長と収益性に関する計数情報（調査前後）
・意思決定およびその実行におけるエグゼクティブ・チーム支援に関する著者
　による評価
　表7はこれらのデータを要約している。

　データは，より迅速な意思決定がより良い業績に繋がっているという命題を支持している。確かに，業績は初期の研究に述べられていたものを含め多くの要因に依存しうるので，証拠は必ずしも十分ではない（Bourgeois & Eisenhardt, 1988; Eisenhardt & Bourgeois, 1988）。また，ここでの事例で示されたものとは異なるスタイルを用いて迅速な意思決定を行うことは，異なる結果を導くかもしれない。例えば，衝動的なCEOによる拙速な意思決定は致命的失策を導くかもしれない。しかしながら，業績の違いが多大だったので命題を提示することができ，そしてデータは関係を裏付ける内在するダイナミクスを強く示唆していた。明示的に表記をするならば，以下の命題となる。

第5章 急速に変化する環境における迅速な戦略的意思決定　149

表7　業績

企業	意思決定成果	1984 売上高[a]	1983-84 売上傾向	1984 売上高利益率(%)[b]	例	1985 業績[c]
Zap	意思決定に満足している（販売担当VP）	50,000	増収	8	まさに正しい（販売担当VP）	優良：売上50％増，新規株式公開
Forefront	今のところ，知る限りうまくいっている（販売担当VP）	30,000	増収	9	我々は計画にそっている（社長）	優良：新規株式公開
Promise	はい，意思決定に満足している。我々の戦略は明瞭になっている（ソフトウェアVP）	1,000	増収	−1,280	成功に向けて苦闘している（財務担当VP）	有望：売上500％増，損失削減
Triumph	もちろん，意思決定に満足している。それはうまくいっている（財務担当VP）	10,000	増収	−33	正しい方向に向いている。我々は注目に値する企業になるという企てを持っている（CEO）	有望：売上50％増，損益分岐点，新規株式公開予定
Omicron	もっと速く，半分の時間でできていたらと思う（開発担当VP）時間は過ぎていく（人材担当VP）	30,000	横這い	−9	我慢するか，時間を止めている（人材担当VP）	再建：新CEO就任，売上50％増，利益率改善（5.9％）
Neutron	我々は遅い（財務担当VP）	30,000	横這い	−31	思春期は起伏が多い（マーケティング担当VP）	倒産：チャプターイレブン
Alpha	意思決定はグループの焦点の手段として用いられた（生産担当VP）	10,000	減収	−1	期待はずれだ（オペレーション担当VP）	混合：売上1％減，利益率改善（3.5％）
Presidential	唯一の問題はあまりにも時間がかかり過ぎ意思決定できなかったことだ。（EVP）	50,000	横這い	−20	我々は，すべきであったようには，技術を市場に導入していない（EVP）	悪化：売上30％減，赤字継続

a　売上高は，千ドル単位で，匿名性のために概数で示す
b　（税引き後利益）÷（売上高）
c　これは事後調査による業績

命題６：戦略的意思決定プロセスのスピードが速いほど，急速に変化する環境下での業績は高い。

　例えば，Zap 社の業績は，四半期ごとに売上高が 25〜100％で成長し，目を見張るものがあった。Zap 社の経営陣は，この提携の意思決定は成功だと考え，以降同様な意思決定を行っている。Forefront 社の経営幹部もまた彼らの意思決定を肯定的に評価した。ある人は次のように述べた。「今のところ，知る限りうまくいっている」。別の人は次のように語っている。「判決はこれまでのところ良好である」。Forefront 社は，調査後売上高を 3 倍に伸ばし，対売上高の税引後利益率は 9％と高業績企業であった。同様に，Triumph 社と Promise 社の経営幹部は彼らの意思決定を肯定的に評価した。例えば，Promise 社のある幹部は次のように言った。「はい，意思決定に満足している。我々の戦略は明瞭になっている」。Triumph 社の別の幹部は次のように言った。「もちろん，意思決定に満足している。それはうまくいっている」。調査しているときに，両方の企業は奮闘していた。Promise 社は始まったばかりの初期のベンチャーだった。また Triumph 社は最近 CEO が代わった。調査を始めて以来，Promise 社の売上高は 500％増と急上昇した。また，Triumph 社はそのニッチの中の唯一の生存者になり，また株式公開するという計画を発表した。

　対照的に，遅い意思決定は低業績をもたらしている。例えば，Presidential 社の経営幹部は新製品の意思決定を良い成果と見ていたが，意思決定は非常に遅かった。ある VP は我々にこう語っている。「唯一の問題はあまりにも時間がかかり過ぎ意思決定できなかったことだ」。また，別の幹部は次のように述べている。「我々の製品は遅すぎ，また高価すぎた」。企業はライバル企業に遅れをとり，売上高は調査後 1 年で 30％減少した。そして赤字が続いた。Neutron 社の遅延も同様に損失が大きいことが分かった。市場機会が失われ，また，会社は調査の 1 年後に倒産した。Alpha 社では，経営幹部は CEO 自身の代替案が棚上げされことに対して安堵の気持ちを示した。しかしながら，売上と利益ともに不振で，会社は漂流し続けた。

　遅い意思決定はなぜ問題なのか。1 つの理由は学習であろう。経営幹部は意思決定することによって学ぶが，意思決定をほとんどしなければ，彼らが学ぶ

ことはほとんどない。従って，彼らは間違いを犯すだろう。2つ目の理由は，急速に変化する環境では機会が速く移動し，一旦企業が遅れをとれば，追いつくのは難しいということである。質的データは，とりわけこの点を支持している。例えば，Presidential 社の VP は次のように言った。「我々は，コンセンサスを得ようとした。しかし結果として，それは全員に拒否権を提供してしまった。そして，我々は最後には酔歩することになった。我々の製品は遅すぎた。また，それらは高価すぎた」。Presidential 社はまだ自身のライバル企業を視界に捕えていない。Neutron 社の経営幹部はこの見方を繰り返している。例えば，財務担当 VP は次のように述べている。「ビッグ・プレイヤー（顧客や代理店）は，ライバル企業によってすでに囲い込まれていた。我々は遅かった」。この企業はその初期の勢いを取り戻すことはなく倒産した。

　高業績企業は，急速に変化する環境にペースを合わせることの重要性を力説している。迅速な意思決定を行う企業グループの経営幹部からのいくつかの引用は，高業績企業を特徴づける観点を要約している。

・「あなたが革新しなければ，誰か他の人がするだろう。」
・「大きな機会を捕えなければならない。」
・「何か実行しなさい。ただ座って，意思決定で悩んでいるのは止めろ。」
・「我々の業界は止まっているわけではないので，長期的に考えることは利点がない。唯一の競争優位は速く移動する中に存在する。」

第9節　戦略的意思決定スピードのモデルに向けて

　この論文中で報告された調査は，逃した機会から回復する難しさと乏しい情報によって特徴づけられる急速に変化する環境におけるダイナミクスを表現している。調査対象とした変化が速く，技術主導の産業は，迅速で良質な意思決定が報われるビジネス環境のタイプである。発見事実は，一連の命題として前述した。これらをモデル（図1参照）として要約し，アイゼンハートは，意思

決定のスピードを説明する3つの媒介プロセスを記述している。

いくつかの命題は，迅速な意思決定をする経営幹部が認知処理をどのように加速させるのかという点に注目している。例えば，これらの経営幹部は環境や企業オペレーションに関するリアルタイム情報に自分自身を没頭させる（命題1）。その結果，重要な意思決定課題が発生した時に，企業に関する深い個人知によって彼らは情報を迅速に収集し解釈することが可能となる。対照的に，意思決定の遅い経営幹部は，ビジネスについて確固とした理解ができていない。従って，戦略的意思決定課題が生じた場合，彼らは必要な情報を手探りで探し，計画しようと努め，鍵となる情報に焦点を合わせることに苦労するのである。また迅速な意思決定を下す経営幹部は，意思決定プロセス中に情報と代替案の分析を加速するための戦術を用いる。例えば，彼らは，いくつかの代替案を同時に検討する（命題2）。代替案比較プロセスは，彼らが代替案の長所・短所を分析するスピードを速める。彼らは全員から助言を集めるが，最も有用な助言ができると思われる最も経験を積んだ経営幹部を重視する（命題3）。最終的に，彼らは，意思決定プロセス内で複数の戦略的意思決定と戦術計画を統合する（命題5）。そうすることは，代替案の妥当性に関する経営幹部の評価を速める。全体として，迅速な意思決定を行う経営幹部は，時間制約の中で情報と分析を最大化する効率的な問題解決戦略を使うことによって，認知処理を加速させる（Hayes, 1981; Payne et al., 1988）。これらの戦略は包括的でも非包括的でもどちらでもなく，むしろ両方を融合したものである。

第2に，命題のいくつかは，迅速な戦略的意思決定を行う経営幹部がスムーズなグループプロセスをどのように創造するかを記述している。例えば，不断のリアルタイム情報の精査は，経営幹部に業績に関する日常処理をお互いにリハーサルさせている（命題1）。その結果，混沌とした状況でも協働できるチームとなる。同様に，承認付合意形成アプローチ（consensus-with-qualification approach）は経営幹部自身のエリアでの役割を重視するが，それはチーム全体の関与も期待する（命題4）。データは，経営幹部がこのアプローチに賛成していることを示している。彼らは発言はするが，自分の領域以外では必ずしも意思決定することを望んでいない。最後に，意思決定の迅速なチームは2層の

第5章 急速に変化する環境における迅速な戦略的意思決定　153

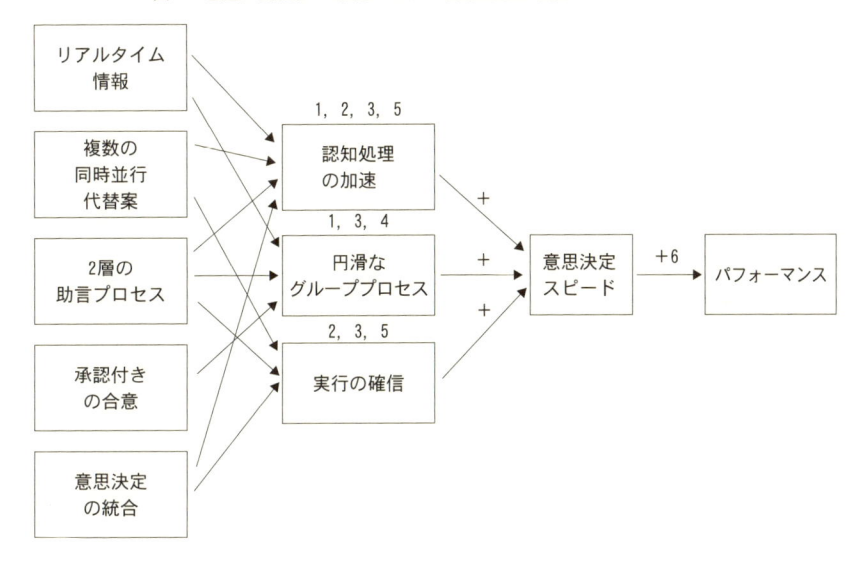

図1　急速に変化する環境における戦略的意思決定スピードのモデル

```
リアルタイム
情報
                        1, 2, 3, 5
複数の            認知処理
同時並行          の加速
代替案                                 ＋
                        1, 3, 4
2層の            円滑な                        意思決定    ＋6
助言プロセス      グループ    ＋              スピード           パフォーマンス
                プロセス
                                     ＋
承認付き                  2, 3, 5
の合意            実行の確信

意思決定
の統合
```

助言プロセスを用いている（命題3）。この助言プロセスは，助言者の役割を重視する。しかし，全員に意見が求められ，望めば関与することができる。要するに，迅速な意思決定者はリハーサルと関与を通じてスムーズなグループプロセスを作っている。特に，経営幹部に評判の良い方法である関与と決断を組合せているため，これらの行為は迅速な意思決定をもたらす。

　いくつかの命題は，大きな賭けとなる意思決定での確信の重要性に集中している。不安は，そのような状況において意思決定者の活動を鈍らせる場合がある（George, 1980）。迅速に意思決定を行うチームは，この不安に対処し，確信を築く行為に取り組んでいる。1つの戦術は経験を積んだ経営幹部の助言に依存することであり，彼らは確信と安定感を与える（命題3）。2つめの戦術は複数の代替案を捜し求めることである（命題2）。そうすることは，意思決定者に彼らが「あらゆる手段」を尽くして，ほとんどの有望なオプションを調査したという確信を提供する。最も重要なことは，迅速な経営幹部は戦略的意思決定と詳細な業務計画を連携させていることである（命題5）。日々の業務や主要な意思決定間のリンケージへの注意は熟達と管理可能性の感触を高め

る。これらは実行するための確信を与え，実行可能な組織を作る（Gal & Lazarus, 1975; Langer, 1975）。

最後に，発見事実は，迅速な意思決定が良好な業績をもたらすというブルジョアとアイゼンハートによる先行研究（Bourgeois & Eisenhardt, 1988）を裏付けた（命題6）。発見事実は，認知的プロセス，政治的プロセス，感情的プロセスの構成を示唆しており，その構成は重要な意思決定の迅速な終結に関連している。

結論

迅速な意思決定がリアルタイム情報，多数の代替案等の5つの要因と関連するという結論は，戦略的意思決定プロセスに関する従来の考え方に異議を唱えたものである。この新しい観点は，トップマネジメントチームの重要性と経営陣の連続的な相互作用を強調している。この観点は，合理的対逐次的という意思決定の二分法をこえた認識に関する複雑な見解を意味している。マネジャーの合理性は限定されている。しかし，彼らはまたそのような制約を補う問題解決能力がある。

最後に，この観点は，意思決定における情動の役割の強調を意味する。先の論文（Eisenhardt and Bourgeois, 1988）は，落胆と不信感のような感情が意思決定の対立を形作ったことを示した。また，この論文は，確信と不安が意思決定のペースに影響を及ぼすと確認している。

編者によるコメント

この論文は，系統的で丹念に研究設計されており，興味深く優れた研究の実践を示したものである。この論文は，伝統的な実証主義的方法の範囲である比較事例研究として，多くの長所を示している（3章の本論文に関するいくつかのコメントを参照）。研究は，迅速な意思決定はどのように行われるかという

プロセス志向の課題，そして意思決定のスピードが業績にどのようにリンクするのかという因果関係の課題という2つのリサーチ・クエスチョンによりスタートする。そして結論として意思決定スピードについての中範囲の理論を得た。ここでは，意思決定スピードというプロセスの成果と，財務業績という組織レベルでの成果の双方に焦点を合わせている。

　プロセスの成果は，戦略的実践の5つのタイプが結果として説明されている。5つのタイプは，事例クロス分析により帰納的に導出された5つの異なる意思決定プロセスの特性や戦略的意思決定プロセスのパターンである。プロセスの特性と意思決定スピードとの因果関係は5つの命題で示されている。上記の要約で示されるように，論文の主要部分は，それぞれのセクションが同じ系統的な方法で組立てられ，それぞれの命題の背景にある証拠を可能な限り明確にしている。これらの5つのセクションは，各プロセスの特徴および命題についての描写および説明を行うために，次のステップから構成されている。

1　主な発見事実の短い要約
2　発見事実から明確な命題への翻訳
3　命題を支持する証拠が体系的分析を通じた比較事例研究によりどのように発見されたかという丹念な記述
　(a)　経営幹部からのインタビュー回答
　(b)　調査した各意思決定プロセスの中で行われた具体的なアプローチを含む物語データ
　(c)　着目する意思決定特性の具体的指標（例えば戦略的意思決定をする時の経営陣のコンセンサスの度合いといった指標）
4　定性的データと質的データの双方を含め全事例の証拠を示した図表
5　意思決定物語およびインタビューからの引用による各命題の濃密な例証
6　命題に関連する既存理論と当時（1980年代後半）の意思決定に関する中心的見解への問題提議

最後に，著者は簡潔で完全なモデルにより彼女の発見事実をうまく要約している。

　第3章の中で，すでに強調したように，本論文で示された比較事例研究アプローチは複数事例に基づいて（中範囲の）理論化を行う上でのロールモデルとし

て位置づけられる。論文はインがいう分析的一般化の典型例である。著者が注記しているように，この種の一般化は，急速に変化する環境，さらに正確にいえば，1980年中期の米国のマイクロコンピュータ産業における中小企業8社以外でもこの発見事実が成り立つということを意味してはいない。一般化に関する議論においては，真実は1つ存在する，つまり新しい理論が古い理論にとって代わるべきだという主流の考え方がある。理論を普遍的に見なす学術的な傾向があるが，しかしこの論文は理論は文脈に大きく依存していることを示している。恐らく，この論文中で異議が投げかけられた戦略的意思決定について古い理論と，この論文の中で示された理論的な提示の双方とも妥当であるが，しかしそれぞれ異なる経験上の文脈の中でのことである。例えばヒクソンらによる戦略的意思決定の研究（Hickson et al. 1986）は，大部分はヨーロッパの巨大で成熟した組織の経験的観察に基づいたものであるが，そこでは政治行動が逆効果になるといった特性がアイゼンハートの研究よりも当然ながらより強く現れた。

　まとめとして，本書で議論している実践としての戦略の観点から，方法論的アプローチについてのいくつかの批判的なコメントを示す。まず第1に，アイゼンハートは，事例研究アプローチは適度な事例数を要求すると主張した（4から10; Eisenhardt, 1989b）。事例研究は深さと濃密さを意味しており，そこに困難なトレードオフが存在する。この論文は各ケース企業につき主に1つの戦略的意思決定のみの調査を基本としている。この研究デザインは優れた比較事例法として考慮されているが，各事例会社内のより多くの意思決定の分析を行えば，各事例会社の意思決定プロセスパターンの実証的説明をより深くすることができたであろう。さらに，そのようなアプローチは事例内比較および事例間比較の両方を可能にし，そして結果をさらに強健なものにしただろう。

　論文は，確かに戦略の実践についてである。しかしながら，その事例は，連続的な一連の活動によって作り出され重複しながら進行する多数の意思決定プロセスとしてというよりもむしろ一つの塊として分析されている。意思決定プロセスの洞察は興味深いが，よりミクロのアプローチがさらなる理解と洞察を提供するだろう。言い換えれば，我々が主張するアプローチを加味していれば，彼女の研究の発見事実はより多くなっていたかもしれない。

最後に，意思決定のスピードを加速させるための意思決定者におけるリアルタイム情報の重要性を強調した第一の命題に関する発見事実についてコメントする。急速な変化という特徴を持つ経営環境の研究において，より速い意思決定スピードを持つ企業で経営陣によって主に使用されるリアルタイム情報のタイプが内部の業績指標であることを特筆するのは驚きであった。このような混沌とした環境下での迅速な戦略的意思決定には，競争者や顧客市場といった外部情報が必要となることが予想される。

　しかしながら，これらの見解は，比較事例研究をどのように行うかについてのその影響力，そして迅速な戦略的意思決定についての多くの挑戦的な発見事実に関するこの優れた論文の重要性を減ずるものではない。

第 6 章

合理性の再考
―組織が取り組む調査や研究に隠された目的―

(著者) アン・ラングレィ (Ann Langley)
(出典) *Administrative Science Quarterly*, 34(1989): 598-631.

著者による要旨

　この論文は，3つの異なった組織において，調査や研究が実際にはどのように用いられているかを調べたものである。その結果，主な目的として，知識の発見，コミュニケーション，指示とコントロール，そして象徴的目的の4種類が存在することが明らかになった。また，これらの目的は，調査や研究を起案する人々，実行する人々，結果を受け取る人々の社会的，階層的関係に関連づけて捉えることができた。このことから，広く想定されていることとは逆に，調査や研究は組織の意思決定にあたって社会的相互作用のあり方と密接に結びついており，その使用法は組織構造のコンフィギュレーションにより異なったパターンを示すと結論づけることができよう。

編者による概要紹介

　この論文は，戦略的取組みの一環としての調査や研究という，戦略の実践において鍵となる観点に焦点を当てている。従って，実践としての戦略論という視角の持つ様々な問題意識に正面から取り組むものであると言えよう。また，

第 6 章　合理性の再考　159

実践を異なった組織の文脈において取り上げ，両者の関連を理解しようとしている。一方で，我々の領域における研究計画のあり方や方法についても重要な問題を提起し，本書に所収した他の論文と比較可能な問題，例えば，理論化の可能な範囲や性格，分析レベルの妥当性等の問題にも触れている。バーリィ論文（第 4 章）と対比しながら，定量的分析には，定性的分析に加えて，どのような貢献が可能かを検討してみるのも面白い。

論文の概要

　本稿は，まず，組織が行う調査や研究が実際はどのように用いられているかについては，驚くほどわずかしか知られていないと指摘する。「そもそもそうした研究は本当に用いられているのだろうか？もし実際に用いられているのであれば，一体，いつ，なぜ用いられるのだろうか？」(598) と問題を提起する。次いで，適切な先行研究を引用し，手際よく研究が行われる動機を幾つか示してみせる。ここでは，特定のスタッフが用いる研究も対象とし，動機の例として，コントロールのため，すでに行われた意思決定の事後的正当化を得るため，組織のメンバーの注意を向けさせるため，あるいは，納得させ積極的な関与を得るため，「対立する人々との議論」の道具を得るため，「具体的な行動を取っているように見せかけ，本当の問題から目をそらさせるため」(598)，象徴的，儀礼的な用語を用いることで合理性を伝えるため等々が挙げられる。しかしながら，ラングレィによれば，実のところ，「調査や研究の目的を明らかにするための体系的実証研究はほとんど行われてこなかった」(598) とされる。

　一方で，調査や研究が用いられるのは一定の特徴をもった組織に対応しているという考え方もまた存在する。こうした観点では，もっとも研究に依存する度合いが高い組織は，「意思決定にあたって合理的/包括的な方式が採用され，政治的な影響力が重視されることのない」機械的官僚組織である。しかしながら，「本稿で扱った研究からは，調査や研究は，広く想定されていることとは逆に，組織の意思決定にあたっての社会的相互作用のあり方と密接に結びつい

ている」(599) と主張している。

次いで，本プロジェクトの研究計画について，次のように位置づける。すなわち，本プロジェクトは定性的研究であり，多様なデータ・リソースを扱うグラウンディド・リサーチの1つとされる。ラングレィは，サンプルのサイズが小さいこと，および，そのことに伴う一般化の限界を認め，また，言葉をデータとすることやそのことに伴う研究者による解釈の偏りの可能性も認めている。これらの問題については，彼女は，データから幅広く事例を用いることや直接的な引用を多く用いることによって，また，2次的コード化を活用することによって，緩和を図っている。

第1節　研究方法

本稿の研究計画は，「一部の研究者が示唆するところによると，異なった組織構造は異なったタイプの意思決定プロセスを用いる可能性がある」(599)ことを踏まえ，調査や研究の役割を捉えるに当たって，意図的に組織構造の相違を反映させるように立案されている。すなわち，次の3つの異なった背景を持つ組織を研究対象として選んだのである。ひとつは，機械的官僚組織として，政府公共部門のサービス公社。次に，専門職の官僚組織として，聖ガブリエル病院。ここには高度に教育された専門家が勤務し，比較的定型的で繰り返しの多い業務に従事している。最後が，アドホック型組織。ここも高度に教育された専門家で構成されるが，定型的な業務は少なく，イノベーションを志向し，多くの学問的領域が関わっており，「1回限りの業務についての成果」が問われている。この種の組織としては，芸術作品の制作にあたるCACが選ばれている。それぞれの組織で鍵となっている戦略課題は計27件に上り，多様化，リストラ，サービスの閉鎖など多岐に亘っている。

まず，各組織のすべての戦略課題に関するあらゆる書類を集めた。この一連の書類を1次資料として，個々の調査や研究を識別し，幾つかの基準によって分類した。単なる報告事項（例えば，会議の議題）にすぎないものは直ちに考

第6章 合理性の再考　161

表1　各組織における分析のソフィスティケーションによる公式研究のカテゴリー別件数および頻度

研究	サービス公社		聖ガブリエル病院		CAC		計	
	N	%	N	%	N	%	N	%
安楽椅子型	2	4.3	4	10.0	30	31.3	36	19.7
小規模型	4	8.5	8	20.0	27	28.1	39	21.3
中規模型	15	31.9	15	37.5	15	15.6	45	24.6
大規模型	16	34.0	11	27.5	14	14.6	41	22.4
分類不能*	10	21.2	2	5.0	10	10.4	22	12.0
計	47	100.0	40	100.0	96	100.0	183	100.0

＊研究自体についての十分な情報が得られなかったもの

察の対象外とし，その他のものの精査に入った。やがて，事例とした3組織にかなりの程度に共通して，個々の調査や研究を特徴づける要素が徐々に姿を現した。最終的に，27の戦略課題について183件におよぶ調査や研究が行われていることがわかった。その中には，明らかに他よりもソフィスティケートされた分析を行っているものがあり，内容分析を用いて4つのカテゴリーに分類した。分類の基準は，付録A'に示したとおり，定量的研究の内容，報告書の長さ，研究に投入した人・月，検討された選択肢の数，調査手法の複雑さである。4つのカテゴリーは，分析のソフィスティケーションの度合いにより，安楽椅子型，小規模型，中規模型，大規模型と名付けた。安楽椅子型研究がわずかなデータに基づき議論を展開することから，概して極めて短く，構成も十分ではないのに対し，規模が大きくなると，通常，多くの量的データを必要とし，複数の調査手法を用い，より多くの時間を費やして行われている。表1に，全サンプルについて，4つのカテゴリー別分布状況を示した。これから，低位のカテゴリーの研究がサービス公社で非常に少なく，CACで極めて多く行われていることが分かる。聖ガブリエル病院は両者の間に位置する。CACで行われている研究の絶対数は，他の組織の2倍以上に相当する。しかし，検討された戦略課題数はほぼ同等である。調査や研究数の相違は，主としてソフィスティケーションの低い調査や研究の数の相違によるものである。

　本研究のデータ・ソースは，上述の書類の他，80回を越すインタビューと

26回に上る経営会議の観察である。

　データ分析にあたって，まず，183件におよぶ研究データを考察した。それぞれの研究が扱う課題や担当部署は考慮しなかった。それらがどのように用いられているかに眼を向け，そのパターンを探し出すのに注力した。やがて，これらの研究に隠された目的の類型を引き出すことができた。その後に，比較研究を行い，異なったパターンを異なった組織の文脈に関連づけることができるかどうかを検討した。

　調査や研究に隠された目的を理解するために，ラングレィはグラウンディド・スタディズを採用する。彼女の方法はかなり特殊なものである。

　研究の目的を分類するにあたって，まず，幾つかのア・プリオリな要因（先行研究についての知識やコンサルタントおよび2つの組織での分析担当者として勤務経験等）から幾つかの考えられるカテゴリーを想定した。次いで，私なりに可能な限り包括的であろうと注意を払いつつ，それぞれの研究の実態を反映する個々の要素に着目し，それらを組みあわせる場合でもできるだけ少数の組みあわせにとどめ，仮の枠組みを考案した。しかし，分類の枠組みはあくまでも正確にデータを反映するものでなければならない。そのため，最初にデータ全般に眼を通し，出来る限り多くの目的を抽出した。時には，インタビューを行った被験者の言葉から直接に引き出すこともあった。例えば，「教育」，「支援」，「側面的支援」等である。これらの内から関連あるものを互いに結び合わせ，それぞれを一貫した括りとして分類図式を作成した。最終的に，(1)知識の発見，(2)コミュニケーション，(3)指示とコントロール，(4)象徴的目的という4つの幅広いカテゴリーからなる分類に到達した。各カテゴリーの枠内には，当初の項目や特殊なカテゴリーが変型として含まれている。

　著者によれば，以上のカテゴリーは従来の研究成果と一致するとされている。また，これらのカテゴリーは相互排他的ではなく，55％の事例では目的は1項目のみとされるが，目的が2項目に及ぶものが39％，3項目に及ぶものが5％，さらに1％が4項目すべてを目的としているとされる。

　本稿は，データ分析についても極めて特徴的なものである。

各々の調査や研究について，特に「目的」に関連するデータ・ファイルを取りまとめた。これは，今回取り扱ったすべてのデータの中から以下のものを1次資料として抽出したものである：すなわち，(1)すべてのインタビューの筆耕から研究を始める理由について述べている部分を抽出したもの，(2)研究が命令として与えられ，会議で実行すべき理由が議論された時のメモ，および，(3)報告書やその他の関係書類（例えば，会議の議事録や各種の往復文書等）から研究の目標や目的に触れている部分すべてを抽出したもの，である。

　これらを平均すると，ファイルひとつあたり，2.34件のインタビューから，また，1.34件の書類から情報が集められていた。隠された目的を検討するに足る十分な情報が集まらなかった21件の研究については，分析から除外した。このことが本研究の結果全体にどのような影響を与えたかを推し量ることは難しい。しかし，インタビューを行った被験者によれば，十分な量の情報が集まらない研究は，そもそも，多くの場合，それぞれに与えられた重要度が低いことの表われであるとされた。次いで，それぞれの調査や研究のファイルを注意深く検討し，それぞれに適う目的を引き出していった。これは，付録Bに示した目的の分類[i]が，それぞれのデータ・ファイルに集録した情報に基づき，当該の研究に結び付けることができるかどうかを検討するためである。次項で示すインタビューからの引用が示唆するように，異なった種類の目的が同時に存在することも可能である。各研究はデータ・ファイルの情報のみに基づいて分類された。言い換えると，各目的の抽出は，何らかの書類やインタビュー，あるいは会議の発言の筆耕の中で明確に表現されたものからに限られているということだ。従って，複数の目的が読み取れる相対的な頻度は，その目的がその時点での組織の持つ諸条件に適しているとされた場合には促進され，逆の場合には抑制されるという可能性を否定できない。

　ラングレィは，また，以上により作成された分類体系の検証のため，統計的手法を用いてコード化規準のクロス検定を行うとともに，2次的コード化も活用している。両者に不一致が見られた箇所では，その不一致の原因を解消するため双方のコード化基準を対照しながら，正当な分類となるよう再確認を行っている。

この後，本論文は，各カテゴリーの詳細説明に入り，インタビューからの引用を用いてそれぞれの意味を例示していく。

第2節　調査や研究に隠された目的

ラングレィは，まず，調査や研究の目的の分類について説明する。

■知識の発見

このカテゴリーは，研究の目的は問題をよりよく理解するために知識を得ることにあるとする伝統的な見解を反映したものである。ラングレィは，自らが行ったインタビューで，ほとんどの「人々は，進んで然るべき理由に従って，然るべき理由を述べる」と指摘している。確かに，実に53％もの研究において，その目的は目的として述べられているところと同じものが回答されている。こうした知識の発見を目的とする行為が偏見なく企画されることもあるだろうが，時には，現在考えられている見方を追認するためのものでもありえるし，また，知識の源の正当化のためということもありえる。後者の例としては，トップ・マネジメントが特定の専門家や技術者などから得た知識を検証するために，別途の情報源を必要とするときなどを挙げることができる。また，ラングレィは，彼女が「脈拍を測る」と呼ぶ研究もこのカテゴリーに含めている。この種の研究では，事実についての知識を明らかにすることよりも，むしろ，トップ・マネジメントが組織の構成員の様々な感情を捉えようとする点に主眼が置かれている。

■コミュニケーション

調査や研究が，信念を伝達し，説得を行うために用いられることもある。研究の57％が少なくとも目的の一部をこの点に置いている。この点を目的とした研究にも様々な形態のものが見られる。

例えば，中間管理職が上級管理職の承認を得るために研究を用いると「ボトムアップ型」となるし，推進中の案件の信用性を増大させるためにコンサルタントや専門家によって行われる研究も存在する。あるいは，トップ・マネジメ

ントが従業員教育の資料として研究によるデータを用いると「トップダウン型」となる。また，トップ・マネジメントが従業員のコミットメントを得る手段として用いることも考えられる。さらに，他者に影響を及ぼす可能性がほとんどなくとも，自らの立場を示すだけの「ポジショニング目的」の研究も存在する。ラングレィは，この種の研究が「安楽椅子型」研究として特にCACで多く行われていることを見い出している。

■指示とコントロール

調査や研究を行う3つめの目的は，従業員に特定の問題に眼を向けさせることにある(こうした目的は，サンプルの25％に見られた)。これもまた様々な形態をとる。例えば，ある決定事項の推進のために必要な事項を明らかにせよ，という全面的な委任となることもあるし，上級マネジメントが関与し詳細の解明のための研究に「支援」者を派遣する場合もあろう。

■象徴的目的

このカテゴリーでは，調査や研究は，何らかの行為を正当化するといった道具的な目的を達成するために用いられるのではなく，意思決定の合理性を象徴するために用いられる。すなわち，意思決定にあたって，様々な人々が協力し，その決定に関与していることを示すことが重要なのである。言い換えると，このカテゴリーの研究では，得られた知識が常に用いられ影響力を持つとは限らないこととなる。確かに，研究は，問題が解決されるまで注意をそらさないようにするために行われるということも十分に考えられる。しかしながら，一方で，ラングレィは，サンプルの19％が象徴的目的と分類されているにもかかわらず，「もっとも象徴的なものは，いうまでもなく本物であることである」(608)として，象徴的目的の利用であることを経験的に識別することは難しく，19％は過小評価であると示唆している。

第3節　研究の目的とその背景としての社会的相互作用

本節では，ラングレィは，調査や研究の目的を理解するには，背景に社会的

相互作用をおいて捉えることが必要だというテーマに戻っている。このことに関して，本稿は6つの社会的相互作用のパターンを見い出している。さらに，彼女は，調査や研究が行われる過程での参加者間の階層的関係を理解することが，どのように用いられるかを予想するのに有益であると示唆している。この階層関係は3つの役割に関連して取り上げられている。

　私は，それぞれの調査や研究について，「起案する」人々（最初に研究を行うことを要請もしくは提案した人々），「実行する」人々（研究を責任を持って行う個人もしくはグループ），主たる「ターゲット」（研究の結果を受け取る個人やグループ）を区別した。研究の過程におけるこれらの3者間の階層関係を調査したところ，ほとんどの研究は，図1[iii]に示した基本的な相互関係の三角形から想定できる6つの社会的相互作用のパターンのどれか1つ以上に当てはめることができた。図1は，言うまでもなく，小さな組織図で，3つのタイプの人間，すなわち，マネジャー（M），Mの管理監督を受けるラインに属する人々（L），そして，スタッフ（S），を結びつけたものである。ここでいうスタッフとは，内部の分析専門家で階層秩序に従いMの管理監督を受ける立場であったり，あるいは，独立したコンサルタントである場合も存在する。いかなる研究であれ，起案する人々，実行する人々，そしてターゲットとなる人々を識別し，この組織の骨格図に関連づけて描き出すと，それぞれの研究の社会的相互作用のパターンを得ることができる。各相互作用のパターンは，階層関係にある起案者と実行者とメインターゲットに当たる人々の階層上の地位を表わす3つの頭文字を連続させて示すこととした。例えば，相互作用パターン「L-L-M」は，ラインに属する人々（L）によって起案され，同じ人々（L）によって実行され，マネジメント層に報告が上げられる（この時，ターゲットはMとなる）ことを示している。

　実際には27通りの組み合わせが考えられるが，95％の研究が図2の6パターンのいずれかに適合している。

　次いで，ラングレィは，様々な相互作用のパターンの分析に入っている。まず，グラフと定量的分析により相互作用のパターンと様々な研究目的の関係を示し，以下の点を引き出している。すなわち，「1．直接ボトムアップ型研究で

第6章 合理性の再考　167

図2　6つのパターンの社会的相互作用のパターン

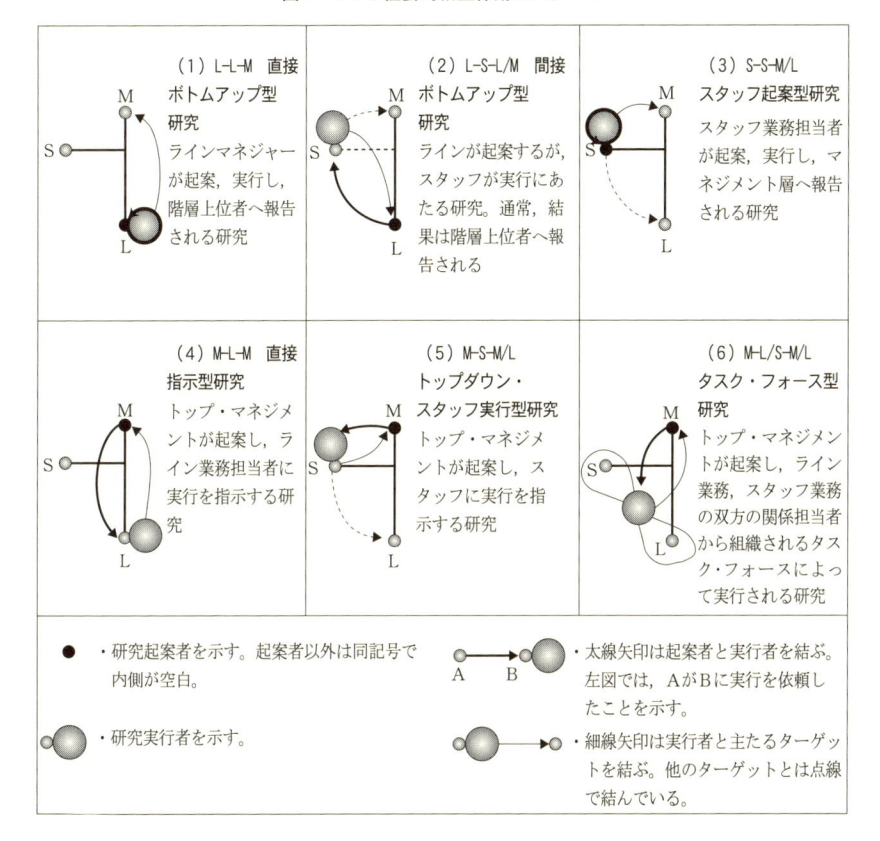

(1) L-L-M 直接ボトムアップ型研究	(2) L-S-L/M 間接ボトムアップ型研究	(3) S-S-M/L スタッフ起案型研究
ラインマネジャーが起案し，実行し，階層上位者へ報告される研究	ラインが起案するが，スタッフが実行にあたる研究。通常，結果は階層上位者へ報告される	スタッフ業務担当者が起案し，実行し，マネジメント層へ報告される研究
(4) M-L-M 直接指示型研究	(5) M-S-M/L トップダウン・スタッフ実行型研究	(6) M-L/S-M/L タスク・フォース型研究
トップ・マネジメントが起案し，ライン業務担当者に実行を指示する研究	トップ・マネジメントが起案し，スタッフに実行を指示する研究	トップ・マネジメントが起案し，ライン業務，スタッフ業務の双方の関係担当者から組織されるタスク・フォースによって実行される研究

● ・研究起案者を示す。起案者以外は同記号で内側が空白。

○ ・研究実行者を示す。

A →● B ・太線矢印は起案者と実行者を結ぶ。左図では，AがBに実行を依頼したことを示す。

○ →● ・細線矢印は実行者と主たるターゲットを結ぶ。他のターゲットとは点線で結んでいる。

は，知識の発見を目的とする研究が，他の相互作用のパターンにおける場合に比べて，少ない…2．コミュニケーションを目的とする研究は，ボトムアップ型の相互作用パターンでより多く見られた…3．指示とコントロールを目的とした研究は，トップダウン型の相互作用パターンでより多く見られた…4．様々の目的が複合した研究は，より多くの関係者が関与する相互作用パターン（タスク・フォース型研究や複数の相互作用パターンが混在しているもの）でより多く見られた」(612)のである。彼女は，また，異なったパターンは，それぞれが独自の目的と政治力学を持ち，一定の「ゲシュタルト」をなすことに注目した。

以下に，ラングレィの相互作用のパターンについての説明から，2件を逐語的に，他を要約で示す。

■ L-L-M 型：直接ボトムアップ型研究

 この型の研究は，研究の内容が階層制度に従って下位から上位へ届けられるものである。他のパターンと組みあわさって行われることが多い。実際に，純粋に L-L-M タイプとされるものはサンプルの30％程度に過ぎず，残りは混在型である。

 この型の研究は，ほとんどがプロジェクトの承認を得ようとするものである。分析はライン・マネジャーが担当するが，多くはスペシャリストのスタッフが行うよりは簡便な方法で行われている。従って，分析としては，それほどソフィスティケートされたものではなく，選択肢も少なく，推奨される手法も限られていることが多い。この点は，報告書の作成に当たるライン・マネジャーたちが，何が求められているかを明確に意識する立場にあることに鑑みると，さほど驚くには当たらない。しかし，上級マネジャーもこうしたことを十分に心得ており，時に分析に対し懐疑的となる。実際，一部のライン・マネジャーたちは，彼らの分析が彼らの「立場」を踏まえたものであることを認め，彼らの業務としては比較的小さなものであることを示唆している。例えば，次のように述べるものがいた。「プロジェクトを正当化しなくてはならないことはよく理解している。だから私が報告書を作成した。しかし，そのことを理解しているだけではうまくいかない。然るべきステップをきちんと踏まなくてはならないのだ」(613)。

■ L-S-L/M 型：間接ボトムアップ型研究

 この型の研究は，ライン・マネジャーが発案するものでありながら，実行がコンサルタントに委ねられるものであり，サンプルの10％に当たる。「研究を行うかどうかはラインで決定されるが，直接ボトムアップ型研究に比べると，ラインが研究内容に立ち入ることは少ない」とされる。従って，この研究は，知識の発見およびコミュニケーションの双方を目的とすることが中心となる。そこで，典型的な場合には，一方で研究の起案者が自らの想定に根拠づけを得

第6章　合理性の再考　169

ようと期待し，他方でコンサルタントが信頼を得るため客観的な分析を提供しようとする両者の間に溝ができることとなる。従って，「この型の研究には，分析担当者が期待どおりに答えを出した場合と出さない場合のリターンを比較するという二律背反が生じることとなる」(614)。その結果，提出される報告書は，分析としてはソフィスティケートされたものであっても，結論として提示される推奨策はあいまいなものとなりかねない。言うまでもなく，分析担当者が引き出す結論とライン・マネジャーが報告書で示したいと考えている内容の間に潜在的な乖離が存在することが否定できないからだ。こうした場合には，報告書はライン・マネジャーからコンサルタントに対し修正を求められ，繰り返し書き直されることとなる。

■S-S-M/L型：スタッフ起案型研究

　この型の研究は，ラングレィによれば，比較的稀なケースで，スタッフ業務担当者が起案し，結果をライン上の同僚や上司となるマネジメント層に届けるタイプのものである。一般に，この種の研究が成功裏に終ることは，まず，ない。これらの研究が行われる時は，「分析担当者の活動と有用性を象徴する」(615)ために，知識の発見とコミュニケーションを目的として行われることが多い。従って，ここでも，こうした研究の報告書が専門家としてのスタッフが自らの見解を弁護するとともに自らの存在を正当化しようとするものであった場合，ライン・マネジャーとスタッフの間には緊張が生まれることとなる。この型の研究はスタッフが巧妙にも上級マネジャーたちに真の動機を気づかせることなく，支援を獲得する試みとなりかねない。こうした方法はある意味で極めてリスキーなものであるが，スタッフが案件を経営層に押し通していくには，これによってライン・マネジャーの領域へと侵入しなければならないのである。

■M-L-M型：直接指示型研究

　この型の研究は，マネジャーが起案し，実行はライン業務担当者に委ねられるものである。課題事項の設定は最上位にあるマネジャーが行うが，それにどういう答えを出すかはラインにすべて任されている。独立したスタッフはこの

型の研究では関与しないが，ライン業務担当者が課題に応えるために助手として使う場合も見られる。サンプルの 19％が純粋な M-L-M 型であり，ボトムアップ型と組み合わさったものも存在した。

図 3[iv] は，多くの場合，直接指示型研究が知識の発見および指示とコントロールを目的としていることを示している。この研究は，実行に際しては，「通常」の公式組織のチャネルによっており，また，トップ・マネジメントがライン業務担当者の専門知識と実行能力に高い信用を置いていることを表すものでもある。例えば，次のようなインタビュー被験者の言葉を挙げることができる；「分析は様々な部署で行われた・・・私たちは自らに『互いに信用し合わなければならない—私たちは研究結果を受け取り，それを承認するのだ』と言いあったものだ」。従って，この型では，あまり論争となることはない。ライン・マネジャーには研究内容のすべてが委ねられることとなる。しかし，もし上級マネジャーが答えとして提出された知識や行動に満足できないときは，状況は極めて厳しいものとなる。マネジメント層の要求に十分に応えられないことが続くと，課題を外部に依頼することになりかねない。その時は，より厳しい緊張状態となり，M-S-M/L 型のトップダウン・スタッフ型研究に変更されることとなる。

■M-S-M/L 型：トップダウン・スタッフ実行型研究

この型の研究では，マネジメント層が研究を発案し，スタッフ業務担当者に実行を求める。従って，研究課題の設定はマネジメント層が行い，実行にはスタッフ業務担当者があたり，ライン業務担当者は事実上全く関与しないこととなる。この研究はかなりよく見られるもので，サンプルの 18％を占め，時には他のパターンと組み合わされる場合も見られる。

本研究は，直接指示型研究と同じ 2 つの項目を平均以上に目的としている。すなわち，専門家の知識へのニーズ，および，ライン業務のマネジメントをコントロールするニーズである…スタッフたちは，時に，職階上の低い地位にある全く接点のない人々，あるいは，業務上の接触がないマネジャーたちに対して，専門家としての意見，知識，提案を提供するよう求められることがある。しかし，真の動機は実はコントロールにあるということがない訳ではな

第 6 章　合理性の再考　171

い。上級マネジャーがライン・マネジメントへの直接的な指示を行っても求めているものを得ることができないとか，時にはラインから提供される情報を検証する[受身的検証]必要があるといったことが，分析の専門家としてスタッフが活用される理由となる。

　分析の専門家としてスタッフ職にある者の中には，創造性や既存のやり方に挑戦する才能について特に評価を受ける者もいる。にもかかわらず，実際には，時に，あるいは，常に，彼らのアイディアは「前衛的」すぎるとされ，まともに検討されなかったり，余りにも理論的すぎて直接に適用できないとされる。「彼のアイディアには衝撃的な点もある—しかし，実行には二の足を踏むね」。「既存のやり方への挑戦」としてトップダウン・スタッフ実行型研究を捉える場合には，この研究が「支援」—すなわち，ライン業務の担当者に刺激を与え，自ら行為し問題解決に当たらせる（指示とコントロール）—として用いられる時に，特に強く現れてくる。ある分析の専門家は次のように言っている。「コンサルタントの研究の 90％は実行されないと言っていいでしょう。しかし，それは当然のことです。私がマネジャーであったとしても，スタッフに言われたとおりに実際に取り組むということはないです。マネジャーは自分で判断をしないといけないのですから—仕事の現場にいるのはマネジャーなんですから—分析の専門家は挑戦のアイディアを提供するだけなのです」，と。

　この種の研究からは，時に，ライン・マネジャーに対する極めて強硬な「挑戦」が行われる。取り扱った事例の中で少なくともひとつで，研究結果の間接的な影響として，ライン業務の担当者が降格されている。とはいえ，通常，ライン・マネジャーの仕事がそれほど深刻に脅かされるということはなく，実のところはスタッフの方が難しいジレンマに直面する。彼らは，必要な情報を得るためには，ラインと良い関係を保っていなければならない。しかし，彼らが存在するのは，政策立案のためであり，このことは往々にしてある個人にとって都合のよくない提案を行うことになる。良い関係が維持できないと，情報取得が難しくなり，報告書の信用性が欠けることとなる。しかし，良い関係の維持に過度にこだわってしまうと，研究の目的—状況の客観的把握—が元も子もなくなってしまうこととなりかねないのである。

　この型の研究が「受身的検証」に用いられたときにも，客観性の維持は困難

になる。例えば、誰か他の人によって提案されたプロジェクトを評価する場合などが、これにあたる。時に提案を行ったライン業務担当者の方が、実は、その領域においてはアナリストよりも専門家であるということがある。「経営陣が問題に気づいたとき、彼らは私に調査を依頼した。しかし、信頼を得ることは、すぐにできることではない。当時、私は着任したばかりで、本当の意味での専門家ではなかった。欠けていたのは、客観的分析なのだ」。さらに、アナリストが長期にわたって特定のライン・マネジャーと信頼関係を育んでいる場合も、独立した評価が難しくなる。調査を行った3つの組織の内のひとつでは、アナリストは社内ローテーションで異動し、独立心と特定部署への忠誠心が妥協することがないように意図的な取り組みが行われていた。

■M-L/S-M/L 型：タスク・フォース型研究

　この型の研究は、マネジャーによって起案されるが、実行にあたっては、様々な部門の人員からタスク・フォースが編成され、執り行われるものである。すなわち、ラインとスタッフの両方が含まれ、また、異なる機能分野のラインからアド・ホックに編成された特別チームによって実行される。このタイプは、サンプルの17%を占める。ここでは知識の発見、コミュニケーション、指示とコントロール、そして象徴的目的のすべてがはっきりと見て取れる。このことにはいくつかの理由がある。ひとつは、この研究を通じて、組織全体の様々な人々から情報を集めようとしていることである。しかし、また、提案へのコミットメントを高めようという意図もあり、その「参加者」への教育も意図に含まれていると言えよう。同時に、意思決定に参加しているという印象を強化するのにも用いられている。また、特に実施にあたっての各機能分野間の調整にも用いられている。タスク・フォースには、多様な目的が与えられているのである。こうした状況においては、特に研究のリーダーシップや実施内容が不明瞭な場合には、返って、部門間に緊張状態が作り出されることがある。この時には、このタスク・フォースはキャリア競争の「第2の戦場」となる。結果的には、全くの決定なしに様々な視点が公表されていくこととなる。タスク・フォースを編成する際には、明確なリーダーシップ、そして、上級マネジメント層から明確な課題、指針が不可欠なのである。

第4節　3つの組織形態の比較

　続いて，本稿は，研究の持つ様々な相違点や目的を社会的背景—すなわち，本稿で取り上げた組織が持つ様々な構造のコンフィギュレーション—のもとで検討する。目的が社会的背景によって相違する期待値を図4に示す（しかし，本稿はすべての相違が統計的に有意であるとは言えないとしている）。

　サンプル数が限られている以上，相違の原因について確固たる結論を出すことはできないことを受容した上でも，なお，同図から組織的背景と研究の目的の間には系統的なパターンが存在することが示唆されているように見て取れる。ラングレィはそのような整合性の例を幾つか提示している。ここでは，CACの例をひとつ挙げておくことにしよう。CACでは多くの「規模の小さな研究」が行われている。ラングレィによれば，これは当時のCACの置かれた状況を反映したものだとされる。本研究が行われた頃には，同社は重大な危機に直面しており，人々は様々な問題点について組織の将来に結び付けて議論しようとしており，また，上下の権力関係も比較的弱く，意思決定への参加も広く行われていたのである。

　次いで，本稿は，さらに統計分析について述べていく。

　最後の疑問は，ここまで取り扱ってきた相互作用のパターンが3つの組織で観察された相違点をどの程度まで説明できるかに関するものである。すなわち，こうした相違がどの程度相互作用のパターンの頻度の相違に由来し，また，どの程度他の要因に依存するのか，という点である。このことを明らかにするために，線形モデルを用い，データにフィットするかどうかを検証した...例えば，相互作用のパターンと組織が，コミュニケーションを目的として出現する頻度をどの程度決定しているかを検討するために，研究のサンプル全体を6つのグループに分割した。分割は，まず，組織により，次いで，ボトムアップ型（直接，間接，スタッフ提案型，もしくは混合型）を含むかどうかによって分類した。従属変数は，コミュニケーション目的が出現する研究の割合

174　第Ⅱ部　事例研究

図4　研究目的の組織別出現頻度（目的の分類が一致した研究例における％）

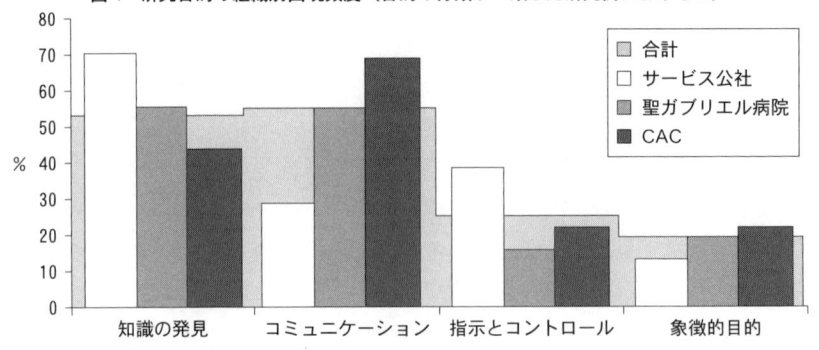

構成比における統計的有意差（片側検定による）

目的	サービス公社 vs 聖ガブリエル病院			聖ガブリエル病院 vs CAC			サービス公社 vs CAC		
	C1	C2	A	C1	C2	A	C1	C2	A
知識の発見	NS	*	*	**	***	NS	**	***	***
コミュニケーション	***	***	***	NS	NS	*	***	***	***
指示とコントロール	**	**	**	NS	NS	NS	**	NS	**
象徴的目的	サンプル数不足により評価不能			同　左			同　左		

　　＊ $p<.01$　　　＊＊ $p<.05$　　　＊＊＊ $p<.01$
　　C1＝coder1, C2＝coder2, A＝一致したスコア，
　　N＝41 サービス公社，N＝38 聖ガブリエル病院，N＝83 CAC

と定義された。一方，独立変数は「組織」（サービス公社，聖ガブリエル病院，CAC）と「相互作用のパターン」（ボトムアップ型か否か）で定義された。単純な線形モデルを補正最少二乗推定法を用いてあてはめたところ（SAS Institute, 1985; 173），相互作用パターンと組織の両方が統計的に有意な変数として現れた（$P<.001$）。例えば，サービス公社における研究は，一貫して，他のどの組織よりも，また，同じ相互作用パターンを持つグループの中でも，コミュニケーションが目的として現れることは少なかった。知識の発見，および，指示とコントロールという目的については，同様の線形モデルで検証すると，相互作用のパターンのみが有意であった。象徴的目的では，サンプル数が少なく，有意な結論を引き出すことはできなかった。コミュニケーションを目

的としている研究についての結果を見ると，統計的分析の可能なサンプル数を確保するためにグループ分けを行ったことが部分的にではあれ結果に影響を及ぼしていることが示唆されている。コミュニケーションを目的とすることは，論理的に考えるならば，間接ボトムアップ型研究やスタッフ起案型研究よりも直接ボトムアップ型研究と関連が深いものと考えられる。しかし，純粋な直接ボトムアップ型研究は，サービス公社のボトムアップ型グループにおいては15％に過ぎず，しかも，聖ガブリエル病院では60％，CACで66％を占めるのである。

　相違点の説明について，より概念的に興味深い要素は，分析に携わった人々の専門的な地位によって，同じ相互作用のパターンのグループの中でも，研究の持つダイナミクスや目的が変化するという点であろう。例えば，研究専門職に従事するスタッフを持つ組織（聖ガブリエル病院およびCAC）の場合，トップダウン・パターン（直接指示型，トップダウン・実行型，もしくはタスク・フォース型）の目的は，トップからのコミュニケーション（この時は教育となる）は，むしろ指示とコントロールに取って代わるとの仮説を得ることできる。しかし，指示とコントロールを目的とする研究については，サンプル数が小さく，相違も小さい（有意でない）ことから確固たる結論は得られなかった。

　以上から次の結論に至った；

　本研究から以下の諸点が示唆されていると言えよう。ひとつは，組織形態により調査や研究が異なった目的で用いられ，組織の構造と研究の目的はゲシュタルトをなすという点である。機械的官僚制度では，トップダウン型意思決定に対応して，研究の目的は，知識の発見あるいは指示とコントロールとなることが最も多く現れる。これは，結論の内容にも立ち入り，また，トップレベルで行われた決定が間違いなく具体化され実行されるようにすること反映していると考えられる。専門職による官僚制度では，ボトムアップで戦略のイニシアティブが取られることも多く，研究の目的は，コミュニケーション（この時は，直接的な説得行為をいう），知識の発見（この時は，受身的検証）となることが最も多い。最後に，アドホクラシーでは，意思決定に広い範囲の担当者が

参加し，公的な権力を巡る曖昧さから，コミュニケーション（特に，それぞれの立場の取り方の明確化や直接的な説得行為）が目的となることが最も多い。

第5節　討論と結論

　最後のセクションの討論では，本稿での発見事項をいくつかの理論体系に結びつけ，調査や研究の持つ様々な役割を明らかにするとともに，今後の研究についての示唆を提示する。検討された主な理論体系は次のとおりである。

■組織的意思決定論
　ラングレィは，ここでは，次のように主張している。すなわち，意思決定は，合理性に限界があり，1歩ずつしか進めていけないということに根拠があるにも拘わらず，「今なお，組織的意思決定論は，様々な変型はあるものの，幾つかのステップを踏んで行われるという段階モデルによって捉えようとしている...しかし，こうした捉え方は，調査や研究が意思決定を1歩ずつ進めていく状況を描きだすには，限られた有効性しか持たないように思われる。というのは，調査や研究の役割を理解するのに決定的に重要と思われる，意思決定プロセスにおける社会的相互作用の側面を軽視しているからである」(623)。

■知識と組織における主体－エージェント関係
　本研究の結果から，組織の意思決定をエージェンシー論に関係づけて説明することができる。このことは，次に，意思決定における政治的観点，例えば，研究とは知識をコントロールし，権力の源となるといった視点を重視することにつながっていく。すなわち，本稿は，調査や研究を，相互作用を行う3者間関係に関連づけ，次のように問題を捉えなおすものである。「こうした3者間関係が情報の非対称性を減ずる，すなわち，エージェントが考えるゴールが主体のそれに一致し，あるいは，主体の考えるゴールがエージェントのそれに一致するのは，どのような状況においてなのであろうか？」(624)。

第6章 合理性の再考　177

■実践と分析の専門職としてのスタッフの役割
　本研究は，また，分析を担当するスタッフや分析の専門家たちの役割やその提案がどの程度実践されるかについても関係している。これまでの研究は，「実践のという観点では，一貫して，2つの要因...トップ・マネジメントからのサポートともっとも重要なものとしてライン・マネジャーの参加が挙げられる」(624)としてきた。しかし，ラングレィは，「ラインとスタッフを2分して捉える観点は，両者間に一定の緊張が維持されている場合にのみ，有効である。緊張が存在しないときには，スタッフが十分に業務に取り組まないこともありえる」(624) としている。さらに，「本研究は，スタッフがライン・マネジメントに批判的立場から有意義な役割を演じていくためには，必ずしもすべてのスタッフの提案事項が実践される必要はないということを示唆している」(624)。

■調査や研究の利用法に関する制度論による説明と合理論による説明
　ラングレィは，自らの発見事項を制度論に関連づけ，組織が取り組む調査や研究が企図される理由を検討している。特に，「本研究で取り上げた組織は，どの程度，制度的なプレッシャーから，あるいは，効果的な意思決定というプレッシャーから，調査や研究を行おうとするのだろうか？」(625)。彼女は，様々な研究からの発見事項を簡潔にレビューし，「純粋に合理論的な，あるいは，純粋に制度論的な説明は，どちらも本研究で取り上げた組織における用いられ方を説明するに不十分である」(626) と結論付けている。

編者によるコメント

　本稿が明確に描き出したことは，合理性の概念に疑義を提起する（プロセス論の立場からの）論文においても，組織における調査や研究を巡って実際に何が起きているかについて，全く理解できていないということである。これは，戦略的取組みとしての調査や研究という行為についての我々の理解を大いに進展させるものと評価できよう。本稿は，組織プロセスに関するものであるが，

少なくともこれまでのほとんどのプロセス研究が採用してきた方法と比較すれば、我々の眼を「プロセスを超えて」はるかに啓かせるものである。ここでは、組織プロセスは、決して一般化された抽象的カテゴリーによって取り扱われるのではなく、組織の中で実際に行われる行為を通じて検討されている。本稿の概要紹介で示したように、これらの行為は組織的背景と体系的に結びついている。言うまでもなく、さらに進めて、人々が何故研究を行うのかに関心を向ける論文として、調査や研究を行う人々やその実際の調査や研究という行為は実は中心的なものではなく、類型化の例として引用において姿を現すとのみ議論することもできたであろう。しかし、そのような類型学の価値については、疑問を投げかけられることとなろう。こうした類型化は有用なのか、あるいは、実践としての戦略論における一領域から示唆されるように、「さらなる研究の実践がない限り、抽象化は時期尚早である、ということなのであろうか？」確かに、特定の研究を取り上げ、実際に何が生じているかを詳しく分析することも可能であった。そうした研究は、研究のカテゴリーという中では、より多くの洞察を与えてくれただろう。しかし、ここでの目的は組織の文脈を比較することであり、そのためには行為を何らか形で類型化することなしに行うことは難しいことだ。

　実践としての戦略論における関心のひとつは、結果として戦略につながっていくものを解明することにある。本稿には、そうした追跡を可能とする関連の根拠が示されている。例えば、研究につながるスタッフ/コンサルタントの役割であり、また、その実践が失敗につながることも論じられている。ラングレィは、分析という行為と組織的背景の観点からその結果との関連を検討しているのである。彼女は、結局のところ、どのような組織的背景が研究の役割を明らかにするのか、次いで、そうした研究が組織的背景にどのような影響をもたらすのかを問うたのである。本研究の有力さは、比較という観点から行われた点にある。しかし、同様に、特定の研究を取り上げ、組織的背景との関連を解明するという手法も可能である。その手法は、繰り返しになるが、上に述べたとおり、研究活動の組織的背景への影響を細かに追跡することで可能となろう。もっとも、これは別途の研究となるもので、別途の論文となろう。それは将来の研究課題を示唆している。

第 6 章　合理性の再考　179

　著者に聞いたところ，本稿の基礎となった博士論文では，理論という点ではあまり多くは扱われていなかったとのことだ。本稿に理論研究の部分が導入されたのは，ほとんどが査読プロセスの結果なのである。この論文の核心は本質的には組織的背景における研究の形式と目的の繋がりにあり，喫緊に新たな理論が必要であることを示す良いケースとなっている。現在のところは，その唯一のケースと言ってよいであろう。ラングレィが組織的背景と実践の繋がりを探求しているのは明白だ。これは理論自体を問題とした研究であり，実際にそうした枠組みから研究計画が立てられ，分析が行われている。本稿では理論が研究課題となっていることは明らかだが，当初の博士論文では含意されていたというレベルにとどまっていたのかもしれない。そうであるとすると，次のような疑問が生ずる。すなわち，理論には，研究計画に明確な枠組みを与え，明確な推進要因となるという点で，どのような力があるのだろうか，という点である。この点に関して，本稿とバーリィ論文（第4章）を比較してみると面白い。研究計画および概念構成の使いやすさという点では，バーリィの研究は本稿より深く理論的な立場を踏まえているように思える。本稿は，オリジナルでは理論的課題の認識が欠如していたにもかかわらず，同様に理論的立場を踏まえていたように思えるのである。
　本稿がグラウンディド・スタディズであると主張する点は，査読プロセスでは，査読者が本稿は理論に基づかないと主張し，問題となったのが事実である。従って，理論についての議論が導入されたのである。しかし，本稿のグラウンディド・スタディズとしての部分が少し詳しく説明され，査読を通過する評価となった。本稿で提示されているほど，グラウンディド・スタディズについて的確に説明されているものはないと言えよう。このことから，ラングレィが本研究をどのように行ってきたかを多少なりと見て取ることができる。この点をより広い観点で言い換えると，グラウンディド・スタディズにとっての理論の役割とは何かという問題なのである。研究者が真に提起しなければならない問題とは，研究者がどのように理論から自らの研究を引き出したか，なのである。グラウンディド・スタディズを行うと主張する研究者たちは自らの研究を引き出す理論を明らかにし，それが彼らにとってグラウンディド・スタディズ，あるいは，より正確に表現するなら彼らの洞察による研究，の指針となっ

ていることを認めることで，より大きな利益を得られるものと考える。

　本研究計画でさらに興味深い点は，本稿の大きな特徴をなす組織的背景の観点である。この点については，2つの論点が存在する。ひとつは，この研究計画では異なった組織構造を持つ3つの組織を対象とすることである。本研究計画は，本研究が示すような定性的研究において，どの程度まで研究者が組織的背景を「コントロール」できるかという問題を提起する。2点目は，事例とした組織構造が研究者にとって興味深い発見が可能となるよう組織されている点である。この点は，研究者にとって，注視すべき教訓である。

　当初，本稿には定量的研究としての要素もなかった。これもまた査読のプロセスで追加されたものである。ここでも，統計的分析が価値ある論文にどの程度のものを付け加えるかが問題となる。この点において，ファン・マーネン（John Van Maanen, 1998）の意見は面白い。

　　著者の方法は，様々な方法が混在したものだ。ひとつには，厳しくパッケージ化され，叙述的なナラティブによって分類される項目を含み，統計的仮説検定によるものである。一方で，回帰的な皮肉も存在する。というのは，ラングレィの研究自体が，結局のところ，合理性―コード化され，数字を用いた技法に代表される―は，ほとんどの場合，通常は，状況と歴史によって用い方や形態が異なる修辞的なカテゴリーそのものなのであるから。

　本稿におけるアン・ラングレィの定量的分析についての見解は，歴史上の特定の時点において特定の雑誌で展開される議論の正当性を支援するために不可欠であるとするものであった。この点は，本稿のメッセージからすると，確かに随分と皮肉なものである。一方では，本稿の視点は彼女自身の背景と教育（彼女は数学の学士号を持っている）には矛盾しない。20年後，彼女は自らが異なった方法と信ずる方法で議論を展開しているのである―すなわち，データベースから少数の事例を選び出し，その詳細に焦点を合わせることによって，組織の取り組む調査や研究がどのように戦略的決定に貢献するかについて豊かな，そして，具体的な描写を提示するのである。確かに，このことがこれまで為されなかったことに理由はない。ここで取り上げた問題は，永遠の課題とも言えるのである。

第6章　合理性の再考　181

訳注
i 原論文による付録A（628）は次の通り。

表A-1　分析のソフィスティケーションによる調査・研究の分類規準

得点	定量的研究としての内容	報告書のページ数	投入人時（推測）	検討された選択肢数	調査手法
0	図表は最大で1件，量的データ紹介頁は1頁以下	＜10頁	＜1人・週間	1件，評価の文言も最小限	特段の手法によることなく，「安楽椅子」における直観にもとづく議論のみ
1	図表は最大で1件，量的データ紹介頁は2-5頁	10-24頁	1人・週間-1人・月	1件，詳細な評価・論評	簡単な「ソフト」的アプローチのみ。例：関係者意見の聴取
2	2-4件の図表，または，図表1件と5頁以上の量的データ紹介	25-49頁	1-6人・月	2-3件，または，シナリオ付	簡単な「ハード」的処置を含む。例：予算配分，コスト見積等
3	5件以上の図表	50頁以上	6人・月超	3件超	複雑な技法，或いは，多様な手法を用いたもの。例：コンピューター・モデルの作成，多様なデータ・ソースを持つもの

表A-1は，分析のソフィスティケーションの度合いにより研究を分類するために用いた採点基準を要約したもの。各基準により0点から3点の評点が与えられ，合計は0点から15点となる。（以下略）

ii 本稿第2節に示された目的の分類概要紹介参照。
iii 原論文に示された図1（610）は次の通り

図1　基本的な相互関係の三角形

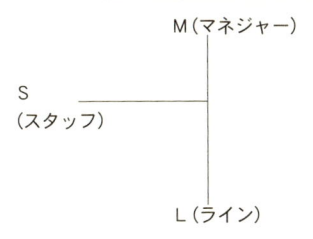

```
              M（マネジャー）
              │
    S ────────┼
（スタッフ）   │
              │
              L（ライン）
```

iv 原論文に示された図3（612）は次の通り。本稿にかかる部分のみ紹介する。影の部分は全研究の平均値を示す。

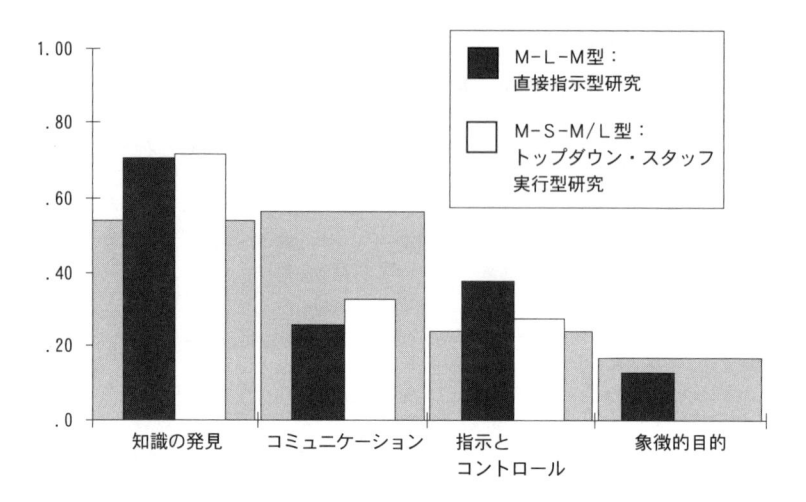

凡例：
- ■ M-L-M型：直接指示型研究
- □ M-S-M/L型：トップダウン・スタッフ実行型研究

横軸：知識の発見／コミュニケーション／指示とコントロール／象徴的目的
縦軸：.00～1.00

第7章

戦略転換の始動におけるセンスメーキングとセンスギビング

(著者) デニス・A. ジョイア, クマー・チッティペディ (Dennis A. Gioia and Kumar Chittipeddi)
(出典) *Strategic Management Journal*, 12, 6(1991): 433-48.

> 要 旨

　本論文は，ある大きな公立大学における戦略転換の取り組みの始動 (initiation) に関するエスノグラフィー的（民族誌的）研究の成果である。本稿において我々は，戦略転換 (Strategic Chage) の最初の1年を4つのフェーズに分けて具に追跡し，戦略転換の開始段階に関する特有の性質を理解するための新しい枠組みを展開する。ちなみに，ここで4つのフェーズとは，想起 (envisioning)，伝達 (signaling)，修正 (re-visioning)，そして活性化 (energizing) と我々が名付けたもののことである。さて，我々は，本稿において解釈主義アプローチを用いながら，まず，戦略転換プロセスの惹起における CEO の最初の役割が「センスメーキング (sensemaking)」と「センスギビング (sensegiving)」という2つの新しいコンセプトを用いることで最もうまく理解できるであろうことを提示する。次に我々は，これらの中心的コンセプトと他の重要な理論的領域との間の関係を描き，最後に，戦略転換の始動の理解に対するインプリケーションを議論する。

184 第Ⅱ部 事例研究

編者による概要紹介

　大学という文脈における戦略を行うこと（doing strategy）に関する本章の例証的研究は，戦略化（strategizing）に関するかなり伝統的なトップマネジメントの焦点を，革新的な方法と枠組み破壊的な理論化の双方に結びつけるものである。

　広く普及した戦略論の定番テキストには，戦略形成プロセスにおける重要な牽引力はトップマネジメントだと書かれている。このような狭い見方，つまり戦略はトップが策定するものということを当たり前とする見方は，戦略化の諸活動と諸実践に焦点を向ける実践としての戦略（Strategy as Practice）研究において疑問視されている。戦略は，組織のどこででも創発しうる（すなわち，誰もが潜在的な戦略家（strategist）である）し，また人びとの多様なグループが集合的な戦略家として機能することもあるだろう。しかしながら，トップマネジメントは，それでもなお影響力を持った戦略家の最有力候補者であることに間違いはない。なぜなら，トップは，その役割に伴う戦略上の様々な課題に関する全体像とそれらを広く大局的に把握する力を持つと同時に，パワーと戦略に対する責任を与えられているからである（Mintzberg et al., 1998）。しかし，影響力を持つ戦略家としてトップマネジメントを研究するときでさえ，我々は，諸活動の展開や日常的な実践，そして戦略家と他の行為者たちとの間の社会的相互作用を重視する必要がある。ジョイアとその仲間たちの研究は，大きな戦略転換に取り組む際のCEOの積極的な参加の役割や意味，そしてインプリケーションに関する徹底的な研究の中で確かに社会的相互作用を中心に据えており，それゆえ独創性に富んだフィールドワークだといえる。この研究の成果は，いくつかの文献の中で発表されている（Gioia and Chittipeddi, 1991; Gioa et al., 1994; Gioia and Thomas, 1996）が，ジョイアとチッティペディによる最初の研究（本章で取り上げるそれ（Gioia and Chittipeddi, 1991））は，とりわけ興味深い。なぜなら，同研究は，詳細でリアルタイムな観察を行った非常に優れたエスノグラフィー的フィールド

ワークであるからである。また，経営者や組織の認知という領域は当時の研究上の新興分野であったが，本研究は，この領域においても，その研究知見において信頼できるものがあり，かつ表現も豊かでさらには魅力的な概念化のための説得力のある解釈的分析がなされている。本研究概要の後のコメント（編者によるコメント）において，我々は，いくつかの限界を指摘すると同時に，本研究の強みについてもさらに詳細に述べることにしよう。

論文の概要

イントロダクション

　戦略転換の本質とその戦略転換を推進する際の CEO の役割とは一体何なのだろうか？一般的に，転換という言葉には，組織のメンバーの思考や行為に関する今のやり方を変える試みという意味がある。より専門的には，戦略転換という言葉は，組織が重要な機会をうまく活用できる，あるいは重大な環境の脅威に対処できるようにするために，現在の認知や行為のモードを変える試みという意味を持っている。組織変革については，ここ数年重要な研究がなされてきているが，一方で，戦略転換特有の性質については，依然として研究が著しく不足しているというのが現状である（Dutton and Duncan, 1987 参照）。とりわけ，戦略転換プロセスの初期段階における CEO の非常に重要な役割は，これまで十分に説明されてこなかった。同様に，かつ直接関連する研究である，戦略転換の着手に用いられるプロセスの本質もまた，十分明確にはされてこなかったのである。

　同研究の最初のパラグラフでジョイアとチッティペディ（Gioia and Chittipeddi）は，まず，戦略転換に関する彼らの見方を規定している。それは，経営者ないし組織の認知に関する研究という新しい研究のストリームのなかに彼ら自身が位置づけられることを示すためである。著者たちは，CEO が戦略の方向性を設定すること，そしてそれを確実に実行することの双方に対して責任を持っていることを指摘している。しかしながら同時に，CEO の役割

がこれら 2 つの活動の管理にとどまらず，より媒介的で統合的な役割にまで及んでいることも彼らは指摘している。とりわけ，初期の段階，すなわち「戦略転換がまさに推進される時期」(434 頁) において，形成や実行といった言葉は，戦略的リーダーシップに関するシンボリックな側面を軽視していることを指摘する。

　続く理論の要約部分で，ジョイアとチッティペディは，戦略転換の取り組みの最初のフェーズを扱う文献の様々な特徴を示している。そこでは，いかなる具体的な戦略転換も価値や意味のシステムの変化を伴うものであると主張されるが，これは本書の主たる焦点となっている見方である。CEO は，修正が加えられた意味の集合システムに最終的にフィットする方法で，当初企図された転換を意味づける必要がある。このような他のステークホルダーに向けたセ・ン・ス・メ・ー・キ・ン・グ・に関するコミュニケーションのことを，CEO の側からなされるセ・ン・ス・ギ・ビ・ン・グ・と名付けている。ここで我々は，次のことに注意を払うべきである。つまりセンスメーキングとセンスギビングは実際のところ，研究者によるデータの解釈的分析から導出された概念である。しかし，彼ら（著者たち）は自身の論文の冒頭でそれら概念を導入することを意図的に選んでいるのである。すなわち，彼らが注意を引きつけるための修辞的な戦略を用いているのだということに注意を払うべきなのである。著者たちの解釈では，センスギビングは，既存の解釈スキーマあるいは意味のシステムが相応しくないということをコミュニケートするための象徴的行為と併せて行われている。

　このような（象徴的）行為は，組織がいかなるものであるかということについて，メンバーたちの理解の仕方に不安定さをもたらすことを暗に示している。そして，メンバーたちにその組織に関する何か新しい意味を創り出すことを求めている (Poole, Gioia and Gray, 1989)。しかしながら，既存の解釈スキーマを否認するには，それに取って代わる水準にある幾分修正されたスキーマが必要である (Ranson, Hinnings and Greenwood, 1980)。それゆえ，ステ・ー・ク・ホ・ル・ダ・ー・たちに対して CEO はビジョンや選好された解釈スキーマを明示し，唱導する機会を持つことになる（これによって，今度はステークホルダーたちによる別の「センスメーキング」活動のきっかけが与えられる）。転換の取り

組みが命令によっては滅多に生じず，しばしば合意形成に左右されるとするならば，それは一連の交渉による社会的構成（negotiated social construction）という考え方とマッチしている（Berger and Luckmann, 1966）。ここで，影響力を受けたステークホルダーは，提案されたビジョンを交渉を通じて修正しようとするのである（Strauss, 1978; Walsh and Fahey, 1986）…。

これらのセンスメーキングとセンスギビングという相互作用的活動を通じて，大まかで抽象的なビジョンは，より明確なものへと変わっていく。

この概念の要約を踏まえると，戦略転換の取り組みへの着手段階は，戦略転換によって挑戦しようとすること全体の方向性を示すいくつかの重要なプロセスが結合し始める極めて重要な時期だといえる。そして，戦略転換の始動とは，CEOが組織の新しいビジョンへの意味づけをし，ステークホルダーや構成員たちにそのビジョンが受け入れられるために，何度も繰り返される「交渉による社会的構成」という活動を通じて彼らに影響を与えるプロセスとして理解できる。

また，この研究は，ビジョンが一部のステークホルダーたちの抵抗に遭いながらも，ビジョンがいかに解釈枠組みとして確立されていくのかを明らかにすることも意図していた。

第1節 基礎的な前提と方法

ジョイアとチッティペディは，組織における解釈スキーマの仮修正も含み，戦略転換の本質とシーケンスの両方を明らかに出来る方法を探究した。

このような調査は，本質的に「解釈的」であることが必要である（Rabinow and Sullivan, 1979）。このことは，つまり，戦略転換の研究に用いられる代替的パラダイムを暗に示唆しているのである（Burrell and Morgan, 1979; Kuhn, 1970）。

よく言われるように，解釈主義アプローチは，人間の理解や行為は経験を通

じた情報や出来事の解釈に基づいているという前提に依拠している（Rabinow and Sullivan, 1979）。それゆえ，理解と行為は，あらゆる出来事にあてがわれる意味に依存している（Daft and Weick, 1984参照）。また一方で，意味は，社会的に構成された現象でもある（Berger and Luckmann, 1966; Weick, 1979参照）。

　ジョイアとチッティペディは，意味のシステムやその変革方法に関する研究が戦略転換の研究に非常に重要であると主張している。この彼らが用いるパースペクティブは，以下のことを示唆している。すなわち，それは，意図的な戦略転換における戦略的リーダーシップの理解には，研究者が組織メンバーによって生成された意味を捉まえる必要があるということである。この必要性から，著者たちは，行為者たちが解釈に用いる概念的レンズの発見を志す参与観察というエスノグラフィー的手法の使用へと引き込まれていく。また，このアプローチは，「帰納的推論（inductive reasoning）」を暗に示している。つまり，それは，エスノグラフィー的なフィールド研究による第一報が組織の行為者たちの言葉を主に用いるいわゆる1つの語りという形をとるのである。

　エスノグラフィー的手法を用いた記述による報告は，参加者たちが表明した支配的なテーマに基づいて組み立てられるが，それは1次分析（first-order analysis）に相当する。研究者は，その後に，2次分析（second-order analysis）という手段によって，そのストーリーをより理論的なパースペクティブに変えるための説明枠組みを導出しようとする（Van Maanen, 1979参照）。戦略研究の伝統的スタイルと比較した時，エスノグラフィー的で解釈主義的な研究が伝統的スタイルとはしばしば「真逆なスタイルのもの」に見えるのはそのためである。つまり，エスノグラフィー的で解釈主義的なそれでは，理論がデータ収集を後押しするというよりむしろ，理論的パースペクティブが直接的なデータ（the first-hand data）に基づき，そこから立ち現れるのである（Glaser and Strauss, 1967参照）。

　フィールド研究においてすっかり「現地化」してしまうこと（going 'native'）を避けるために，研究チームの一部のメンバーは，内部（関係）者

第 7 章　戦略転換の始動におけるセンスメーキングとセンスギビング　189

の一員として振る舞い，その間，別のメンバーは部外者として振る舞った。エスノグラフィー的研究を行うのに，その内部者の一員となったメンバーは，研究サイトであった大きな公立大学の戦略計画部門の中でスタッフの一員として転換プロセスに参加していたのである。もう一方で部外者的立場を担った研究者は，「より客観的なデータ分析を行った」。このコンビネーションは，「二重の研究者，グラウンデッドアプローチ（dual-researcher, grounded approach）」（436 頁）と名付けられた。

　ジョイアとチッティペディによれば，彼らの調査コンテクストである大学は，目標が多様であることとパワーが分散していることが特徴的である。所属する専門家たちが自らの自律性を守ろうとするこのような組織をマネジメントするのは難しい。

　この調査プロジェクトは，焦点とされる大学に新しい学長（President）が着任したことに端を発している（そして，現場での調査が 2 年半続けられ，次の期間には距離を置いた観察，そしてフォローアップインタビューがほんの数回行われた）。その新しい学長は，公立大学「トップ 10」と彼が呼ぶ大学をつくることを目標に置き，間髪入れずに大規模な戦略転換に乗り出した。学長は，戦略転換の主たる設計者であったが，同時に，全学的戦略計画タスクフォース（SPTF）も任命した。戦略転換の全般的な取り組みの中で，学長は「彼が強く個人的に興味を持ち，最も注目していたコミュニケーションに関する新しい学部の戦略的な構想（strategic initiative）」（436 頁）についての短い文書を示した。これらの構想は，大学を変革するための学長の決意とビジョンを象徴化した。

　内部者的立場の研究者は，戦略タスクフォースの SPTF の正規のメンバーになった。彼は，その SPTF によって，学長や学部長（Provost），その他の上級幹部といったような重要な情報提供者たちへ近づく機会が与えられ，それらの人びとの多くに直接に，そしてしばしば毎日接触していた。こういった接触の機会は，これらの各情報提供者たちに対する複数のインタビュー（テープに記録された）へと結びついていった。そのインタビューは，次々に展開される転換と学長の戦略的リーダーシップの役割に関して彼らがどう認識しているのかに注目した。また，インタビューに加えて，エスノグラファー（民族誌的

研究者) たちは出来事や活動を日誌にしたため，さらに関連する内部メモと (内部機密の) レポートのすべてを収集した。

　最終的に，これらの情報源に加え，学長の側近のうちの主要なメンバーの1人が，研究上の発見や成果が明らかになった際に，そのデータや彼らの解釈に関して知識豊富でかつ第三者的立場の批評家としての役目を果たすことに同意してくれた。この人物は，戦略転換プロセスのマネジメントにおいて中心的な役割を果たし，学長に信頼されている側近の1人であった。加えて，一方で，彼は，積極的な研究者でもあった。すなわち，我々の新たな解釈に対する彼の分析は，正確かつ信頼のおけるものであった。しかし，彼は，「第一次的な」情報提供者の任を担っていたのではなく，むしろ，いわば，「抵抗する (hold-out)」情報提供者として務めていた。この役割において，彼は，出来事に関する研究者たちの解釈に同意したり，反対したり出来る，従って研究上の発見を「立証すること (validating)」だったり，将来の分析に対する道筋を提示することだったりが出来るのである。

第2節　1次分析による発見

　本節で，著者たちは，情報提供者たち，エスノグラファー自身の経験，記録文書による情報源，そして「抵抗する」情報提供者といったものの報告すべてに基づいた一つの語りを示した。その語りは，エスノグラファーが最初の年に起きたことについて経験的に感じた4つの異なるフェーズで構成される。なお，その最初の年とは，戦略転換の取り組み全体の最初の段階として定義される期間のことである。

■戦略転換の最初のフェーズ

　転換の取り組みの最初の段階は，「想起」から「伝達」，「修正」そして最終的に「活性化」フェーズへと進んだ。このフェーズの呼称は，情報提供者と他の組織メンバーとの相互作用におけるエスノグラファーの経験から導かれる。

△想起フェーズ

このフェーズは，新学長の就任のおおよそ3ヶ月前から彼が CEO になった後，約1ヶ月まで続いた。従って，戦略転換プロセスは，実際，学長の正式な任期以前から始まっていたのである。情報収集のために大学を訪れるなど，彼の在職期間の初期の活動の多くは，大学の潜在能力と可能性を評価することに充てられた。彼は，すぐに，大学のために初期の戦略的ビジョンを発展させることをはじめた。そのビジョンの発展は，彼の事前の制度的経験から導かれ，加えて大学の現在のそして歴史的な文脈に当てはめられた個人的な解釈スキーマに基づいて行われた。

学長（CEO）：学長としての私の職位が発表されてすぐに，私は大学に足繁く通い始めました。私は，すべての学部の学部長と会い，その立場を知り，広くいろいろなものを読み，この大学についてあちこちで人びとと話をしました。そのようにして，私は，理事会（board）に出るまでに，戦略計画プロセスをいかに開始するかについての良いアイデアを考え出し，そして次に私はそれがどうなっていくのかに関するアイデアや考えを練りました。

△伝達フェーズ

このフェーズは，想起フェーズとわずかに重複し，おおよそ3ヶ月続いた。それは，新学長の就任に始まり，その中身は戦略転換の取り組みの公式発表によって主に定義された。これらの実質的に同時に起こった出来事は，現状を破壊するための1つの理想的な文脈を提供した。

学長：私が就任した最初の年に，大学が変わろうとしていることを示すこと，そしていくつかの理由から一部変化に着手し始めることが重要でした。まず第1に，この大学をリードするのが，私の使命でした。私は，私を雇った人たちにはっきりと言われました。彼らは，強いリーダーシップを求めていましたし，大学をもう1つ上の次元（another plane）に移行させることを求めていました。これは，私が次なる展開への着手を理事会にはっきり示すのに2年も3年も掛けられないことを意味していました。

戦略転換の取り組みに関する発表は，これまで安定的で，実に何事にも無関心であった大学のコミュニティに多義性を与えた。それは，組織にある程度の不安も与えたが，同時に，期待通りの転換をなすための影響力を CEO に与えた。この影響力は，彼の地位から生まれるばかりでなく，彼が転換の取り組みを始動することによって創りだした多義的な空気について彼自身がどう解釈しているのかを伝えるための彼の能力にも由来した。

学長は，転換という現実を象徴化するためにこの「デザインによる多義性」を用いた。しかし，彼と彼のトップマネジメントチームは，その多義性が転換プロセスにおいて創出したポジティヴな効果にかなり驚かされた。これは，学長が大学の戦略と組織に関する既存の概念に疑問を呈し，それらを理解するための新しい枠組みを導入するために重要なステップであった。同時に，学長は，公立大学のトップ 10 になるという彼の刺激的なビジョンを多様なステークホルダーとやりとりすることで，その多義性と不安のいくつかを減らす事が出来た。

第 3 節　修正フェーズ

このフェーズ（だいたい 4 ヶ月から 10 ヶ月）の間，学長は，転換の取り組みに対する「強烈なシンボル」でありつづけた。組織メンバーは，新しいモットーとして「戦略計画」を受け入れ，新しい状況に順応しはじめた。とは言いながら，まだ，なんの公式的な計画活動も始まっていないのだが。さらに，いかなる転換に対する要望にもとにかく疑念を呈する特定の既得権益者（vested interests）からの抵抗がちらほらと目立ち始めてきた。

この抵抗の 1 つの帰結として，いくつかの緊張関係は，転換プロセスのマネジメントに対するアプローチの好みの違いに関係しながら，トップマネジメントチームの中で発展した。すなわち，学長は，強いそして幾分指示的なリーダーシッププロセスを好んだが，その一方で，副学長（Executive Vice

President)（彼は，伝統的に影響力を持つ実力者グループを無視することで発生する長期的なコストについて心配していた）は，より協議的なプロセスを主張した。

　学長：あなたが堅牢な制度を転換しようとするとき，しかも適度に短い期間の中でその転換をするときはいつでも，人びとは（リーダーシップ）を厳しく批判するでしょう。リーダーはたくさんの信望を持って登場し，しかるべきときにそれを使うものです。しかし，もし，あなたが何かを一方的な形でなそうとするなら，あなたはその信望のうちのいくつかを失ってしまうでしょう。私は，そうなることも理解し，ちゃんと覚悟をしているのです。

　　（戦略転換プロセス）は，その大学に変化の観念をつくりだすでしょうが，しかし，それは完全には民主的なプロセスではあり得ません。もしそれが可能ならば，あなたは，たくさんの参加を受け入れる余地を残し，そしてあなたはあなたに心変わりをさせるような支持者たちを受け入れる余地を残したほうがいいでしょう。戦略転換プロセスをリードするCEOは向かうべき方向に関するいくつかのアイデアを持つべきであり，さもなければそのプロセスはモチベーションを欠くものになるでしょう。

　副学長は，学長が「関係性」の考慮を犠牲にして「アクション」を強調していると考え，またある学部の学部長は，トップマネジメントの積極的な行動至上主義（activism）と教授陣の関与という双方の必要性の間でよりよいバランスをとるべきだと主張した。学長は，速いペースでの転換を公に主張し続けたが，同時に彼のチームの他のメンバーたちにはさらに相談の上で事に当たるよう促した。

　修正フェーズ中に現われた抵抗勢力たちは，決して共同戦線を組まなかった。また，多様な転換に関する新提案が大学の中の様々なステークホルダーに様々な影響を及ぼした。さらに，多様なステークホルダーからのフィードバックにおいてやりとりされた抵抗は，学長がいくつかの転換の新提案を修正するという効果をもたらした。

△活性化フェーズ

　このフェーズは，ある程度，先行するフェーズの対立の期間と重複し（なぜなら，転換の取り組みへの幅広いコミットメントが確固たるものにされた後でも，いくつかの抵抗が継続されたため），CEOの就任1周年の記念日までそしてそれを越えた時点にまで及んだ。それは，公式的な戦略計画タスクフォース（SPTF）側の最初の実質的な活動と，提案された転換によって影響を受けた様々なステークホルダーからの相談やフィードバックとの幅広い循環によって初めに位置づけられた。その結果生まれた協議プロセスは，最少人数で（職位上）最上位のグループで始まり，より多数の，より末端レベルの人々を含むよう徐々に拡張していった。

　著者たちの解釈によれば，転換についての見方の共有に関するこの幅広い循環は，学長とそのチームによる彼らの転換アイデアと新提案に関するさらなる再解釈をもたらした。すべての新提案は，いくつかの転換活動をもたらしたが，しかし多くの新提案は，微調整され，修正された。多くのステークホルダーたちは，この方法で，全体的な転換の取り組みに関する多様な細目に影響を与えることが出来た。より広いコミットメントは，トップマネジメントと多くのステークホルダーたちとの間のこの相互依存関係を通じて組織の中に立ち現れていった。この活性化フェーズが学長の転換に関する新提案の始動段階の終わりとなり，次により詳細な計画に関する実行の段階が続いた。

　概して，そういうわけで，戦略転換に関する始動段階の間のCEOとトップマネジメントチームの活動は，新しい方向性を見いだすこと，そして様々なステークホルダーたちと新たな解釈スキーマや組織の再起（resurgence）についてやりとりすることの2点に焦点を合わせたのである。しかしながら，これらの活動は，戦略的マネジメントの伝統的概念化においてはこれまであまりうまく捉えられてこなかった。

第4節　2次分析による発見

すでに述べたように，1次分析は，学長によるそして学長についての解釈に主たる焦点を合わせながら，しかし，すべての情報提供者たちの報告についてのエスノグラフィー的分析を通じてテーマやパターンを発見するために行われた。この1次分析の報告は，戦略転換の初期の段階に関する語り（以上にまとめられたように）であった。そして，「この語りは，情報提供者とエスノグラファーの解釈と経験を統合する」（437頁）ものである。

■2次分析による発見を導く分析

2次分析では，研究チームによってさらに理論的なパースペクティブからエスノグラフィー的データを検討していくことになる。その目的は，組織メンバーには滅多に分からない，より深いパターンやその後の概念化にとって重要になる理解の新しい次元を見つけることである。研究チームは，2次分析に関する次の5つのステップを発表した。

1. 起きた様々な出来事と活動に対する報告を分析するために，質的内容分析（qualitative content analysis）を用いて，情報提供者たちの報告をそれぞれ検討すること（Miles and Huberman, 1994 参照）。
2. 情報提供者たちの報告が時間を越えて内的に一貫性があったのか，それともそれらは，戦略転換が進むにつれ，いくつかの先進的なやり方で変化していったのかどうかを究明すること。
3. 収束あるいは発散の重要なパターンに対して情報提供者を越えてデータを分析すること。調査データは，戦略転換プロセスのマネジメントにおける学長の役割に合わせた調査の焦点への関連性に基づいて抽出された（Glaser and Strauss, 1967 の「理論的サンプリング」法の一形態）。この手続きは，繰り返されるあるいは「絶えず続く比較」（Conrad, 1982; Glaser and Strauss, 1967）によって実行された。そこでは，いろいろな情報源の，そしていろいろな時代のデータが転換の始動に関わる主たるテー

マあるいはプロセスを見つけるために繰り返し比較された。
4．データの中に立ち現われた諸パターンから理論的に説明的な次元を抽出すること。この分析のこのステップにおいて，新たな次元の誕生に関連したデータは，次元的パターンが明らかになるまで，他のデータと絶えず比較された（Agar, 1980; Spradley, 1979: 1980）。
5．理論的あるいは概念的な枠組みにこれらのパターンを統合すること。

　これらのステップは，情報提供者の意味システムを開示する語りを構築することで，戦略転換の始動段階における CEO の役割を理解する新しい方法をもたらす。理論的視点は，エスノグラフィー的観察に基づいて立ち現れ，その結果，2次分析はセンスメーキングとセンスギビングに関する説明の枠組みをもたらすのである。

　本研究の文脈において，「センスメーキング」は，関係者集団が意図的な戦略転換の本質を理解するのに重要な枠組みを発展させようとした際の，彼らによる意味の構成と再構成に関係がある。また，「センスギビング」は，組織的現実に関する望ましい再定義に関して他者の意味構成に影響を与えようとするプロセスに関係する。我々は，これらのプロセスが反復的で，連続的，そしてある程度相互作用的なやり方で生じ，そして学長とそのトップマネジメントチームが参加するだけでなく，大学内外のステークホルダーと支持者たちも参加してなされるということを発見した。

■センスメーキング
　ジョイアとチッティペディは，次に，事例の中の語り（the case narrative）による例を用いて例証することで，これらの概念（センスメーキングとセンスギビング）に意味を与える。彼らに従えば，例えば，大学の歴史や文化に関する所感を得，それらを理解するためにオフィスに来る前に大学へ頻繁に足を運ぶことなどの新しい学長がした多くの活動は，「実行中のセンスメーキングプロセス（sensemaking process in action）」（442頁）を表している。また，彼の在任期間の最初の段階において，彼は，主たるステークホルダーから現場レベルのメンバーたちまで，同じ目的を持つ多くの人びとにと会った。か

なり早い時期に，彼のセンスメーキングプロセスは，新しいビジョンの公式化をもたらしていた。大学組織のメンバーたちと外部のステークホルダーたちは，ビジョンの意味とビジョンから得られる戦略転換案を理解しようとし，その結果，ここで再び，我々は，実行中のセンスメーキングプロセスを経験することになる。

■**センスギビング**

　公式化されたビジョンは，学長によって多くの方法でいろいろなステークホルダーとやりとりされた。このセンスギビングは，学長が大学に対する新しい現実の解釈を与え，そして彼のビジョンやそのビジョンの根底にある諸価値，さらにそれら諸価値の解釈としての実際の転換を採用するようにステークホルダーに働きかけようとするという意味を含んでいる。「センスギビング」という言葉は，許容可能な解釈をステークホルダーたちに提供することで，学長が他者に対して意味づけを行うということを意味する。しかしながら，学長のセンスギビングの対象となるグループは，そのビジョンや転換行為に関する彼ら自身の意味を形成し，学長に対し彼らの新しい解釈を翻って伝えるのである。しかるに，センスメーキング/センスギビングプロセスは，学長と，ステークホルダーという漸進的に拡張した聴衆との間の相互作用的サイクルという形を

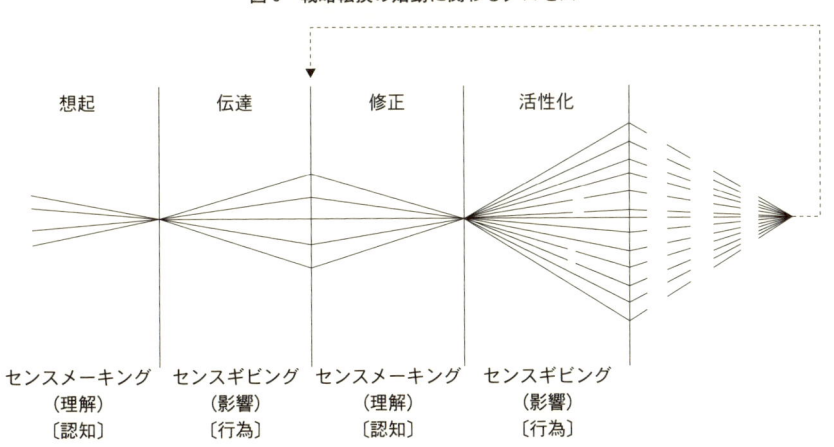

図３　戦略転換の始動に関わるプロセス

想起	伝達	修正	活性化
センスメーキング （理解） 〔認知〕	センスギビング （影響） 〔行為〕	センスメーキング （理解） 〔認知〕	センスギビング （影響） 〔行為〕

とるわけである。

　ステージ1は，CEOによるセンスメーキングの取り組みである。そこにおいて，学長は大学に対するいくつかの指導者的なビジョンを創ることによって新しい状況の意味付けを模索する（「想起」フェーズ）。ステージ2は，CEOによるセンスギビングの取り組みである。そこにおいて，彼は，大学のステークホルダーたちと支持層にこのビジョンを伝えようと試みる（「伝達」フェーズ）。ステージ3は，ステークホルダーによるセンスメーキングの取り組みである。そこにおいて，彼らは彼らに提案されたビジョンの意味を理解し，彼らの理解を修正しようとする（「修正」フェーズ）。ステージ4は，これらのステークホルダーによるセンスギビングの取り組みである。そこにおいて，彼らは提案されたビジョンに反応し，その実現された形式に影響を与えようと試みる。しかし，それは，ビジョンに向けた行為への全組織的なコミットメントの発生とコミュニケーションによって特徴づけられるステージでもある（活性化フェーズ）。（フィードバックループは，様々なステークホルダーのセンスギビング活動がCEOとトップマネジメントチーム側で支持されたビジョンに対するいくつかの修正（修正フェーズ）を導くということも示している。）

　その上で，著者たちは，センスメーキングとセンスギビングの期間に関連させて，理解と影響の逐次的なパターンを特定した。そこで，センスメーキングは理解と関係し，センスギビングは影響に関係した。同様に，彼らは，センスギビングと影響のフェーズが関係者による行為を具現化すると同時に，センスメーキングとセンスギビングの互いのフェーズが1つの認知プロセスを示唆していることを主張する。

第5節　ディスカッションとインプリケーション

　戦略転換の教唆に焦点を合わせ，本研究は転換の初期の展開と戦略的認知研究に関連した理論的概念化とを1つに結びつける。主たる発見は，戦略転換の始動プロセスがセンスメーキングとセンスギビングの相互作用的で反復的な期

間として表すことが出来るということである。そこで，CEO は，センスメーキング－センスギビング－センスメーキングの最初のサイクルとして，ステークホルダーが意味付けし，それに基づいて行動するビジョンを策定し，広めるのである。

　著者たちは，組織メンバーの不確実性，多義性，そして情動性に関する興味深い見解を示している。つまり，その報告された見解とは，メンバーの多くが，文化と実践において暗に示された転換である故，何か不吉なものとしてその始動した転換を解釈していたということである。言い換えると，学長が彼の最初の転換アイデアに関して最終的に支持を得るには，既存の解釈スキーマの認知的再配列が必要だということである。この転換アイデアに関する支持は，「自身に対するセンスメーキング」と「他者に対するセンスギビング」のサイクルとして概念化されたプロセスを通じて立ち現れる（444 頁）。その上，1 次的発見として示されたその 4 つのフェーズは，センスメーキングとセンスギビングの漸進的反復と合致していることが分かった。シグナリングと活性化のフェーズがセンスギビング－影響－行為というプロセスによって支配されている一方で，想起と修正のフェーズは，センスメーキング－理解－認知のプロセスとして理解されうる。

　大学組織に関する初期の文献（例えば，Cohen and March, 1974）は，学長職の象徴的パワーを指摘したが，さらに転換をマネジメントすることに対する有効性にも疑問を呈していた。それに引き換え，本研究は，多くの学長の活動が戦略転換を指揮し，動機付け，そして促すのに確実に助けとなる強い象徴的次元を持っていたということを示している。とりわけ，その「心揺さぶるイメージ（evocative imagery）」（445 頁）を持ったビジョンは，組織の多様なメンバーの思考と行為に対する基本的な枠組みを提供した。本研究におけるケースは，高等教育機関における戦略転換に関する初期のものではあるが，大学の学長は次第に戦略的に行為するということを示す強力な記述である。

　さらに，著者たちは，危機が戦略転換に先立って起こる必要がないことを指摘した。危機がない以上，「『デザインによる多義性』の創出は，転換のムードを助長することに対する有効な装置」（445 頁）になり，トップマネジャーに対してビジョンの方向へ支配的な解釈スキーマを再構成する 1 つの機会をもた

らす。その発見は，戦略転換の最初の段階における学長の役割が廃れた解釈スキーマを疑い，意図された転換の方向へと行為に対して指針を与えるために組織に対する新しい集合的解釈スキーマを構成することだということを示すのである。

本研究は，魅惑的なビジョンが戦略転換の始動におけるおそらく重要な特徴であるということも示唆している。なぜ重要な特徴かと言えば，それはそのビジョンが代替的な解釈スキーマを発展させるためにステークホルダーに対して象徴的な基礎を提供するからである。本研究に基づけば，伝統的に主張されてきた通り（Edelman, 1964; Pfeffer, 1981 参照），戦略転換が始動して間もない頃の CEO の象徴的な役割が価値や信念，そして行為の単なる表出であることを超えうるものであるということは明白である。それは，転換の達成に有益でもあり得る。つまり，他者に対して意味を創出するのに（言い換えれば，意味を与えるために）用いられる象徴的構成は，転換のすべての取り組みを提案し，始動する重要な段階の効果に有益なのである。

この見方に含意されることは，交渉のプロセスとしての戦略転換という特徴付けである。転換の最初の段階では，結果的に学長がすべてのステークホルダーに影響を与えることが可能であるという「交渉による現実」（446 頁）がもたらされた。著者たちは，CEO が自らが策定したビジョンが与える影響を通じて，交渉された現実を支配出来るということを指摘するのである。

第 6 節　結　論

戦略転換の始動に関するこのセンスメーキング／センスギビングパースペクティブは，CEO と彼のトップマネジメントチームが戦略転換の設計者であり，同化する者であり，そして促進者であると結論づけている。重要なプロセスは，新しいビジョンに関連したセンスメーキングとセンスギビングに関する行為である。著者たちは，主要な「センスメーカー（意味作成者）」そして「センスギバー（意味提供者）」（446 頁）としての CEO というこのパースペクティ

ブが公式化や実行の概念よりもよりよく戦略転換の初期段階の本質を捉えることが出来ると主張する。

次に，全体的に，戦略転換の研究に対する我々の解釈主義パースペクティブとエスノグラフィー的アプローチによる発見は，戦略転換プロセスの始動がすべての転換プロセスの効果の鍵となるトップマネジメントの一連の活動に影響を与えるということを意味する。これらの活動は，同時に象徴的でかつ実質的であり，認知と行為の相互作用的プロセスに作用し，そして理解と影響のサイクル，すなわちセンスメーキングとセンスギビングという概念のもとでうまく捉えられるすべてを引き起こすのである。

編者によるコメント

本研究は，戦略化（strategizing）とSAP（実践としての戦略）に関する研究に対して理論的にも，方法論的にも貢献し，いくつかの側面において他の模範となる。まず1つ目は，それが，戦略を行うこと（doing strategy）に強い焦点を置いているという点である。本研究では，CEOの入職最初の年におけるいくつかの主たる戦略活動という点で，彼が実際に何を行っているのかを検討している。ここで重要な活動は，(1)状況の解釈と理解のためにステークホルダーと共に，情報を収集したり，観察したり，話したりすること；(2)心揺さぶるビジョンへ彼の解釈を翻訳すること；(3)組織メンバーと外部のステークホルダーにビジョンとそれに続く戦略の新提案を伝えること；(4)戦略転換の取り組みにフィードバックを得るためこれらの人びとと会い，話をすること；(5)一部のステークホルダーが声をあげた戦略に対する抵抗への1つの適応として戦略のいくつかの新提案を修正すること；そして最後に，(6)ビジョンの具現化をサポートする新提案を実行するために，戦略計画タスクフォースと共により詳細な計画を発展させることの6点である。

次に，著者たちは，理論的概念の新しいコンビネーションを用いて説明の枠組みを発展させた。その主たる貢献は，センスメーキングとセンスギビングに

よって表現された二重性である。ここでセンスメーキングとは，すなわち，複雑な戦略状況の新しい理解に到達するための解釈に関わる認知プロセスのことであり，センスギビングとは，つまり，他者のセンスメーキングに影響を与えることを目的とした行為志向のプロセスのことである。そのセンスメーキングとセンスギビングのサイクルは，「交渉による社会的構成のサイクル」として定義される。そこで，CEOは，彼の社会的に構成されたビジョンを受け入れてもらうためにステークホルダーに影響を与えようと試み，その一方で，翻ってステークホルダーたちは，提案されたビジョンへの調整を交渉しようと試みた。この概念的枠組みは，同時にこのケースにおける戦略転換の始動段階に生じた結果に対するもっともらしい説明を与える。

　3番目に，本研究は，戦略化の日常をとらまえたいという要望に合ったフィールドワークと分析に対するかなりユニークな方法論的アプローチを報告している。この解釈主義アプローチは，エスノグラフィー的手法を用いるが，それ自体がユニークな訳ではない。むしろそのユニークさは，当時の戦略マネジメントの分野への応用と戦略を実行するCEOへの焦点にあるのである。本研究は，伝統的に，かなりの質的研究がリジェクトされてきたジャーナルに掲載されたということも特筆されうる。このことは，既製の枠組みの破壊と考えるべきである。この研究は，解釈主義アプローチの観点から言えば，そのアプローチの根底にあるアイデアに忠実であり続けるという意味で，よく出来た研究である。この論文において，解釈主義アプローチは，観察された「現実」の研究者たちによる解釈の実践と，このケースにおいて戦略家（たち）によって作られた解釈を観察し捉える取り組みの双方を示唆している。

　4番目に，解釈主義的研究のデザインは，近い遠いという距離感のうまいバランスを暗に含んでいる。エスノグラフィー的手法を用いて解釈主義的研究を行うことは，観察対象の行為者たち（studied actors）との真の親密さを目指していることを意味している。大切なのは，対象間の関係性の状態であり，そこで，エスノグラファーは，組織の日常において関係のある参加者として受け入れられる。同時に，このような親密さは，内省と分析のために研究者として自分自身と距離をとるという次なる問題を伴い，「ネイティブらしくなる」という明らかなリスクを生む。このような距離感は，厳格で理論的に完全な分析

にとって不可欠である。この必要不可欠なもの、すなわち距離感の反復的バランスは、解釈主義的研究におけるジレンマとしてしばしば立ち現れる。しかしながら、本論においてそのジレンマは、研究チームの中の分業を通じて（問題がないわけではないが）創造的に対処されている。すなわち、ある研究者は、観察対象の戦略転換プロセスにおける「内部（関係）者」となって親密さを内省し、その一方で、別の研究者は、2次分析のために特に必要な距離をとっているのである。

5番目に、著者たちは、彼らの1次分析と2次分析に関するステップと活動を明確に記した。日常の彼らの方法論に関するこれらの記述は重要である。これまでこのような詳細は、質的研究アプローチに基づく論文においてあまり報告されてこなかった。

さて、では本論文に関するいくつかの限界に議論を移すことにしよう。まず、本論文は、当時の最新の研究に従い、センスメーキングを非常によく概念化している。ここでは、センスメーキングを人びとが間主観的な世界をつくり、維持するプロセスであると意味付けている（例えば、バログンとジョンソン（Balogun and Johnson）による研究でもこの点をまとめていた。第10章参照）。しかしながら、ジョイアとチッティペディは、確かにこれらに関連したデータを十分に持っているかもしれないが、彼らは、本論におけるセンスメーキングする人びとの間の社会的な相互作用の具体的な根拠をあまり提供していない。第1次的な語りは、主にCEOや他の重要な行為者たちとの過去の出来事に関するインタビューからなる自己報告を含んでいる。その上、語りと分析は、主たる戦略転換に関するこの取り組みにおいて、センスメーキングとセンスギビングのミクロプロセスにおよそ確実に影響を及ぼすだろう感情的でポリティカルな次元についてはあまり深く明らかにしていない。

また、2次分析の諸段階は示されているが、この分析段階における内部（関係）者と部外者の間の相互作用は、もっと明確に説明できた可能性がある。解釈主義的研究において、今後が期待できる内部（関係）者と部外者を組み合わせるというやり方の賛否をより適切に評価するために、調査の様々な段階における研究チーム内の相互作用についてさらによく知ることは、興味深いところである。さらに、研究チームの第3のメンバーである、「抵抗する」情報提供

者の存在もポイントである。彼らは，研究者の解釈との意見の一致あるいは不一致を通して，新しい研究上の発見の正当性を立証している。しかしながら，この情報提供者は，実際，彼自身の主観的見方と既得権益を持ち，戦略化の進行中のプロセスに関係する重要な行為者の1人であり，我々は，この「第三者的立場の」評論家を中心とした妥当性検証の議論にいくぶん疑問を呈したい。この議論は，第3章で議論された徹底的なエスノグラフィー的研究に関するいくつかのジレンマへと再び返ってくるのである。

　まとめると，この例証的研究は，SAP の理解への興味深い貢献を示す。重要な結論は，センスメーキングとセンスギビングの二重性が交渉プロセスを含んでいるということである。その後の研究は，関係する行為者の進行中で，日常的な社会的相互行為をさらに詳しくとらえることによって，さらにこの次元を発展させることが出来ている。最終的に，センスギビングのプロセスは，影響を与える他者の活動，つまり今後の研究がセンスギビングの政治的でレトリックな側面に焦点を合わせることによって深まるかも知れない何ものかとして説明されるだろう。

第8章

教育としての事業計画
―変化する制度フィールドにおける言語とコントロール―

(著者) レスリー・S. オークス, バーバラ・タウンリー, デビッド・J. クーパー (Leslie S. Oakes, Barbara Townley and David J. Cooper)
(出典) *Administrative Science Quarterly*, 43(1998): 257-92.

要 旨

　言語とパワーは, コントロールを理解する上で非常に重要である。本研究は, ピエール・ブルデュー (Pierre Bourdieu) の研究を用い, 象徴的暴力 (Symbolic violence) というパワー観が非常に意義深く, 重要な見方であることを議論をする。我々は, カナダのアルバータ州の州立博物館と文化遺産において事業計画が果たす教育的機能を分析する。実践に名前をつけ, それらを正当化するための闘争は, 事業計画プロセスにおいて生じ, ある知識や実践を排除したり, 組織を見る上でのまた別の知識や方法を教えたり, 利用したりする。我々は, コントロールが仕事の方向を変えることと一緒に, 制作者のアイデンティティ, 特に彼らが市場や消費者, そして製品の構成を通じて自らの仕事をいかに理解するかを変化させることにも関係することを示す。このプロセスは, 組織フィールドそして制度フィールドにおける複数の形態 (象徴的, 文化的, そして政治的, 経済的) において, 資本 (the capital) を転換させることで機能する。

編者による概要紹介

　本研究は，いくつかの特徴において注目に値する。とりわけ，本論は，次のことを明らかにすることによって人々を驚かせる。すなわち，本研究は，博物館における事業計画という一見ありふれたプロセスが実際はかなりの文化的意義を持つ，コントロールのための激しい闘争を伴うものであることを明らかにするのである。さらに，それは，博物館の館長の詳細な仕事に，公的セクターにおける商業化というより幅広い社会的プロセスを接続することで，明らかなミクロ-マクロリンク（micro-macro link）をなしている。本論の研究者たちは，ほぼ意識的に彼らの役割についての自省（reflexivity）をはっきりと示している。最後に，本研究は，他の理論的パースペクティブに対する明らかにおまけのような形で，新しい読者にブルデューの社会学を紹介している。ただその一方で，我々が最後のコメントで議論するように，本研究は，比較分析に対する機会や特定の活動に関する綿密な報告については完全に探求されているとは言い難い。

論文の概要

　本研究の序論は，明示的なマネジメントコントロールと変革に関する技術的で中立的な道具としての事業計画という伝統的な見方を提示することに始まる。次に本研究は，事業計画がパワーと言語，そして主観性というあまり知られていない問題にも関係している可能性があり，また同時にそれが従業員たちに不公正な効果（unequal effects）を持つことをまず提示している。この捉え方は，ピエール・ブルデューの社会学を導入する基盤となる。この見方から考えると，事業計画は，組織の言語とアイデンティティを改めることによって目につかないようにコントロールを行使し，変革を実行する「教育的実践（pedagogic practice）」の1つであると言えるかも知れない。ブルデューの

言葉を借りれば，この教育は，「象徴的暴力」の一形態であり，ほとんど認知されていないが故にそれはまさしくラディカルである。この序論は，理論，研究手法，分析，そして最後にディスカッションと結論という本論文の順序を明確に提示することによって結んでいる。

第1節　ブルデューと制度理論

本研究の本論に入る最初の節において，オークスとタウンリーとクーパー（Oakes, Townley and Cooper）は，その分析における2つの重要な言葉を以下のように定義している。
- 制度フィールド：これは，制度的生活の一領域において関与するすべての組織を引き合いに出すものである。それゆえ，それは，まさに市場における生産者と消費者よりも広い概念であり，純粋に組織的なものと社会的なものとの間を橋渡しするものである。
- 資本：フィールドは，純粋に経済的なものと同様に，利害関係的，社会的，象徴的，そして文化的といった様々な種類の資本を持っている。一フィールドにおける資本の重要な種類は行為者のパワーを定義し，また，フィールドは様々な種類の資本の保持者たちの間の争いによってしばしば特徴づけられる。

第2節　資本とフィールドのインプリケーション

次に，オークスらは，*Administartive Science Quarterly* の読者にはあまりなじみのないものではあるが，ブルデューのアプローチをいかに既存の制度理論パースペクティブ（2つは，一見密接に関連している）に3つの方法で組み入れるのかを力説する。まず，ブルデューのそれは，コンフリクトとパワーを強調しながら，制度フィールドに関するまだあまり合意の得られていない概念を提示する。2番目に，資本という概念が，正当性というさらに政治的な概念

を提示する。最後に，著者たちは，フィールドに関するブルデューの概念における コンフリクトと競争が，制度論に典型的に欠けている動態的な性質をフィールドに与えると主張している。

著者たちは，本研究の目的に関する明快な記述をもって本節を閉じている。すなわち，その明快な目的に関する記述とは，「本研究において，我々は，事業計画の実行が可能なポジションやフィールドのなかの象徴的そして文化的資本の配分にどのような影響を与えたかに興味がある」(264頁) というものである。

以下でまるまる再掲される研究手法の節でとりわけ興味深いのは，著者たちが研究者としての自分たちの役割について自省する際のその表し方である。すなわち，それは組織の内部や組織を超えた時点などいろいろなレベルでのディスコースへの焦点，そして，インタビューや参与観察，フィードバックプレゼンテーション，文書分析といったいくつかの手法の利用といったものである。

■研究方法

本研究における調査は，文化的，歴史的施設への事業計画と業績評価（performance measurement）の導入に関する長期的な研究の一部分をなすもので，その事業計画が導入された1993年から1995年の間に重点的に取り組まれたものである。我々の調査は，州政府に対して大学のマネジメントコースで我々が授業を行ったことと，その際，我々が将来の講義のための教材用ケースに関する作成許可を参加者に依頼したことがきっかけとなって実現した。我々は地域開発省の副大臣補佐官（assistant deputy minister: ADM）と最初に接触し，すぐに教材用ケースを製作する我々の計画は，省との公式的な調査協力の同意へと移行していった。アクセスの手段はつねに調査に影響しやすいものだが，上級マネジャーが「大学発の事業形態」と相互作用するイメージを好み，また，彼らがこの相互作用が州政府における彼らの信頼性を拡張するだろうと期待していたことはまず間違いない。同時に，我々が熱狂的なマネジメント主義者ではないということは，ADMにとって明白であった。我々は，自発的に組織における人々との交流を行う存在であり，我々の調査が単にアルバータ州政府における事業計画と業績評価の開発と実行を記述することを目的としたものでは

ないことを示した。我々の役割は，公式的なインタビューを行うだけでなく，コーヒーを飲みながらビールを飲みながら組織内部の人たちと話し，たまの食事を一緒にし，計画と業績評価についてのワークショップや会議に参加し，しかし，参加者の実際の仕事には参加しないという「周辺的参加者（peripheral member）」であった。けれども，我々は，以下のようなことをしながら，批判的な調査者としても自身を理解した。つまり，我々は，コントロールや支配の移行形態を観察し，事実がある種のイデオロギー的な文章（inscription）から分離され得ないことを理解し，そして我々の調査が自己意識の批判を必要とするということを認識するのである（Kincheloe and McLaren, 1994: 139-140頁）。

　我々の調査は，州政府の4つのレベルに基づく複数の情報源を利用する（図1参照のこと。訳注：図1は本書には掲載されていない）。すなわち，それは，財務委員会を含む州政府，地域開発省，文化施設ならびに歴史遺産局（CFHR），そして個々の歴史施設そのものである。我々は，メモを含む政策書，事業計画書，計画書類，そして州の4つの階層すべてで集められた手紙を分析した。我々は，州政府によって事あるごとに引き合いに出された業績評価と事業計画に関する文献と同様に，博物館と文化施設が伝統的に利用してきたディスコースを研究した。我々は，州政府の4つの階層すべてを含んだ56の半構造的インタビューを実施した。それぞれのインタビューは，1時間半から2時間半の間で行われた。1人の著者のみが出席した3つを除くと，2人の著者が各インタビューを行った。インタビューは，被験者の許可を得て録音され，文字に起こされた。我々はインタビューを受けた人びとがいかにしたら私たちにホンネを見せてくれるようになるかについて継続的に注意を払ったが（彼らは，組織における他の誰もがテープあるいはそれを書き起こしたものに触れられないことを保証された），我々は，他の手法とりわけ観察から得たデータとクロスチェックを行うというプロセスでもってある程度再確認した。これらのインタビューには，事業計画を立案し，実行し，監視する，そして各所をマネジメントすることに責任のある個人が参加した。インタビューでのやりとりは，その省庁における人びとの経歴と経験や，事業計画への彼らの参加，経営と管理に対する彼らの考え方，彼らの仕事内容とその課題，そしてその報奨などについて網羅するために緩やかに構造化された。また，いくつかのケースにおいて，

インタビューは特定の課題に焦点が絞られた。すなわち，それは，ある施設の計画とコントロール，あるいは施設と地方コミュニティとの間の相互作用といったものである。

　我々の重要な最初の狙いは，歴史遺産局（CFHR）のなかでの事業計画と業績評価尺度の導入の歴史を構成することであった。そして，我々はインタビューを実施し，会議に参加し，この CFHR のレベルでの情報収集を始めた。インタビューや観察，記録文書の分析は，その被験者たちによって経験されたのと同じような意味の解釈を可能にする（Moch and Fields, 1985）。しかしながら，このレベルの階層での変革を理解するには，我々は，州政府（例えば，地域開発省と財務委員会）といったより高いレベルの階層や，実際の博物館や歴史施設にも我々の観察を拡張する必要があった。その施設に勤める人びとの数は，より小さめの施設や博物館で 1-3 人の正規従業員という規模から，より大きな施設でだいたい 100 人くらいまでと，かなりまちまちである。それぞれの施設で，我々は館長（director），マネジャー（彼らは，関連した専門職，例えば学芸員や歴史学者などの訓練をしばしば受けていた）そして事業計画に参加したさまざまな人びとにインタビューした。施設や部局レベルに勤める多くの人びとは，仕事人生のほとんどを歴史遺産局（CFHR）あるいは同様の文化施設のいずれかで過ごしていた。我々は，記録文書を集め，そして部局や施設に関する歴史学的な視角（historian perspective）を展開した（Moch and Fields, 1985）。

　3 人の研究者は，認識論的自省性（epistemic reflexivity）を実践しようと取り組んだ（Bourdieu and Wacquant, 1992: 36-47 頁）。つまり，それは，研究者が彼ら自身，自らが身を置く社会-歴史的な状況の 1 つの産物であることと同様に，文化と理論の創造に寄与する者であることを認識し，行為することである（Pels, 1995）。さらに，男女ともを含んだ文化的にそして理論的に多様なチームの 1 メンバーであることは，調査の対象と対象としての自分たち自身に関する自己分析を彼らに促した。しかしながら，ブルデューは，研究者たちが自身の研究分野で求められているような分析者としての立場に基づいた，自己満足的な自省性を超えるべきだと主張した。それは，「目の前で構成されている対象への批判と同じ批判的分析に，観察者の立場」（Barnard, 1990: 75 頁）

をさらす必要があるからである。我々は，省庁や部局におけるマネジャーの経験と，公的な資金を受け，ますますマネジメント主義的になっている大学に勤める労働者としての自分たちの経験との間にみられる類似を積極的に議論した。我々は，研究分野における自分たちの立場を完全に分析し尽くしたとは言えないが，それでも我々は，その試みを始め，研究にとりかかったのである (Townley, 1995, 1996; Cooper and Neu, 1996)。

　3人の研究者たち全員が，共通のテーマのために収集された資料と精査され文字に起こされたインタビューに繰り返し取り組んだ。しかしながら，しばしば，インタビューないし文書は疑問を生み，あるいは以前に集められた資料やと，はたまた収集された資料に関する著者の予備的理解と矛盾するように見えたのだった。これらの問題は，以下の2つの理由から，調査プロセスの重要な側面であると言える。まず，それらは，我々にさらなるインタビューを行い，追加的な会議に参加するよう，そして「雪だるま式サンプリング」というテクニックを用いるよう促す (Goodman, 1961; Dawes, 1987)。その「雪だるま式サンプリング」では，インタビュー回答者がそもそも所属するグループから追加で別の回答者を導き，調査の追加的な方向を示唆する。この方法を受け入れるということは，我々が研究しているプロセスも，また我々の研究自体も線形的ではなく，むしろこのタイプの調査において標準的である紆余曲折を示すものだと我々が理解しているということの現れであるといえる (Silverman, 1985)。次に，我々は，これらの矛盾の持つ難点に取り組むことの重要性を理解した (Calhoun, 1995)。ブルデューの研究，特に，制限された生産 (restricted production) と大規模な生産 (large-scale production)，ならびにそれに関係する資本のフィールドに関する彼の記述は，我々が発見した変化を説明するのに有用である。例えば，ブルデューの研究は，なぜ行為者たちが矛盾するように見えるのかを，それは行為者たちがしばしば多様な資本や立場が得られるいくつかのフィールドの中で作業し，あるいはそのフィールドの間を移動するからだといったように理解するのに有用である。

　最後に，我々の調査契約の一部として，著者たちは，省庁におけるいくつかの研究会で彼らの調査を報告した。これらの報告は，かなりの論争を生み，いくつかの事については，よりインフォーマルな会議において引き続き追求され

た．省庁は，本論稿の数バージョンを再吟味し，さらに修正案を提案し，最終的にはいくつかの論争となった議論を除いて研究を公表することに同意した．

第3節　制限された生産の1フィールドとしての文化的，歴史的施設

　本節において，オークスとタウンリーとクーパーは，アルバータ州の州立博物館部門における伝統的な実践を解明し，そのスタッフの学術的，非営利的価値を強く主張した．博物館部門は，PhDのような優れた教育資格を持つ人々が生む文化資本を用いて，政府（出資者）と市民の双方からある程度の自律性を保った1つのフィールドとして表現される．この自律性と一連の価値は，事業計画の導入によって脅かされることになるのである．

第4節　事業計画と教育を通じた巧妙なコントロール

　本節では，アルバータ州における1993年の選挙によって示された公共経営の新しくてより商業的な形態に傾倒し，経費削減を志向する新しい政府という挑戦を話のタネに持ち出している．この話は，ブルデューの理論的議論にも拡張し，この点で事業計画に関する著者たちの見解をはっきりと示している．

　我々は，教育的行為として事業計画をみなしている．そこでは，計画のフォーマットが排除されたり，教え込まれたりするのである．事業計画は，たとえば実務的，効率的，顧客志向的，そして利益探索的ではないようなアイデアを考慮に値しないものとして排除し，一方で，それは，有益な論拠（instrumental reasoning）があれば，1つの事業として組織のビジョンを促しもした．また，事業計画のプロセスは，経験による学習（learning by doing）の1形態としての機能も果たす．事業計画は，フィールドの資本，そしてこれと一緒に，地位的・組織的アイデンティティに対して重要な含意を持つ．我々のケースにおいて，そのフィールドで価値が有るとされるものは，真の文化や芸術品

第8章 教育としての事業計画　213

に関する歴史学者の見解を示すことから，利益と来館者を創出するであろう何ものかに対する関心へとシフトしていった。それにつれ経済資本がより重要になり，文化資本はそれが経済資本に変換されうる程度でのみ価値を認められた。さらに，事業計画は，変化が起こることを告げるだけでなく，事業計画自体の活動（利益の創出や製品，顧客といった新しい語彙の導入）によって変化が起きるのである。

　ここから，本研究は，実質的な実証分析へと進んでいく。我々は，このあと最初の実証に関する節を一言一句そのまま再掲することにする。なぜなら，それは，説得力のある一貫した説明に，理論やインタビュー，文書そして観察結果を巧妙にくみ上げていくときに，研究の長所がよく表わされるからである。この節は，著者たちが事業計画を教育的とみなす3つの方法をかなり正確にそして細かく説明している。2番目の実証に関する節では，事業計画のミクロな実践（計画の策定，ワークショップの開催，コンサルタントの雇用）がいかにフィールド全体を，資本の支配的な形態が文化的であるフィールドから経済的資本が支配的形態であるフィールドへと変換するかを説明する。我々は，これをまとめるために著者たち自身のかなり体系だった表を用いることにする。また，我々は，マネジメント活動とコントロールに関する最後の実証の節については簡単なサマリーのみを示すことにしよう。なお，そこでは，理論とインタビュー，文書そして観察に関する同様の混合が用いられている。

■実行中の教育としての事業計画

　最初の予算において，州の財務委員会は，新しい「全省庁に対するマネジメントコントロール構造」の構築を討議した（Dinning, 1993: 118）。「今秋，公金を受けている各省，部局そして機関は，1994年1月までに3ヶ年の事業計画を進展させることが要求されるだろう。これらの計画には，成果や業績の測定やコスト削減のための戦略が含まれる必要があるだろう。また，将来の財源は，これらの結果の達成度と結びつけられるだろう」（Dinning, 1993: 14-15頁）。アルバータ州の「州政府への新しいアプローチ」は，単なる計画と業績評価ではない。それは，事業計画に関するものであったし，さらに，我々が職

場での教育プロセスとして理解するこの未だ定義されていない言葉に関係したものであった。事業計画は，説明可能な計画に関するシステムにおいて主張された事業価値（経済性，効率性，成果志向，企業家精神のような）を内包するようにデザインされている。またそれは，この新しいアプローチの中心であると同時に，変化するディスコースでもある。従って，歴史遺産局（CFHR）に関する最初の事業計画は，以下のようになった。「[その部局]は，品質や積極的で局所的なマーケティング，そしてインフラへの健全な再投資を強く主張することで，施設やプログラム，サービスの経済的貢献に重点的に取り組むだろう。初期の目標の1つは，全国的でかつ国際的な観光事業に対する局所的な拠り所を発展させることであり，それによって，コミュニティの活気と繁栄を維持することを助けるのである」（Alberta Community Dvelopment, 1994: 5 頁）。その上で，サービスは，「製品」として記述されるようになり，州政府の目標は「結果，結果，結果」を強調するようになった。アルバータ州の評論家が指摘するように，「人々はもれなく，P. ドラッカー（P. Drucker）やT. ピーターズ（T. Peters），大前研一（K. Ohmae），T. ゲブラー（T. Gaebler），D. オズボーン（D. Osborne）などの本から経済と経営の理論を学んでいた。」（Lisac, 1995: 43 頁）

歴史遺産局（CFHR）は，当時，制限された生産に関する1フィールドであったが，同時により大きな政治的，経済的フィールドの中にも属しており，それはクライン政権が創り出したものであった。上級の部局マネジャーは，基本的な変化（それはレトリックではなく実際の変化）としてクライン政権が創り出した哲学と実践における変化を記述した。時には，彼らはその変化さえ予測した（そしてその変化の構成を助けた）。そして，マイヤーとローワン（Meyer and Rowan (1991: 53 頁)）が指摘したように，「制度的に洗練された環境においては，賢明な適合（sagacious conformity）が要求される。すなわち，リーダーシップ（大学や病院，ビジネスにおける）は，流行の変化や政府の計画に関する理解を必要とするのである」。我々は，1994年，政府のすべてのレベルが生じている変化と折り合いをつけようと格闘していた間，これを観察していた。この期間の間，部局の代表者たちは，省庁が州財務委員会の行為をいかに解釈しているのかを学ぼうと，そして何が成功する事業計画を構成し

たのかを究明しようと頻繁に会合を開いた。教育は，ここで発見と自省（self-reflection）を通じた学習の1形態として作用した。CFHRは，これらの施設で働いているマネジャーや従業員たちがこの州の経費削減の中を生き抜くために彼ら自身や彼らの活動，そしてマネジメントを考える方法を変える必要があるだろうと信じていた。省庁における上級マネジャーの1人が述べていたように，「我々は，我々が何をしようとしているか知っている。我々は我々が組織として何を達成しようとしているか知っている。我々は，政府が我々にさせたいことを我々が知っていると考えている。そして，それらは我々を後押しする何ものかである。我々は，政府が我々にさせたいことを我々が知っていると考える。我々は，公務員として，我々の仕事としてそれを考える。我々が目的を達成する方法は，非常に多様である」。

故に，同局は，それ自身，歴史施設のための幾分独自の事業計画プロセスを開始した。さらに，1993年の終わりには，事業計画に関する丸5日がかりの一連のワークショップを実施し，各施設を訪れ特定のアドバイスを提供するようにと，アルバータ州の（地域）経済開発省と観光局からコンサルタントを雇った。CFHRにおける事業計画は，SWOTというデザイン学派のモデルに従った。そこで，組織は，機会と脅威という言葉において彼らの環境を概念化し，強みと弱みという言葉使って彼のケイパビリティを概念化する（Mintzberg, 1994）。ブルデューの言葉でもって事業計画は，「文化的に恣意的である」。なぜその事業計画にあることは含まれるべきであり，別のそれは含まれるべきでないのかということに理由などない。しかしながら，SWOTモデルは，正当化された語彙や技術的手続き，すなわち事業計画が適切になされる場合に物事がなされるべき方法として示された。フィオールとハフ（Fiol and Huff, 1992: 282頁）は，「『脅威』と『機会』のカテゴリーは，マネジャーが課題に取り組む方法に影響を与える重要なマッピング装置である」と強く主張した。例えば，他の施設は現在，競合相手ならびに脅威としてラベリングされている。入館料・拝観料を課すことは，裁量が任された資金創出の機会としてみなされた。象徴的権力は，このラベリングと分類のプロセスを通じて作用するのである。

ミンツバーグ（Mintzberg, 1984）が提案したように，事業計画の使用におい

て暗黙的な目標は，そのプロセスに依存する組織に焦点を合わせる。歴史遺産局（CFHR）において，事業計画は，事業とまではいかないまでもいわば事業のような組織である文化的で歴史的な施設の存在を前提としている。それ故に，同型性がこの最初の段階に潜在する。一定に決まっている納税者たちの余暇や時間そしてお金の競合相手の存在が表わされることで，文化施設や歴史施設は，来館者をうまく惹きつけて，支払いを促しているアルバータ州の他の組織を見つけることが求められた。カナダの最も大きなショッピングモールであるウェストエドモントンモールは，比較対象の１つとなった。このようにして，CFHRにおける計画は，美術館に関するディマジオ（DiMaggio, 1991: 287頁）の業績で記されている以下のようなパターンを辿った。つまり，その美術館でなされたように，「他のフィールドからの組織モデルへの無分別な引用が，重大な討論の的となった」のである。

　事業計画は，秩序立てられ組織化された行為，目標の連続した流れ，成果，戦略，そして業績評価の統合されたヒエラルキーとして示された。注目は，主としてさらなる来館者と収益の創出活動と，実行のための戦略に関する内容についてであった。それ故，計画は，実際の決定自体をとは言わないまでも，決定の根底にあった前提をコントロールした（Mintzberg, 1994: 198頁）。ほとんどの施設は，このプロセスに携わることが義務づけられ，義務づけられない施設は，排除という含意を心配した。施設は高い成果の多義性（high performance ambiguity）（Smith, 1965）を持った最前線の組織であり，また分権化されたパワー構造を持つことが前提とされているが（Jermier and Berks, 1979），我々の見解は，行為と会話（talk）の間のルースカップリング（loose coupling）の機会は最小化され，変化こそが現実であるというものであった。

　計画の教育的効果は，収益を拡大し，来館者を増やし，新しい製品を投入し，はたまた喫茶店を拡充することこそが適切であるとするものであった。施設は，収集や調査，ないし修復の計画を盛り込むことを奨励しなかった。そのような計画は，そこで作られても，不適切だとして認められなかった。シンプルで簡潔な計画が支持され，期間が長く，個性的な（individualized）計画は認められなかった。それ故，（事業計画のような）転写のメカニズムは，何がふさわしいのかについて決して中立的ではないが，厳密で暗黙的なルールがあっ

た。施設が最前線の組織であるにもかかわらず，なぜそれらは部局や政府の圧力に従わないという選択をする機会が制限されているのかについての第2の理由は，それらの計画と業績評価が標準化された年次のアカウンタビリティレポートを通じて報告されるからである。

　さて，この事業計画プロセスは，3つの方法で教育的であった。まずそれは，人々に変化を受容する力（receptivity）を要求した。ブルデュー（Bourdieu, 1991）は，この受容力という言葉を歓迎あるいは容認という意味では用いず，単純に変化に対する準備という意味で用いた。本調査対象において，受容力は，予算削減や急速な変化や変化の予測不可能性を通じてと同様に，州レベルにおけるディスコースの変化によって呼び覚まされた。また，不安定な時期においては，事業計画の行使に関するかなりの不確定性が方向感覚を激しく失わせもした。次に，事業計画は，積極的に組織的行為者（Organizational actor）を巻き込んでいった。その組織的行為者とは，彼らが従いながら事業計画プロセスを創っていると思しき人たちのことである。事業計画のプロセスは，政府レベルでの指示の欠如が故意かどうか明確ではないが，さほど構造化されていない。インタビューされた人のうちの何人かは，その構造化されていない事業計画のプロセスが新しいアプローチの典型であると感じていた。すなわち，それは，その計画の発展プロセスがかなり多様であり得るということ，そして結果がすべてであるということである。また，別の人たちは，事業計画と業績評価を「ちゃんと」やることを巡ってかなりの緊張感を持っていた。しばしば，マネジャーたちは，変化の青写真の欠如を認め，「それらの方法を感じること」について話した。これは，特に州政府の活動と，より一般的に広くアルバータ州のパワー構造を「読もう」とするマネジャーの企てを象徴化した表現である。この点において，事業計画は，新しい状況での感覚を学び，企業家精神にあふれていると思われることで得られる文化資本のいくつかを自分のものにしようとすることをマネジャーたちに促すのである。例えば，ある部局のマネジャーは，次のように述べた。つまり，「我々は，企業家精神を持ちたいし，もし我々が民間部門におけるプレイヤーでありたいなら，我々は事業計画を持とうとするだろう。我々は，スモールビジネスのように我々の施設を運営しようとしただろう。つまり，我々は，スモールビジネスの事業立案者の方法を取

り入れて,その教育プロセスを経てきたというわけである」と。マネジャーたちは,次第に,「ビジネス用語(the language of business)」を使うことで,より広い環境における正当性を獲得するために事業計画プロセスを利用し始めた。事業計画は,組織が変化しているということを下位のマネジャーたちや従業員たちに知らせるためにも用いられた。

3番目に,計画プロセスは,新しい公式的な言語を学ぶことに関する教育と,マイヤーとローワン(Meyer and Rowan, 1991)が議論するように,同型化の最も重要な側面である組織の言語の進化に関係した。ある施設のマネジャーは,以下のように言及した。「このようなビジネスをする者に信頼される事業計画を持つことは,我々にとって大変重要なことである。それは,最近,我々にとって良いPRツールになっている。またそれによって我々は,あなたのママがどれほどあなたにいつも話しかけてきたかあなたが知っているように,人々が理解しているだろうある共通の言語でもってその人達と話せるようになるのである。ビジネスにおいて人々と共通の言語を持つことは,賢明である。また,それは我々の一部の者に,彼らの使う専門的な俗語から抜け出し,他の誰かのそれを身につけることの肝要さも教えた。」それによって,「目標」や「目的」のような日常的な言葉の意味は,不安定になった。そして,新しい言語とその分類のすべて(目標,目的,評価など)を覚えることの難しさが何回か表面化した。ある施設のマネジャーが嘆いていたように,「そうだね,あなたが気づいたように,すべてのチャートとすべての段階を含んだ計画に関するひとまとまりのフィールドが存在する。私は試してはみたが,それらを覚えていられないし,それらを分類することさえ出来ない。自分は,元々は分類する仕事をしていたのだけれども。それが我々がなすべきことである。我々は,分類法に興味があり,私はこれらの厄介なことを十把一絡げにすることは出来ないのである」。それは,ほとんどの職員に縁もゆかりもない言語であった。すなわち,「〔計画〕から,目標,戦略,行為・・・ごめん,目標,目的,戦略,そして行為が生じる。そして,そこに,我々は評価尺度を加えるのである」(部局のマネジャー)。いくつかの省庁では,彼らが目的として記述したものが実際には目標であったことや成果として定義されたものが本当はプロセスやアウトプットであったことを語るためだけに,議会に対しそれらの完璧な事

業計画を示していたのである。

　ブルデューの全体的な主張の重要な部分の1つは，事業計画の内容（例えば，Porter, 1980）とプロセス（例えば，Pettigrew, 1985; Hart and Barbury, 1994）の間の二重性は，社会生活の生産と再生産を理解するのにあまり助けにならないということである。我々の研究において，マネジャーは戦略形成のプロセスにおいて戦略を学習し，生産していた。その戦略の内容は，プロセスから得られる結果であるというだけでなく，それは，継続するプロセスを伝えるものであった。教育は，組織行為者がいかに参加と抵抗を通じて変革に関する意味を形成し，変革を構成するかを我々が理解するのに役立つ。重要な教育の行使は，1つのフィールドの中で資本と立場をシフトさせる。これらのシフトは，1フィールドのメンバーが彼らの既存の活動とアイデンティティの調査を促す調査ポイントをつくる。そのようなポイントにおいて，人々は，彼ら自身を名付け，分類するのである（Bourdieu, 1991）。これは，ある人々を彼ら自身を改造するようにと導くが，一方で，他の人々は，寄与をやめるかもしれないし，完全に撤退するかも知れない。ある人，とりわけ学芸員の経歴を持った人々は，彼らがもはやゲームのルールを受け入れられないとなったときに，居心地の悪さを感じ，あまり関与しないようになっていった。一方，別の人たちは，新しいフィールドを受け入れるだけでなく，それに形を与えるのに一役買った。これらのプロセスは，意識的でもあり，前意識的でもある。それらは，参加者たちがあるフィールドに適応するか否かということを彼ら自身の言語や位置において認識する際に生じる（Bourdieu, 1977）。

　事業計画は，象徴的暴力の1行為であった。事業計画は，名付けや分類，そして規則化のプロセスを通じ，フィールドの中で制作者たちによって定義されたある意味のセットを，外的な市場に関連して定義された別のセットに置き換えた。そうすることによって，この変革は，フィールドの相対的な自律性と文化的で象徴的な資本を脅かした。具体的には，それは，フィールドにおける人々が彼ら自身の仕事人生にわたって持っているコントロール能力を低下させた。技術的転写（technical transcription）という単なる行為としての事業計画の外見は，このプロセスが持つ力を隠した。特に，それは，文化資本の経済資本へのシフトや既存のアイデンティティの減退から注意を逸らしたのである。

表1 制限的な文化的生産フィールドと大規模な文化的生産フィールドの比較

	制限された生産のフィールド	大規模生産のフィールド
資本とフィールドの間の志向		
支配的資本	文化的	経済的
フィールドの志向	資本の定義やポジションの配置は，フィールド内のルールに基づいてなされる。	資本の定義とポジションの配置は，フィールドの外のルールに，より依存している。
マネジメントの機能	文化資本の維持存続に焦点が向けられる。歴史と文化の必要性に関する専門家の解釈に基づいた設備と展示の計画を通じて遂行される。	経済資本への文化資本の転換の容易さやスピードに焦点が向けられる。事業計画と業績評価を通じて遂行される。
組織アイデンティティ	文化資本を維持／生成する能力のある文化的／歴史的施設。	経済資本を生み出す能力のあるスモールビジネス。
製品	芸術品の収集，維持，研究，解釈，そして展示。	儲けのための製品。
フィールドの中でのポジション		
専門家アイデンティティ	芸術品の説明責任を持つ学芸員，調査員，解釈者，教育者，歴史家，そして専門家。	損益に対して説明責任を持つアントレプレナー。
志向	内的：専門的標準に基づく。適切な消費者を定義ならびに教育可能。	外的：お金を出してくれそうな消費者を探し，惹き付けることに依存。
評価基準	審美的，歴史的そして再現描写の忠実さ。	来館者数と入場料；娯楽。

第5節　大規模な生産のフィールド

　2番目の実証に関する節では，事業計画の導入がいかに「制限された文化的生産」のフィールドから「大規模な文化的生産」のそれに博物館を転換させるかを探求する。制限された生産に関する伝統的なフィールドの下では，文化資本が支配的であった。一方，大規模な生産に関する新しいフィールドにおいては，経済資本が支配する。オークスらは，この転換の様々な含意を資本の支配

的形態に対してのみならず，マネジメントや製品，そして専門家のアイデンティティの機能のような課題に対しても体系的に探求する。簡単な引用と説明に役立つ実例とを用いることで，著者たちは，すべての次元において事業計画がラディカルな転換をいかに達成したのかを示す。そのコントラストは，著者たち自身の表1にうまくまとめられている。

第6節　文化的生産の資本とフィールド：戦略的行為とコントロールの役割

3番目の実質的な実証に関する節では，人間主体（human agency）という感覚を導入する。またそこで，著者たちは，人間という行為主体が制度理論からの従来の説明には欠けていることを指摘する。博物館の館長たちは，ときどき彼ら自身の目的や価値を実現するために事業計画における潜在的な力を積極的に搾取する存在になる者として描かれている。ある館長は，新しいお客様を惹き付けるために自分たちの新しい商業的事業に関する能力を見つけて喜んでいた。一方，他の人々は，彼らが伝統的に価値があるとするものに関する核となる要素を保護するための隠れ蓑として事業計画を利用するのである。

第7節　ディスカッションと結論

ここでオークスとタウンリーとクーパーは，彼らの議論の核となる要素をまとめている。とりわけ，彼らは以下のように記している。すなわち，「ブルデューの言葉において，計画のプロセスは，資本の配分をそのフィールドの中でのポジションに根本的に取って替えたという点において，そしてそれ故，〔博物館〕というフィールドの中で価値ある立場を変化させたという点において教育的であった。その部局からは，これまで根付いてきたフィールド特有の文化資本が失われてしまった。そして，部局のメンバーは，経済資本の観点に基づく外的な影響に対して，どんどん脆弱な存在となっていく」（284頁）。

著者たちは，次に，ブルデューの概念がいかに制度理論を豊かなものにするかを明確に示している。ここで，彼らは，制度フィールドの多元的な概念と資本の政治的概念という概念の変更を主張する。彼らは，続いてさらに，将来の研究に対するそれらの潜在能力を考慮することで，ブルデューの概念の操作可能性の容易さを省察する。彼らは，自分たちのいくつかの批判を認めるが，これらの概念を用いた研究の他の例についても提案してしる。最後に，著者たちは，アルバータ州の州立博物館部門における事業計画に関するこのミクロなケースを，彼らの研究のより広い意義に基づいて，公的部門の商業化に関するグローバルなプロセスに結びつける。

編者によるコメント [1]

本研究について賞賛すべき点は多々存在する。それは，もちろん，戦略に実践論を応用した最初の論文であり，ブルデューを用いた最初の論文でもあるということである。特に，ここで特筆すべきは，本論文が，従来の制度理論に関するブルデューの独特の貢献を明らかにするその明確さである。従来の制度理論では，ブルデューのパースペクティブは過度に単純化されてしまっていたのである。次に，本論文は，明らかに多元的であり，フィールド変化のマクロレベルを行為者の経験や活動というミクロレベルと結びつけている。州政府における計画の詳細と大まかで広いトレンドは，同じ物語のそれぞれ部分である。3番目に，本研究には，かなり批判的な要素があり，組織的パワーのシフトに関与するという事業計画のこれまで無視されてきた側面を暴露している。この批判的要素は，著者たち自身に拡張された。彼らは，彼らの説明に断固として再帰的であり，そして省庁におけるフィードバックセミナーを通じて，自分たちの研究テーマに関する批判にオープンであるということを彼ら自身示すのである。最後に，本研究の実証データは領域が広く，そして明示的である。特定

---

1 2005年の10月に開催されたSAPワークショップ(於：ノッティンガム・トレント大学)においてサティリオス・パロウティス (Satirious Paroutis) 氏をはじめとする参加者の皆さんに有益なご助言を頂いたことをここに感謝申し上げたい。

の事象に関する引用と説明の双方が存在し，表は資料を構造化し，まとめるのに効果的に用いられている。

　次に，本研究についてすでにたくさんのポイントが指摘されたが，我々はここで2つの次元に焦点を合わせたい。その2つの次元とは，将来の研究者たちが同様のプロジェクトにおいてさらに探究しようとするかもしれない次元である。まず，最初の次元は，事業計画の実際の実践的活動である。本論文は，幾分一般的で回顧的な性質を持つインタビューの引用にかなり依存している。そのため著者たちは，博物館のマネジメントで伝統的アプローチを超えるために特定の計画エピソードにおいて新しい技術と言語がいかにうまく展開されたかを詳細に調査する機会を得ていない。また，「実行中の教育としての事業計画」と銘打たれた節があるが，実際には，あまり行為が存在しない（人々は，仕事，計算，プレゼン，会議，議論などをおおむねうまくやっている）。事業計画が持つ一般的な効果を知ることの傍ら，我々は，事業計画が実践において実際にどんな違いを生むのかを理解するために，特定のエピソードにおいて人々が実際に何をしているのかをより一層考える必要がある。ここで，理想のデータは，特定のエピソードあるいは一連のエピソードに関する直接的で，リアルタイムの観察から示されるだろう。もし，観察が実行不可能であれば，次に，インタビューにしっかり焦点が合わせられるべきである。そのインタビューは，出来事のすぐあとになされ，数人の参加者が関与し，記録文書や他の類いのデータによってなるべく補足されたものであるべきである。単独のインタビューの引用は，詳細な活動を把握するのにあまりに一般的になってしまう傾向にある。

　将来の研究者たちがこの種の研究においてさらに発展することを望んでいるかもしれない2番目の次元は，より体系立った比較分析である。本研究の重要な貢献は，事業計画に関する一般的な教育効果を確立したことである。しかしながら，著者たちがいくつかの博物館の館長たちが他の人より新しい技術に関してより熱狂的で，積極的であったということを提案する一方で，彼らは，様々なマネジャーや博物館の反応に影響を与えたものを体系立って探求する次の段階に進んでいない。とりわけ積極的あるいはとりわけ反抗的のいずれかである組織単位とマネジャーの比較は，効果的に事業計画を実行するために要求

される状況や活動を引き出すのに役立つだろう。従って，アルバータ州のより大きな単一ケースの中に，結果の多様性を探求するためのよりよいレンズを得る潜在的な可能性があるのである。同じフィールドの中で異なる結果に達する単位の比較は，重要な差別化要素を明らかにするのに有益である。実践としての戦略（SAP）の研究者たちは，より説明的な影響力を得られれば得られるほど，ますます，彼らはこのような体系的な比較の機会を得ることになるだろう。

第9章

生きられた経験としての戦略化[1]と戦略の方向性を決定しようとする戦略担当者たちの日常の取組み

（著者）　ダルビエ・サムラ゠フレデリクス（Dalvir Samra-Fredericks）
（出典）　*Journal of Management Studies*, 40, 1 (2003): 141-74.

要旨

　本稿は，民族誌およびエスノメソドロジー/会話分析の手法を総合し，戦略担当者たちが戦略策定に取り組む様子を解明する，斬新で学際的なアプローチ方法を描き出そうとするものである。民族誌が時間軸/空間軸に沿って生じる様々なルーティンを綿密に観察するのに対し，エスノメソドロジー/会話分析は人々の社会的あるいは政治的な活動—この多くは言葉を通じて行われている—の実践を取り上げ，その暗黙の「方法」を捉えようとする。本稿が戦略担当者たちの会話を中心とした相互作用のルーティンを観察，記録し，社会科学で芽吹いたばかりの新たな視点を導入することによってめざすところは，戦略担当者が戦略化に向けて実践する言葉の技術や様々な形式の知識を微細に亘っ

---

[1] 「strategizing」は実践としての戦略論の鍵概念のひとつであり，日本語としてなじみがたいが，従来の「戦略立案」という捉え方との相違を明確にするため，「戦略化」という訳語を当てた。ここでの論点は，戦略の前提となる＜問題＞が＜客観的に発見されるもの＞ではなく，＜社会的に構築されるもの＞と捉えられる点にある。言い換えると，戦略とは，問題への対策ではなく，問題からの帰結である，と考えられていることとなる。本稿は，戦略担当者たちの相互作用の中から，どのようにして＜問題＞が構築され，そこから＜戦略＞が生じてくるかを課題とした論文と見ることが出来る。一方で，このことを裏返すと，＜戦略＞というディスコースが創出されることにより＜現実＞が構築され，＜我々＞というアイデンティティを持った＜組織＞が再構築される過程を扱った論文と見ることもできる。

て明らかにする分析経路を描き出すことにある。ここで言う言葉の技術や様々な形式の知識には，組織の未来像を共有するために自分たちの組織が守るべき道徳について議論し，様々な感情表現を行うといったことも含まれている。こうした本稿で主張するアプローチ方法を実際に行ってみせ，その射程を示してみせる手法が，エスノメソドロジーの長所を取り入れた民族誌なのである。ここでは，6人の戦略担当者の中で戦略化の過程でもっとも影響力があったと判断される担当者が取り上げられ，この人物が用いた相互関係の修辞法が戦略立案の基盤としてどのような効果を持つかについて特に光を当て検討する。

編者による概要紹介

　本稿は，本書に収録したどの論文よりも戦略を行うということのもっともミクロなレベルに入り込んでいる。初出は2003年のミクロ戦略論および戦略化についてのジャーナル・オブ・マネジメント・スタディズ特別号である。本書に採用したのは，実践としての戦略論にとって，実証研究として明確な貢献であり，また方法論として極めて斬新なアプローチ方法を提示しているからに他ならない（会話分析については第3章を参照されたい）。
　本稿の要点は，戦略担当者たちがどのようにして同僚との相互作用を通じて戦略の方向性を形づくっていくかを明らかにする点にある。本稿の理論的な立場は，意味は相互作用を通じて構築されるとするエスノメソドロジーの伝統に根差したものであり，言い換えると，様々な相互作用を微細に亘って分析すれば意味構築のプロセスを明らかにできると考えるものである。この論文は，社会的実践論の傘の内に含まれると考えられ，第2章で明らかにした実践としての戦略論にとって新たな理論的貢献と言えよう。
　本書での掲載にあたっては，こうした分析が持つ豊穣さを示してみせるという観点を第1に要約している。著者のサムラ=フレデリクスがミクロの実践からマクロな帰結に繋げてみせる方法は極めて興味深く（この論点は第1章で提起した），着目すべきものである。また，著者は第3章で提起した方法論上の問題についても議論している。

第9章 生きられた経験としての戦略化と戦略の方向性を決定しようとする戦略担当者たちの日常の取組み　227

論文の概要

　この論文は，イントロダクションの部分から読者の眼をこの研究の背景に向けさせている。

イントロダクション

　　…政策を持ち，戦略を持つことができれば，他に重要なことは何もない…
　　［こういったすぐ後で，同じ戦略担当者は次のように言った…］
　　…しかし，政策［戦略］を持たない危険は大だ。船が方向舵を失うようなものだ。一体全体どこへ押し流されてしまうものやら分かりやしない…

　上に引用したのは，6人の戦略担当者たちの間で交された会話の一部である。ここには，戦略の意義が簡潔に要領よく述べられている。この語り手は，戦略について主流となっているオーソドックスな信念をメタファーを用いて上手く発言している。すなわち，戦略とは，「これから行き着くべき」ところを明らかにするものであり，船の方向舵のように目的地に正しく向かうように組織を動かしていくものだというのである。ところで，バリーとエルメス (Barry and Elmes, 1997, p.430) は，形式的な表現を用いて，「戦略は，組織の中で語られる様々なストーリーの中で最も特徴的で，影響力が大きく，そして，コストのかかるものである」と述べている。2人は，戦略担当者たちが意味を構築し「方向性のディスコース」を創出するために言葉をどのように用いているかを研究する必要があるとも言っている (Smircich, 1983 も併せて参照されたい)。本稿が果たす大きな貢献は，会話を中心とした相互作用の「リアルタイム」な進行にあわせて戦略化がどのように達成されていくかについて，斬新なアプローチ方法を描き出す点にある。この新たな方法とは，相互作用の時間軸/空間軸における展開を観察，記録し，エスノメソドロジー (Garfinkel, 1967) や会話分析 (Sacks, 1992; Sacks et al., 1974) という知的インフラストラクチャーを参照することによって，体系的で微細にわたる分析を行い，戦略

の方向性を組み立てる戦略担当者たちの言葉の技術や知識の形式を明らかにするものである。さらに，戦略化の過程を，インタビューを通じて「報告」された経験として捉えるのではなく，生きられた経験と捉えることによって，人間の相互作用という様々な感情や道徳上の諸問題が常に現在する複雑な領域をも綿密な分析の対象としている。

　サムラ＝フレデリクスは，以上のように起筆すると，続いて，自らの研究を実践としての戦略論の新たな流れの中に位置づけ，戦略担当者たちの会話を詳しく見てことが特に重要であると指摘する。というのは，戦略が交渉されるのは会話を通じてであり，戦略化に関する知識が明示され，埋め込まれるのは会話においてであるからだとする。

　次に，サムラ＝フレデリクスは，この論文で扱った企業について触れ，冒頭に引用した語り手（これ以降，本論文中では，SAと表示されている）が戦略の方向性に大きく影響を与えたことを説明する。その上で，著者は自らの研究の2つの目的について語る。ひとつは戦略化の過程を研究する斬新な方法を描き出すことであり，今ひとつはその方法に基づきSAが6人の戦略担当者たちの相互作用を通じてどのように影響力を行使したかを細かに明らかにすることである。中でも，SAがどのようにして「この組織の持つ2つの根本的な弱みを巧妙に提起し，構築し」たかに焦点を当てる点に特徴があると指摘される（144）。

　弱みとされたのは，ひとつはIT能力の不足であり，今ひとつは戦略的思考の欠如である。このことから，ITへの投資拡大と戦略担当者の一部の解雇（中でも着目すべきは，本論文中に引用される筆耕では戦略担当者B，本文ではSBと示される部長級担当者の解雇）という決定につながっている。様々な可能性が考えられる中で，SAがこうした決定へ向けて関係者たちの関心を方向づけ，道筋を付けたのが日常の相互間の会話を通じてなのである。本稿では，彼がこのことをどのように実行したかに簡潔に触れながら，会話に関する次の6つの観点について考える。すなわち，様々な形式の知識に言及できること，穏和な言葉を用い相互作用の規範（道徳規範）を遵守すること，巧妙な質問を投げかけ答えを求めること，適切な感情表現，メタファーの利用，そし

て，歴史を「機能させること」の6点である。言うまでもなく，これらのことをいつ行えばよいか（すなわち，「適切な実行の時機」）が理解できるという点も，ここで議論される暗黙知という知のひとつの形式である。

上のパラグラフでサムラ＝フレデリクスが導入する6つの観点が，この論文の焦点となる。論文中には4つの相互作用事例が取り上げられ，その例証に用いられている。しかし，著者は，これらの観点が本稿の戦略担当者たちの行動を理解するのに間違いなく有効であったにせよ，本事例の観察のみに基づいて簡単に規範的な結論を引き出すことは控えている。サムラ＝フレデリクスは，自らの持つ大きな目的について控えめながらも以下のように述べている。

日々の活動からいかに戦略化が行われるかに関する知識を深めていくためには，いろいろな人々（研究者のみならず，戦略を立案する人たちや実行する人たちを含めて）と会話を行うことが究極的な課題となる。本稿で開始された会話もその一端であり，ここでも，戦略（あるいは，マネジメント）能力に関する単純な処方箋があると考えるような主張は成立せず，全くの幻想に過ぎないことが示されている。メタファーを用いると互いにとっての状況を明らかにすることができるということは，メタファーが人と人の関係を近づける梃子となるということだ。人と人の関係は，本稿が示すように，複雑で壊れやすく，そしてダイナミックなものであって，実は，このことは実践者たちには余りにもよく知られたことなのである。

第1節　戦略担当者たちの相互作用における会話への着目

イントロダクションに続いて，サムラ＝フレデリクスは，自らのアプローチ方法を広く様々な言語学的アプローチの文献と関係づける。まず，エスノメソドロジーと会話分析の基本的な原理を紹介した後，自らの方法について詳しく述べている。彼女は，相互作用における会話を重視することとは，インタビューに基づいて行う類推とは全く異なったものであり，「生きられた戦略化」

を捉えることに他ならないと指摘し，こうした方法には綿密な記録が不可欠であるとしている。例えば，会話分析では会話途中のためらいや重複も重要な意味を持つとされ，これらの細やかな点を詳しく見ていかなければならないと主張する。

この点は，明らかに現実的な接近可能性という問題を提起する（第3章参照）。サムラ＝フレデリクスもこの困難さに触れているが，「時間をかけた交渉」の結果，いくつかの企業から参与観察の許可のみならず，公式な会議や非公式の会話を電子機器によって録音する許可を得たとしている（読者としては，この時間をかけた交渉の内容について知りたいところであるが）。

サムラ＝フレデリクスは，さらに，もうひとつの方法論的なチャレンジについて触れている。すなわち，豊かな民族誌的データを学術論文という制限の中でどのように報告するかという課題である。彼女がとった方法は，最初に研究の主題となる文脈における民族誌的記述を提示し，次いで会話分析の技術を用いて4つの相互作用事例を詳しく分析するというものであった。以下にこのステップを追って見て行く。

第2節　民族誌的記述：実際に生じていることは何か？

この節では，著者が1年以上の期間をかけて（1回あたり半日程度の訪問から2, 3日に亘るものまで多様な形ではあるが）観察を行った企業について，製造業であること，フランス企業の子会社であること，今新しい生産施設の建設に取り掛かっていることが説明される。同社は，この機会に5カ年の経営戦略の策定にあたっているところである。戦略担当者SA（社長ではない）は，この戦略の策定に特に強い影響力を持つとみられていた。すでに示唆したように，本稿の焦点は，同社の2つの弱みであるIT能力の不足と戦略的思考の欠如について巧妙に他の戦略担当者たちを説得していくSAの才能にあてられている。SBは，これをきっかけに，同社を去ることとなるのである。

サムラ＝フレデリクスは，この節では，SAおよびSBのそれぞれが持つ知識や経験という資源に目を向け，それらの要因から本研究で見られた結果が説

明されるかどうかを検討する。彼女によれば，それぞれが違った強みを持っており，特にア・プリオリに結果を予想することは出来ないとされる。彼女は，両者の差が明瞭になるのは，こうした資産自体に理由があるのはなく，資産を適切に表現する能力および相互作用の中で適切な時機に適切な言語技術を使いこなす能力にあると結論づける。

そして，本稿の重要な一節に至る。ここで，彼女は，会話で用いられるある修辞法を特定の帰結に結び付けて捉えることができる根拠について述べる。この点は第1章の図1-1で提起した諸問題を思い起こさせるものであり，第2章で触れたミクロとマクロの関連の視点についての議論を彷彿とさせるものである。

△組織活動の状況（マクロ）を日々の会話（ミクロ）の帰結として捉えること

戦略担当者たちの会話と2つの弱みという帰結を関連づけて説明することは，極めてチャレンジングな課題である。それは，何よりも，時間軸/空間軸に沿って展開される人間の活動が豊饒性に富み，ダイナミックで複雑なものであるからに他ならない。会話分析の伝統に我々の関心を向けさせたのはボーデン（Boden, 1994）だが，彼はそのための2つの鍵となるコンセプトを提供してくれている。ひとつは「様々な小さな一歩（minor moves）」であり，いまひとつは「積み重ね（laminate）」という概念である。最新のオックスフォード辞書簡約版（Shorter Oxford Dictionary, 1993, p.1524）によると，laminate とは，金属等の材料を幾層にも重ねていき，各層を互いに「結合」する生産工程をいうと定義されている。この工程は，より強靭でかつ柔軟さを持った新材料を作り出すために，「層の上に層を重ねる」「様々な層の上にさらに連続して層を重ねる」ことを特徴とした工程である。この「積み重ね」という考え方は，プロセス，時間，相互作用，帰結といった重要な諸概念を内包している。プロセスおよび時間という概念が戦略的マネジメントの経験的研究にとって鍵となる論点であることは，すでに認識されて久しい（Pettigrew, 1985, 1992b）。しかし，概して言えば，誰もが興味を持つのは＜結果＞なのである。何故なら，民族誌的記述に記録されるような「出来事」が生じ，その後「斯く斯くしかじかのこ

ととなった」と簡潔に要約できるのは＜結果＞だからである。一方で，相互作用は，実際の相互作用を通じて持続的なものが形成されるにも拘わらず，通常の研究業務としては，無視されている。この実際の相互作用をステージの中央に置かずして＜「いかにして」結果に至ったのか＞の問いに答を出すことができるのだろうか。この光の下では，本稿で取り扱った相互作用の事例は，様々な信念，意見，価値観，考え方，感情，ものの見方，意味等を形づくり，「生み出していく」連続の中の積み重ねられた層のひとつ，あるいは，「小さな1歩」と概念化することができる。それぞれの小さな1歩が積み重ねられて，もっともらしいと感じられる，すなわち，組織として合意された，例えば，「組織の弱さ」といった捉え方に至り，その解決に向けた（様々な点での）「決定」が行われるという＜帰結＞に到達するのである。

　会話とその帰結の間に実際に「生きられた」関係を求めようとする努力が理論的にもまた分析的にも「取り上げられない」のは，以上のような事由によるものと言えよう。従って，民族誌的な視点が極めて重要な意味を持つこととなる。すなわち，本稿で取り上げる4つの事例は，日々の生活における「生きられた」関連を例証するものと位置づけられるのである。これらの事例は，次の2つの基準に基づいて選定されている。第1の基準は，これらの事例がほんのわずかな時間に生じたものであるにもかかわらず，重要なターニング・ポイント，すなわち，上に述べた2つの弱みに向けた「小さな1歩」となっていることである（人々の相互作用におけるエネルギーが高揚する一瞬，あるいは，後になって生じた事態から振り返って確認できる一瞬の双方を含む）。これらの事例は，戦略的な投資や変革の進捗状況，追加的対応の要否について議論するために1日かけて行われる「会議」や日常的に行われる打ち合わせなどで交わされる会話の1コマなのである。第2の基準は，6つの観点に関連して，SAが同僚の戦略担当者たちをどのように説得し，効果的に同社の戦略の方向性を形づくったかを簡明に描き出しているかどうかという点である。

第3節　生きられた経験：戦略担当者たちの実際の業務／会話，どのように事態は進行したか

　この節では，筆者は，4つの相互作用の事例を引きながら，鍵となる発見事項を提示している。彼女の方法を説明するために，そのうちの2つ，事例1および事例3に焦点を当ててみよう。事例1の紹介に続く一節では，相互関係のあり方に関して事例1で戦略担当者Aが用いている言葉に見られる6つの修辞法上の観点を取上げている（太文字の傍点で強調し表示した）。ここでの発見事項は，後段で他の3事例と併せて言及され，議論を深めている。

●事例1[2]
```
1    SA  ＝もう一度，単純製造業務担当者から
2        発言させて［いただいて
3    MD            ［ああ，いいとも
4    SA  よろしいでしょうか。で，（.）
5        難しいお話しはちょっと横へ置いておきまして，
6        製造業務に絞りたいと思います..えーと（.）
7        何故，もうひとり（.）
8        分析担当者が必要なのでしょうか。
9        理由は2つあると思います。
10       ひとつは，さきほどSBさんから指摘のあった
11       我々の政策に関係することです。（.）
12       我々の政策では，マネジャーやユーザー側部局が
13       専門性を持ち，システム開発にあたることに
14       なっています。これはマネジャーやユーザー側自らが
```

2　事例紹介中の各記号の意味は，以下の通り。［：割り込み，（.）：わずかな空白時間，［　］：人名，財務上の数字，商品名，または，筆耕者の聴取不全等，＝：寸暇をおかぬ連続，傍点：強調，アンダーライン：上昇のイントネーション

15　　　何が必要かを明らかにすべきだと考えているからで，
16　　　何を要求するかを自ら明示的に述べることが
17　　　できるようにしておくためだと思います＝
18　SB　＝うーむ，そうだね。
19　SA　そうすると，なんでまた，もうひとりの分析担当者が
20　　　必要なんでしょうか（.）
21　　　今の我々のボトルネックは明らかです。
22　　　それは，ここしばらく［書類の束に視線を落としながら］
23　　　ずっと問題になっていたことだと思うんです，
24　　　要するに，我々のスキルが足りない，
25　　　ということなんです。
26　　　ボトルネックは，プログラミング能力です（.）
27　　　もうひとり分析担当者を置いても，
28　　　結局，今のボトルネックで業務量を
29　　　増やすだけになると思います＝
30　MD　＝うーむ＝
31　SA　＝元の木阿弥ということです＝
32　MD　＝確かに，そうかもしれない
33　SB　しかし，だ，
34　MD　今の点は，［正しい
35　SA　　　　　　［さて，SBさんのおっしゃるように，
36　　　2人の分析担当者を配置したとしましょう＝
37　MD　＝正しい見方だと思うね＝

（ここでは，SAは戦略担当者Aを示す。MDは，以前は正式に各種の会議/打ち合わせを取り仕切る立場であった者で，戦略担当者のひとりというラベル付けからは区別しておく）

　IT分析担当者やプログラマーの実際の業務に照らすと，一見したところ，この会話で議論されていることは余りにもささいなことと思われる。しかしながら，戦略担当者Aがこの機会を通じて他の関係者たちの注意を彼が重要と

第 9 章 生きられた経験としての戦略化と戦略の方向性を決定しようとする戦略担当者たちの日常の取組み　235

考える問題（2つの弱み）に向けさせている点が重要なのである。この事例から先に述べた6つの観点につながるいくつかの要素（以下に太文字傍点で表示する）を引き出すことができる。彼はまず自らを「単純製造業務担当」と呼ぶことによって，一瞬にして，それまでの戦略担当者 C（SC）の専門性の高い技術的な独白に置き換わってみせている。SAの発言は，プログラマーではなく分析担当者を雇用するという方向性がはっきりと打ち出されたことは論理的な思考の欠如であるとして，フラストレーションと怒りを表現するものでありながら，全体を通じては，論理的であり，かつ合理的である。彼の理性的な態度は，この会話の冒頭で穏和な表現（「～させていただいてよろしいでしょうか？」）を用いていることに示されている。会話の進行に合わせ，自らへりくだった表現（「単純製造業務担当者」）を用い，直前の話題について質問を投げかけ（7・8行目），さらりと過去を呼び起こす。このわずかな言葉のやりとりをきっかけに，彼のスイッチは主張的なスタイルに入り，フラストレーションと懸念をはっきりと示し，とうとう怒りを顕わにする（19行目）。感情を顕わにすることが許されるのは，第1に，これまでの議論で想定されていたとおりにはならないと判断する合理的な理由が存在するからであり，分析担当者の配置がボトルネックの解消に貢献しないと信念をもって明確に主張しているからである。この点は，分析担当者やプログラマーの職務内容について戦略担当者Bが持つ定型化された知識に対し異議を申し立てるものとなっている。

分析担当者自体が「ボトルネックにおける業務量を増やす」（メタファーによる表現）原因であり，過去の一定期間に亘って明らかに種々の非効率な要素を作り出してきた（22～26行目，ここでも過去に言及されている）とされる状況について述べるにあたって，道徳上の責任もまた提起される。道徳上の責任という問題も，ここで観察されることから言えば，何が正しいか（例えば，「製造業務担当者からの言葉」），何が間違っているか（「難しいお話し」），あるいは，何が良いマネジメントか（問題解決），悪いマネジメントか（非効率性の黙認）といったように，日常的に交わされる些細な取りとめのない会話として議論されるのである。特に，後者の2つは，議論しあうことなしに簡単に済ますという訳にはいかない。というのは，この2点は，「知恵」の1形式であり，マネジメントの実践に形を与える経済的な感受性が日々の会話で表現され

たものだからだ。言い換えると、この2点は、フーコー主義者が「効率性のディスコース」と呼ぶものが日常生活に深く根を下ろした事例として捉えることができる。「効率性のディスコース」は、戦略／マネジメントの実践に広く浸透しており、主観性の構成はその「効果」の1例である（Knight and Morgan, 1991）。日々の生活で、様々のディスコースは、「社会的世界を筋道の通ったものとして構成する諸方法」（Alvesson and Karreman, 2000a, p.1125）として、言葉として喚起され、他者とともに意味を作り出す努力の中で個人が（本稿で仄見えるように）「機能させる」のである。

以上の議論に続いて、サムラ゠フレデリクスは、4つの相互作用の事例に基づいて発展させた6つの観点について詳しく述べていく。ここでは、事例1および次に触れる事例3のみに焦点を当てる。また、6つの観点の内のひとつ、「質問の投げかけ方（法廷での場合）」についてのみ詳しく紹介し、他は簡潔にとどめる。以下で、(...) は、オリジナルのテキストを簡略化していることを示す。

第4節 「〜について (of) の知識」と「どのようにして行うかについて (how to) の知識」

この節では、サムラ゠フレデリクスは、6人の戦略担当者が相互作用を行うにあたって用いる知識の2つの形式について説明する。「どのようにして行うか (how to)」についての知識とは、例えば、会話が進行する中で適切な振る舞い方（発言の順番どりを心得る等）を暗黙知として身につけているかどうかを示すものであり、「〜について (of)」の知識とは、内容に深く関係し、カテゴリーに基づいたものである。サムラ゠フレデリクスは、事例1における戦略担当者 A の後者の形式の知識の使い方に注意を向けている。

事例1および後者の形式の知識に関連して、「類型化された」組織的「カテゴリー」(Berger and Luckmann, 1967; Boden, 1994, p.134; Garfinkel, 1967 を参照されたい) というルーティン化された簡潔な知識の表現方法がある。これ

は，「生産する」，「政策」，「マネジャー」，「ユーザー側部局」や「ボトルネック」などといった語彙により，あるいは，それらを組み合わせて表現される知識である。戦略担当者 A は，それらの組み合わせの中に毎日の生活のノウハウや専門性を挿入して「文脈を構築」し，そこから次なる新たな可能性を展開しているのである。エスノメソドロジーの表現法に従えば，これらの類型化されたカテゴリー（および本稿で取り上げた事例全般で見られる他のカテゴリーを含む）が，ここに参加する戦略担当者たちがセンスメークを行い，論理を構築し，究極のところ，組織を「行う」ための修辞法を身につけることを可能とするのである（Bittner, 1973; Garfinkel, 1967）。特に重要な点は，ガーフィンケルが関心を寄せたシュッツ主義者の原理（1932/1972）によると，知識は，「類型化された形式」として「所有している」とみなされるものであっても，決して完全ではなく，相互作用の進行とともに明確化され，新たに展開されるという点なのである（Samra-Fredericks, 1996, p.262）。

事例1の展開をみると，IT 分析担当者やプログラマーの業務の現状は，こうした人たちについての類型化された知識が語られ，また，類型化された知識に問題を提起することを通じて徐々に明らかにされている。戦略担当者 A は，この過程を通じて，前者が後者よりも「大きな」価値を持つとされていた「現実」を明らかにする。この評価は，引用中に示唆されているように，組織の有効性や効率性に対する彼らの一見したところの貢献に基づくものにすぎない。言い換えると，この過程で，SA は，「分析担当者」が「ボトルネック」での業務量を増加させるという彼の信念に根拠を与えてみせたことになる。同時に，彼は，SB が戦略的な役割を果たしていないという可能性を浮かび上がらせる。というのは，SB が「非効率性」を放置したまま「分析担当者」の追加雇用を支持するとされたからであるから・・(...)。

第5節　基本的要件としての穏和な表現と道徳秩序への「言及」

　この節では，サムラ゠フレデリクスは，観察された会話からさらに2つの重要な点に着目する。ひとつは，戦略担当者たちが互いの主張を批判あるいは反

対する場合でも対立があからさまになるのを避け，相互の面目を保つように「穏和な表現」を用いて発言する点についてである。サムラ＝フレデリクスによれば，戦略担当者たちが対立する見解を社会的規範に違反することなく声に出せるのは，この点によるものであるとされている。

今ひとつは，それぞれの戦略担当者たち，中でも SA が用いている，会話を通じて道徳秩序（「正しい」あるいは「誤っている」）に訴えるという方法についてである。サムラ＝フレデリクスは，事例 1 に言及し，「SA が語っているのは，生産者の言葉で話すことが『正しく』，公表された政策から外れボトルネックを修正しないことが『誤っている』という自らの信念なのである（これは，組織の効果性や効率性に大きな影響があると含意するものに他ならない）」と述べている（156）。道徳秩序を構築する SA のスキルは（時に SB を犠牲にするものであるが），他の引用箇所でも示されている。例えば，事例 2 においては（ここで再録することは出来ないが），SA がコストよりも「戦略的思考」を優先すべきだとの考え方を共有しようとしている状況が描かれており，この点でもまた，SB の立場を不利なものとするのは道徳秩序上の問題とされている。サムラ＝フレデリクスによれば，こうした「小さな 1 歩」の積み重ねが大きな効果を持ち，徐々にではあれ，後戻りできない形で戦略的思考の弱さを問題化し，この弱点の責任を SB に結びつけていくのである。

さて，サムラ＝フレデリクスが続いて検討する課題は，SA がこうした様々な弱みを問題として構築していく過程で用いる相互関係に関する修辞のスキルである。この点については，以下に本稿からすべてを再録しておく。サムラ＝フレデリクスが 2 つの経験的な事例のミクロ分析を前述のエスノメソドロジーおよび会話分析から導き出したことに関係づけて巧みに自らの議論を組み立てていく方法の説得力ある例証となる。

△法廷での実践に際しての質問の仕方

質問を投げかけ問いただしていく才能（例えば，事例 1 の 5 行目）は，語り手を相互作用の流れの中に位置づけるだけではなく，流れの方向性を変え，他者の行為の可能性に影響を与え制限することも可能だ。SA が終始一貫して行っていることはこのことであり，これは，明らかに，「質問を投げかけずに

やり過ごすべき時，もっともらしく説明すべき時，質問を提起すべき時」(Turner, 1988) を心得るとともに，それぞれを行うべき時に行う方法を承知し，実際に行うことが出来るという「エスノメソッド」(Garfinkel, 1967) を身につけているということと関連している。繰り返しになるが，SA は，質問を投げかけることを通じて，他者の注意の方向を形作り，これを基礎に議論の進行に影響を与えたのである。会話分析および語用法研究では，経験的事例から基本的な言語的資源を活用した相互間の強力なコントロールモードについて明らかにしている (Harris, 1995; Boden, 1994; Dillon, 1990; Molotch and Boden, 1985)。こうした研究の教えるところによれば，それぞれの置かれた制度的な背景の下で質問を行うことによって，判事や教師あるいは医師といった人々がそれぞれのカテゴリーの成員としての役割／アイデンティティを構築するのであり，また，空間的な背景（法廷，教室，および医師にとっては手術室）自体も同様に社会的に構築されるのである。従って，会話は，制度の代表者がその相手から一旦社会構造の最も基本的な構成を取り去り，その後で再帰的に制度を再構築する場となっているのである。我々は，こうした研究を通じて，成員に「制限を与えると同時に，可能性を与える」という社会構造の特性を経験的に明らかにすることができる (Giddens, 1976, 1984)。

しかしながら，こうした研究の多くは，法廷や教室あるいは手術室を舞台としたものに限られている。というのは，これらの場所では，質問をする権利および答える義務が合理的にかつ明確に確立されているからである（もっとも，それぞれの場の構成員がそれぞれの規範を尊重する限りにおいてであるが）。しかしながら，戦略担当者たちの会話と法廷での質問の仕方の類似性は，時には驚くばかりである。両方の場ともに，「合理性」の構築は，他者が反論できないように仕向けることと一体となって可能となるのである。本稿で取り上げている事例で実際に起こったことは極めて興味深い。というのは，そのプロセスに従った人々は，後になって「いったい何があったというのだろうか」，「どうしてこんなことになってしまったのだろうか」との悩みの中に放置されているように見えるからだ。「振り返り観察」を行い，「いかにして」それらが生じたかを探索すると，SA は，法廷における相互作用ほど文脈的な規範が細かく定められていない場面においても，極めて巧みに質問という手法を用いて，

会話の相手から社会的現実を作り上げる手段を奪ってしまっていることが明らかになる。事例3は，その簡潔な例である。この例で単純な質疑応答形式（言葉の相互作用における組み合わせ形式の1つ，Samra-Fredericks, 1998を参照されたい）を通じて，法廷という文脈（Dillon, 1990）と同様，問い質していくことが「鎖のように繋がって」一定の論理の展開をたどり，ある立場に繋がっていく（Boden, 1994）ことが見て取れよう。会話は，情報がある特定の意味に収束していく場なのである。今一度述べておくと，会話の中で何らかの修辞法を梃子として用い，ここで描かれるように相互関係を操作しながら，同時に政治的優劣を作り出すのである。

●事例3

1 　　　　　［割り込み］
2 MD 　　　［しかし，政策はそうではないでしょう＝
3 SA ＝私が申し上げたいことは＝
4 SB ＝しかし，政策でないということは，
5 　　　言うまでもないことです＝
6 SA ＝でも，私が提起したい点は，
7 　　　そもそも政策とは［何か，ということです。
8 MD 　　　　　　　　　　［ちょっと，待って，
9 　　　　　　　　　　　　［背後で戦略担当者Cの名が呼ばれる］
10 　　　私にも少し聞かせてくれ＝
11 SA ＝私は皆さんにそのことを尋ねたいんです。
12 　　　［再び戦略担当者Cを呼ぶ声］
13 　　　我々の政策とは何か，なんです。
14 　　　分かってもらえます？
15 SB 　ええ，分かりました。
16 SA 　あなたは，以前，私に(.)
17 　　　会社の政策というのは，メインフレームを使うことだと
18 　　　いってくれたことがありましたよね。
19 SB 　ええ，ありました＝

第 9 章 生きられた経験としての戦略化と戦略の方向性を決定しようとする戦略担当者たちの日常の取組み 241

```
20  SA  ＝そして，例外的に内部的な必要があれば，
21      パソコンも使える，と
22  SB  ええ，そうでした。
23  SA  そのことを政策と受け容れたと仮定してみましょう（.）
24      私は，それでも，会社の政策に従って
25      仕事をしていることにならないと
26      申し上げているのです。
27  SC  ［彼の言うとおりだ
28  SB  ［割り込む
```

　16〜18 行目および 20・21 行目において，以前の会話で提起された問題が SA によって再び問い質されている（過去を想起させ「機能させる」に当たる）。彼は，直前に述べたのと同じ質問を繰り返す（ここでは，すでに 6・7 行目および 13 行目で 2 回繰り返している）ことから始める。その後の質問は，ちょうど法廷での会話，例えば，検察官が自らの説明を被告に認めさせようとする会話とよく似ており，答え方の可能性を制限するものとなっている。彼らは，答えが最も短くなるような方法で質問をし，問い質し，自らの意見を述べるのである（Dillon, 1990）。ここでは SB が単に「ええ」（15 行目，19 行目，22 行目）とのみ答えさせられている点に，会話を通じたコントロールの方法を見てとることができる。すなわち，SB は基本的な応答の手法の可能性－例えば，対応する質問を提起したり，論点を深める質問をすること－を奪われてしまっているのである。法廷における会話との相違は，言うまでもなく，SB がそうした応答を行うことは全く不可能という訳ではない点にある。彼が何故そうできなかったのかについては，SA が明確な形で過去の会話に言及しており，SB は，SA が誤解をしているとか，伝え方を誤っているとか，あるいは，嘘をついていると示唆することなしに，反論することが困難だからなのである。さらに，SA の主張のスタイル（質問を提起し，問い質していくという形式）は，SB の側から会話の形でカウンター・アクションを行っていくには，非常に大きなエネルギーを必要としたのである。

　こうした相互作用は，「勝利」する会話形式，および，それとは対照的な

「敗退」する会話形式という両極端が存在することを教えてくれる。SBが発言権を行使できなくなった主たる理由は，SAが豊かな言語技術（質問能力）を様々な形式の知識（例えば，政策といった既存の構築物についても，「何が正しく，何を行うべきか」を問い直す力）と結びつけ，「過去」をいつ，どのように，取上げ，質問としてどう鎖状に繋げていくかを身に付けた実践の力によって展開したからに他ならない。さらに，SAは，SB（連想によって，第三者のSC，さらには，「皆さん」をも対象としている）に対する否定的な評価あるいは位置づけを確立するため，人称代名詞を用いて政治的および社会的関係の最初の色分けを行っている。例えば，「私は」，「私は〜であった」，「私が言いたいことは・・・」，「私たちは」といった言葉が用いられており，このことは，組織上の役割を引き受ける人々が「我々」という言葉を用いて積極的に責任感をもって日々の様々な業務をこなす状況に通じ，注目すべき点となる（Drew and Sorjonen, 1997; さらに詳しくは，Samra-Fredericks, 2000b）。これらを通じて，修辞的に示された可能性が現実化されるのである。これらの言葉は，「皆さん」（11行目），「あなた」（16行目）といった組織の異端者と考えられる人々と対立させて用いられているのであって，会話の中で相互関係が再構築されるのである。「あなたは，以前に，私に・・（中略）・・といってくれたことがありましたよね」（16〜18行目）という言葉は，SBの責任を提起するものであり，巧みに「私は・・（中略）・・と申し上げているのです」（24〜26行目）という言葉と対比されている。個人と個人の間の境界線は，将来の行為の可能性に影響を与えるものでもあり，こうした基本的な会話の中の言葉や象徴によって「ひかれる」のである。2行目，4行目，6行目で「しかし，でも」といった抑制のディスコースを示す言葉が続いて用いられ，「話者が得点をあげている」（Schiffrin, 1987）ことが示唆されている。この瞬間に消え去ったかもしれないこと（あるいは，消え去ったこと）の重要性について，おそらく一定の理解は存在したものと思われる。

　この事例3で確立された単純な「事実」とは，政策が実行されなかったということである。また，このわずかな瞬間に個人間の関係についてSBという存在が問題の一部であるということも確立された訳であるから，もう1人の戦略担当者の能力の方が政治的にもまた道徳的にも価値があるとして評価されたと

第9章　生きられた経験としての戦略化と戦略の方向性を決定しようとする戦略担当者たちの日常の取組み　243

いうことになる。それにもかかわらず，SA は，ここでの文脈では（以前に行われた会話を取り上げているという点では他の文脈においても）理性的という態度を保持している。質問を続けることにより，また，「そもそも政策とは何か？」という問題提起を繰り返すことによって，SA の発言は「メモや報告書以上にはるかに『読むに価する』もの」との評価を獲得したことは間違いなく，これによって「話し合う相手として大きな『価値』があるとされ・・・この『価値』は，会話の流れの中の一瞬に凝縮されている」（Boden, 1994, p113）と認められたのである。他の様々の「小さな1歩」を通じて，以上で生じたことの認知が行われ，さらに深められ，そうしたひとつひとつの会話の一片を通じて，SA は，戦略化の過程に影響を与え，最終的にその方向性を形作ったのである。こうした分析が複雑さの中から明らかにするのは，マンガムとパイ（Mangham and Pye, 1991）が主張するように，業績の高さは成員の相互関係のあり方と関連するということである。業績を個人のものとして捉え，その貢献度を測定するために，あるいは，説明するために様々なスキルを挙げて「チェックリスト化」することは，効果をあげるのに本当に重要な要素は何か，を見落としているのである。事例4では，さらにこの立場を強化し，SA が常に用いている他の2つの論点について説明している。

　サムラ゠フレデリクスが提起する残りの2つの論点も，上で見たのと同様に詳細な分析によるものであるが，ここでは簡単に見ておくにとどめる。

第6節　感情の表現とメタファーの使用

　この項では，サムラ゠フレデリクスは，戦略担当者たちが自らの主張を強力に展開するために感情やメタファーをどのように用いているかについて掘り下げている。彼女は，SA が他の同僚たちより多く怒りや絶望といった感情を表現することに着目する。重要な点は，これらの感情表現が，SA がこれまで合理性という視点から会社にとって重要であるとして作り上げてきた戦略化の過程と体系的に結びつけられていることである。SA は同僚たちよりもメタ

ファーを巧みに利用している（例えば，イントロダクションの引用を参照のこと）。

第7節　歴史を「機能」させる

　最後に，サムラ゠フレデリクスは，戦略担当者たちが会話の中でどのようにしてある特定の過去を選び出し，現在の目的を進展させる材料として用いるかについて語っている。SAは，中でも，他の戦略担当者たちより積極的にかつ効果的に「歴史を機能」させているとみられる。彼は，本稿で提示される引用において，過去の出来事や会話に言及し，実行されなかった決定や，また，提起されながらもその後検討されることがなかった様々な課題に注意を向けさせている。SAは，過去についての様々な解釈の可能性の中から特定のものを選び出し，一貫したストーリーに仕上げているのである。サムラ゠フレデリクスは，「SAによって『有意味』で『一貫性を持つ』とされたものは，他の担当者にとっても『実際に起こったこと』であり重要な影響を持つものと捉えられたのである。言い換えると，SAによって，特定の社会的，政治的現実が作り出されたのである」(166)と述べている。

　サムラ゠フレデリクスは，自らが行った広範囲にわたる相互関係の修辞法の分析に基づいて，この企業で今何が起こりつつあるかについて得られた理解を次のように要約し，この部分の論述を終えている。この過程の理解を深めるためには，事例1が紹介されている原論文の冒頭部分を参照されたい。

　こうして，「小さな1歩」に次の「1歩」が重ねられ，2つの弱みを囲む様々な「事実」がSAによって作りだされ，決定が行われた。「弾丸のように食い込むこと」が出来ず，また戦略的に考えることが出来ない人々は排除され（雇用が打ち切られ），IT能力を高めるための財政的資源および人的資源が貼り付けられることとなった。

　こうした行為なくしては，「成長目標」という彼らの戦略は「単なるストーリー」のままにとどまってしまうと感じとられていた。しかしながら，逆説的

なことに，SA が個人的な捉え方および信念をこの企業が持つ弱みとして作り上げ，新たな決定に導くことができたのは，熟練した＜ストーリー＞を通じてなのである。彼は，また，戦略的思考法，すなわち，本気になって実行する能力とは何かを明らかにしてみせた。すなわち，職能上の役割を超えて仕事を行うこと，長期的な視点で思考を行う能力を持つこと，タフな実行力，「仕事の固定化」を起こさないこと，非効率性を正すこと，政策を確実に遂行すること等である。IT に投資をし，核となる能力（コア・コンピーテンス）を開発するという戦略的な決定は，これに先立って構成された論理があれば，理解するのはたやすいことだ。戦略的思考法が組織にとって不可欠な能力であるとする点は，特に，グラント（Grant, 1995, p125）によって指摘されている。彼によると，上級マネジメントチームの「知識，スキル，推理，意思決定」能力は，不可欠な「見えざる資源」とされている。SA は，自らの見えざる資源をうまく組み合わせて，「いつ，どのようにして」表現し，用いるかを身につけて知っていることにより，翌年には，あるいは，さらにその翌年には「その組織がどのような姿と見えるか」に影響を与えたのである。

第 8 節　結　　　　び

著者は，結びではまず本稿の目的に戻る。次いで，方法論的な限界について検討し，インタビューに基づく研究に対し相対的に優位であることに触れている。また，戦略の実践について明らかにできる可能性にも言及し，最後に，生きられた経験としての戦略化という視点について研究者間で対話を続けることの必要性を訴え，本稿を終わっている。

編者のコメント

この革新的な論文は，戦略を行うことの真にミクロの視点を提供している。4つの会話の事例から2つを上で紹介したが，我々は＜戦略的な弱み＞がどの

ようにして日常の相互作用を通じて構成されるかを見てとることができた。著者は，企業戦略の策定にあたってマネジメント層が会話を通じて行う相互の説得に着目して，相互関係の修辞法について洞察に富んだ説明を提示している。

　本研究の調査は，様々な点で模範となるものである。著者によって得られたアクセスのクオリティは例外的ともいえるものであり，戦略を行うということの詳細をありのままに掴みたいと考える研究者たちにとって極めて勇気づけられるものである。会話分析というアプローチ方法は大変印象的だが，すべての人々にとってたやすく実行できるものとは言えない。しかし，サムラ゠フレデリクスは，言語研究およびエスノメソドロジーについての幅広い知識に基づき自信を持って実行してみせている。彼女は，それぞれの会話の細やかな分析を行い，わずかな会話から，いかに多くのことが明らかになるかを示して見せている。同時に，彼女はこの小さな相互作用を組織的な文脈において捉えるために細心の注意も払っている。著者が提出する分析は，この民族誌的な材料がなければ，不可能であった。様々の異なった事例から類似した観察を集め，それらを集約して強固な全体像を描き出しているのは，力強ささえ見せつける。他の研究者たちもこの種の細やかな作業にチャレンジすることを著者とともに期待しよう。

　にもかかわらず，このサムラ゠フレデリクスの論文において取り扱われている相互作用とは，1人のマネジャーがどのようにして他のマネジャーの信頼性を否定し，最終的には解雇に至るまで攻撃を繰り返し，成功したかを扱ったものであることには眼を向けておかねばならない。効果的な戦略化の例としてこの事例を用いることには，ある種の抵抗感を引き起こすものでもある。同僚をいかに打ち負かすかを学ぶことが，有能な戦略担当者にとって鍵となる技術として本当に身につけたいと思う技術であろうか？この事例とは違って，建設的で，統合的で，改革的な相互作用においてどのような相互関係の修辞法の戦略が行われているかを明らかにすれば，なお面白い。新たな戦略的方向性に関連して包摂的な方法で支援が行われ，熱い想いが喚起されるのであれば，違ったものが明らかになり，興味深いものとなろう。

　この論文は，4つの会話の事例に焦点を当てることにより，今ひとつの別の問題を提起している。すなわち，戦略担当者たちの活動についての研究がこれ

ほどまでにミクロに眼を向けたものとなると，戦略の方向性とは全く関係のないものとなり，戦略担当者にとっての重要なことや有効なものから離れてしまうのではないか，という問題である。本稿の著者は，ミクロとマクロの関連を体系的に捉えている。しかしながら，会議におけるすべてのくしゃみやしゃっくりが，戦略的な重要性を持っている訳はない。どれが観察し記録する価値があり，どれにはないか，を区別することは，明らかに，今チャレンジとなっている課題なのである。

　しかし，全体として見れば，この論文は，民族誌的/会話分析的視点が実践としての戦略論についての理解を深める可能性を示してみせるとともに，この努力に関わる研究者に対し，理論的あるいは方法論的な資源を追加してくれるものと評価できよう。

第 10 章

組織変革とミドルマネジャーのセンスメーキング

(著者) ジュリア・バロガン，ゲリー・ジョンソン（Julia Balogun and Gery Johnson）

(出典) Academy of Management Journal, 第 47 巻第 4 号（2004 年）：523-40 頁

要 旨

この経時的な質的研究は，階層的集権型組織から分権型組織に変革する過程での「センスメーキング」を検証したものである。我々は，ミドルマネジャーが共有されたセンスメーキングからクラスター化されたセンスメーキングを通して，共有されているが分化したセンスメーキングに移るというスキーマ形成の「移行」パターンを見出した。我々の発見事実は，異なる変革プロセスがスキーマ形成の異なるパターンをもたらすという根拠を提供する。さらに，シニアマネジャーがいない状態の中で変革を形成する際のミドルマネジャーの横断的な社会的相互作用の重要性と，スキーマ変容の社会的合意形成の特性を強調している。

編者による概要紹介

本論文はいくつかの理由により選定された。まず第 1 に，これは「戦略を行

第10章　組織変革とミドルマネジャーのセンスメーキング　249

うこと」の中でのミドルマネジャーの役割に関する大変興味深い探究である。本論文は，第1章で示した分析のレベルと行為者の多元性という点に対応するものであり，そしてまた，戦略の活動を長期間にわたって追跡し，ダイナミックな展望を得ている。第2に，本論文は，センスメーキングの概観を結集した例証であり，第2章で紹介した「実践としての戦略」研究のためのひとつの可能な理論的資源である。最後に，この研究は，第3章で言及したダイアリー調査法，フォーカス・グループを含む調査方法の革新的な組み合わせを用いている。

以下に，本論文のイントロダクションとして，研究の背景と目的について概説する。

変革におけるシニアマネジャーの役割についての研究が多いが，我々は本研究で変革が進行している中でのミドルマネジャーの役割を分析した。我々は，シニアマネジャーが計画した従来の統合階層組織から準自律型事業単位からなるモジュール型分権組織へのトップダウン型変革が推進される中でのミドルマネジャーの「センスメーキング」(Gephart, 1993, 1997; Weick, 1995) を研究した。シニアマネジャーは，この組織構造の業務運用の詳細設計を本社外にいるミドルマネジャーに任せた。このようにミドルマネジャーは変革の開発者であるとともに受け手でもあった。彼らは新しい組織構造を機能させなければならなかったが，経営レベルの変革計画や意思決定に関与することはほとんどなかった。

第1節　概念的背景

この作業の理論的根拠は，すでに述べたとおりである。著者は，変革に直面したミドルマネジャー間の「センスメーキング」(Weick, 1995) のプロセスを理解することに関心を持っている。彼らは，センスメーキングを「人々が間主観的世界 (intersubjective world) を作り維持する，対話・物語のプロセス」(524頁) として定義する。従って，センスメーキングは，受動のプロセ

スではなく社会的相互作用，コミュニケーションおよび相互の観察を含んでいるプロセスと見なされている。変革プロセスにおけるセンスメーキングを研究するために，著者は，組織メンバーによって開発された意味を要約する認知構造，すなわち「データ集約装置」と見なされる「スキーマ」概念を用い，世界の意味を理解しようとする。

そして，研究の焦点は，組織変革に対処するときに関係者が持つスキーマ（あるいは「解釈スキーマ」）がどのように変化するかという点に置かれる。バロガンとジョンソンは，このような状況に関連する様々な異なるモデルを提示しているスキーマ変容の先行研究を参照している。例えば，バータネク（Bartunek, 1984）は，新旧見解による弁証法的な対話によってスキーマが徐々に交換されるコンフリクトモデルを提案している。ラビアンカら（Labianca et al., 2000）は，スキーマが新しい刺激に直面して急に劇的に変わる変換モデルを記述している。ウェーバーとクロッカー（Weber and Crocker, 1983）は，スキーマが逐次的に適応する簿記モデルと「下位範疇が上位スキーマ内に展開される」サブタイプモデルを識別した（525頁）。

スキーマ変容についての文献調査をした後で，著者らは，より理論的用語に基づきリサーチ・クエスチョンを以下のように再定義している。

ここでの我々の関心は，統合階層組織からより分権化された形態への組織構造改革と，ミドルマネジャーがどのようにこのような変革を意味づけするかである。我々の紹介した前提は，このような変革はミドルマネジャーの既存の解釈スキーマに反駁を加え，認知障害（cognitive disorder, McKinley & Scherer, 2000）を導くということである。ミドルマネジャーは，業務目標によって他のミドルマネジャーと区別されることから生ずる部門間の緊張に起因する曖昧さや不安定を解決し，調整（Lawrence&Lorsch, 1967）するために，活発なセンスメーキング（Gephart, 1993, 1997; Weick, 1995）にかかわろうとする。そこでは，垂直・水平のコミュニケーションが重要である。しかし，階層的障壁があると，組織再編の意味を分かろうとするミドルマネジャーにとって，横のコミュニケーションがより重要な機構となる傾向がある。また，重要な解釈はこれらの横のプロセスによって生成される。これらの問題を扱うために，我々

は，スキーマ形成のプロセス，および変革前と変革中にミドルマネジャーによって使用されるスキーマを検討した。我々は，次の3つの関連する問いに答えようとした。スキーマ変容のパターンは何か。ミドルマネジャーのセンスメーキングはどのようにスキーマ形成プロセスを特徴づけるのか。スキーマ変容と組織再構築にはどのような関係があるか。

第2節 方法

　本研究プロジェクトで使用された方法は特に興味深く，従ってここではやや多くの引用を提供する。基本的には，本研究は，重要な組織的，戦略的変革を推進する単一組織の経時的事例研究の形態をとる。研究対象の組織は，英国で以前民営化された公益企業である。統合されていた企業体を3つの独立した部門に分離するという決定がとられた。3つの部門は，戦略的責任を持つコア部門，およびエンジニアリング部門とサービス部門の2つの支援部門である。エンジニアリング部門とサービス部門は，コア部門のサプライヤーとなり，内部取引を行っている。部門間の関係は，階層組織内の関係から契約上の関係へと変化し，コア部門はもし内部サプライヤーのサービス水準が不満だった場合にサービスを外部業者からの調達に切り替える権限を委譲されている。この変革の目的は，コスト削減，品質改良および「危険回避の文化」から「権限委譲された，顧客中心の組織」へのシフトであった（526頁）。

　研究プロジェクトのデータ収集は，1993年8月から1994年7月のおよそ1年にわたって行われた。プロジェクトは，3つの新しい部門の経営陣が選任された直後に始まった。研究の焦点は，部門の経営陣の階層で事業運営を担当するミドルマネジャー達にあった。彼らは以前の階層組織でのポジションを再任された人たちであった。研究協力のお礼として，第一著者は変革の進捗を部門長にフィードバックした（526頁）。

第 3 節　データ源

次の抜粋に述べられているように，この研究の特に革新的な面は 1 次情報収集手段としてのダイアリー調査法の使用である（3 章を参照）。

日記，個人文書（Denzin, 1989; Taylor&Bogdan, 1984）が，1 次情報収集手段だった。日記によるデータ収集には，様々な長所および短所がある（Balogun, Huff & Johnson, 2003）が，重要な長所として，それらが内部者による状況説明（Burgess, 1984）を提供するので，研究者がいなくても関係者の行動を追跡することができる点が挙げられる（Perlow, 1997, 1999）。3 つの部門の中で関心対象の職位の約 90 名の管理者群から選んだ 26 名のミドルマネジャーが日誌係を務めた。第一著者は，ほとんどの部とその関係を表すために新しい組織図から潜在的な日誌係を識別し，要請した。最初の説明で，日誌係は個人用の日記を受取った。当初は，彼らは隔週で報告していたが，変革の速度が遅くなり，月次での報告に変更した。日記は，各期間ごとに次の 5 つの質問の個別項目を含んでいた。何がうまくいっているか，またそれは何故か。何がうまくいっていないか，またそれは何故か。予見される問題は何か。重要な意味を持つ事象は何か。どんな噂や物語が広まっているか。日記は，詳細な業務記録というよりむしろ要求された業務日誌（Burgess, 1984）だった。我々がセンスメーキングに着目したことに基づき，彼らの変革の解釈の仕方，および変革とそのプロセスに対する解釈の理由と影響に関する洞察力を得るために，日誌係の思考過程を引き出せるように質問は設計された。各部門内では，変革マネジャーは変革を実現するのを支援するために部門長と一緒に働いた。そして，これらのマネジャーが，日誌係を務めた。

日記の記載事項で生じた質問をフォローアップするために，電話により日誌係と頻繁にコンタクトした。日記から得られた初期の解釈をフィードバックし，それらの正確性を確認するために，変革マネジャーおよび日誌係が参加する検討会議が 6～8 週ごとに部門単位で開催された。また，変革プロセスをと

おして継続した追跡調査を開始する直前の1993年4月の始めに，第一著者は，3つの部門の変革マネジャーと個別に（そして時々一緒に）面談した。そして，変革がどのように進展しているかに関する彼らの見方を意見交換した。また，これらの会議では，シニアマネジャーの変革の見通しを聞くことができた。会議とインタビューで現地へ定期的に訪問し，組織の特徴についての観察資料と背景的データを収集した。

日記データに加えて，著者は研究プロセスの最初と最後で日誌係と個人面接を行っている。最初のインタビューによって，研究者は日記の作業方法を説明するとともに，第一印象を得た。2回目のインタビューは日誌係が作業方法を熟考するうえで有効だった。加えて，2回目のインタビューの後の研究期間の最後の数ヶ月の間，戦略の実践に関するデータを得るためにダイアリー調査法の代わりにフォーカス・グループという別の革新的アプローチが用いられた。3つのフォーカス・グループが，コア部門と他の2つの部門で各々開催された。フォーカス・グループ，インタビューそして日記は，すべて同様に「何がうまく進んでいるか，それは何故か。何がうまく進んでいないか，それは何故か。」(527頁) という質問を重要視した。すべてのインタビューとフォーカス・グループのデータが，分析のために完全に記録された。変革に関する文書情報も背景目的を探るために収集された。

第4節　データ分析：スキーマ変容のパターン

データ解析により，変革の進行に伴うミドルマネジャーのスキーマ変容パターンを探索した。著者は研究結果全体に寄与した3ステップから構成される分析を記述している。

第1に，日誌係の説明を手繰り寄せることにより，3つの部門の変革プロセスとそれに対するマネジャーの解釈の詳細な物語が作成された。これは，組織変革自体および変革プロセスに関係する2つのタイプのスキーマの識別を可能にした。第2段階では，スキーマおよびそれらを構成するサブスキーマの詳細

記述を導出するためにNUD.ISTソフトウェアを使用し，データが十分に検討された。これらの記述を開発したソフトウェアの使用方法に関する著者の並外れて明瞭な説明は，複写する価値がある。

　その後，我々は，物語から識別された暫定的スキーマを形成するために，関係づけられた細かな創発された分類とパターン（Taylor & Bogdan, 1984）のデータを部門ごとに検討した。当初の我々のカテゴリーは，「生体内」の規則を作成するために日誌係の用語に基づき非常に詳細化されていた（Strauss & Corbin, 1990; Van Maanen, 1979）。このステージはグラウンデッドセオリーの中で行われている「オープン・コーディング」と同じであった（Strauss & Corbin, 1990: 61）。我々のコーディングが進むと，我々は関連するデータアイテムから広範なカテゴリーを作成することができた。認められた類似点および差異によって分離された埋込まれたサブスキーマを主題に関連した知識としてスキーマ定義した。すなわち，最初にサブスキーマを作成するために，主題に関連するカテゴリーをクラスターに分け，その後サブスキーマをより高いレベルのスキーマにグループ化していった。我々は，データを探索し，コード化するため，そしてデータを新たなテーマ（Gephart, 1997）やサブスキーマの中へ再編成することを可能にするために，テキスト分析プログラムであるNUD.IST（Wolfe, Gephart & Johnson, 1993）を使用した。コーディングが進むと，詳細なコーディングを関連するカテゴリーに，さらには創発的な下位スキーマに再編成し，これを組織変革または変革プロセスに関連した上位スキーマにグループ化するために，我々はNUD.ISTのツリー構造探索機能を使用した。我々は，特異なデータを排除するために，2人以上の日誌係が識別したサブスキーマだけを取り込んだ。特定の個人が出来事を見る特別の方法を持っているであろうことを認識しているが，我々は共有される主題を捜していた。

　最後に，著者は，物語に描き，次に示す期間ごとに異なった組織と変革プロセスのスキーマを関連づけた。初期段階（第0期），人々が新しいポジションに任命されたばかりの開始段階（第1期），変革が進行中の段階（第2期），そして変革が落ち着いた最終段階（第3期）。

第5節　結果

論文中の発見事実は，いくつかの形式で提示されている。第1に，各期間の3つの部門各々の組織と変革プロセスのスキーマ（またサブスキーマ）が，4つの表の形で示されている。それぞれの表は，スキーマの内容について記述し，それらがどのように経時的に進化したかを示している。ここでこれらの表のうちの2つを引用する。最初の表（表1）は，第0期にすべての組織メンバーによって共有されていたスキーマを示す。ここでは，この組織は共通の目的を持った階層組織と見なされる。まだ変革は始まっていないので，変革に関するスキーマ要素は示されない。第2の表は，エンジニアリング部門における3つの期間にわたるスキーマ形成を示したものである（表3）。

恐らく最も大きな変動と変革があった部門のスキーマが時間とともにどのように展開したかを示しているので，表3は特に興味深い。同じように論文の中にはコア部門と業務課の同様な表が掲げられているが，これらはそれほど複雑ではない。実際，エンジニアリング部門はコア部門のサプライヤーになっただけでなく，さらにそれ自体を3つの事業部（修繕，建設およびメンテナンス）に分割し，それぞれがコア部門と独立に契約するという関係になった。これらの事業部が他の事業部のリソースを必要とする場合，IBT（事業間取引システム）と呼ばれるシステムを通してその事業部と契約し，そのリソースを調達し

表1　変革以前の共有された組織スキーマ

スキーマとサブスキーマ	第0期
階層としての組織	
共通目的	常に灯りを付けたままにする
	善意と協働に基づき仕事をする
	平等の立場で同じ組織のために働く
管理	コストセンターとして運営する
	技術的卓越
	シニアマネジャーによる管理
	ミスに対する非難

なければならなかった。この理由により，企業間関係は，エンジニアリング部門のスキーマの鍵となる要素であり，これはコア部門とサービス部門のスキー

表3　エンジニアリング部門のスキーマ進化

スキーマとサブスキーマ	第1期 1993年8-9月	第2期 1993年10月-94年3月	第3期 1994年4月-7月
変革プロセス	これまでに経験したことのない変化，業務負担	業務負担 "いつものやり方"を止めるべき いつでも誰が何をするかが明確になるように契約が必要 言い訳としての"いつものやり方" 不十分なグループ業績レビュー／ブラックホール 部門間調整しない	業務負担 "いつものやり方"を止めるべき 言い訳としての"いつものやり方" 不十分なグループ業績レビュー／ブラックホール 部門間調整しない まず"いつものやり方" "いつものやり方"を止めさせる契約
部門・事業制としての組織／部門間関係	プロフィットセンターとして運営する 部門間の緊張 "彼らと私たち"という態度 領土を守る 我々は今や請負業者／もはや自分たちの資産はない コア部門はプリマドンナのように行動する コア部門のために仕事をする／"いつものやり方" 誰が何をするか	契約が状況を悪くする 部門間の緊張 "彼らと私たち"という態度 コア部門のために仕事をする／"いつものやり方" 誰が何をするか エンジニアリング部門でのプレッシャーの増大	誰が何をするかを決める 契約に基づき一緒に仕事する 我々は協働できる 部門間の緊張 "彼らと私たち"という態度 領土を守る コア部門のために仕事をする／"いつものやり方" 誰が何をするか エンジニアリング部門でのプレッシャーの増大
事業間関係	IBTは我々が本当のビジネスをすることができること意味している "彼らと私たち" 事業間の壁 業務負担／ピークの差 領土を守る（ツール，リングの共有，仕事の囲い込み等） 誰が何をするか／ ／誰が何を提供するか	IBTは我々が本当のビジネスをすることができること意味している 我々は協働する "彼らと私たち" 事業間の壁 業務負担／ピークの差 領土を守る（ツール，リングの共有，仕事の囲い込み等） 誰が何をするか／ ／誰が何を提供するか	IBTは我々が本当のビジネスをすることができること意味している 我々は協働している "彼らと私たち" 事業間の壁 業務負担／ピークの差 領土を守る（ツール，リングの共有，仕事の囲い込み等） 誰が何をするか／ ／誰が何を提供するか
管理	シニアマネジャーによる管理	シニアマネジャーによる管理 ミスに対する非難	シニアマネジャーによる管理 ミスに対する非難

第10章　組織変革とミドルマネジャーのセンスメーキング　257

マの中にはないものである。

　結果の節の残りでは，著者は，表1～4に示されるスキーマの進化をステージごとに考察している。各ステージについて，1次分析と2次分析の2つのタイプの分析が示されている。1次分析では，日誌係の観点から変革の物語を分析し，広範囲な引用を用いて，表に示したカテゴリーを立証する証拠を提供した。例えば，次の抜粋では，表1に示されている共有されたスキーマを明瞭に例証している。

第1期の1次分析：1993年8月～9月

共通の目的から部門間・事業間の緊張状態へ

　組織構造改革以前は，共通目的に関するスキーマが組織共有されており，ミドルマネジャーがどのように一緒に働いていたかという点を捕らえていた（表1参照）。彼らの仕事は，「常に灯りを付けたままにする」こと（人々の家へまでサービスを提供する），そして技術的な卓越さを重視していた。これを達成するためにコストセンターの中で，彼らは，善意と平等という前提に基づき一緒に協働した。

- 同じ勤務条件で一緒だったあの頃を，みんな懐かしく思い出すと思うよ。誰かに適用された条件は必ずみんなに適用された。しかし，いまはそうじゃない。（エンジニアリング部門，インタビュー）
- 長年，業務のコストに最終的に間接費が足されるのを我々は受け入れているんだ。それは本社やらグループのファイナンスやら，一切合財をまかなうための平均間接費で，合計すると非現実的な値になるんだ。（エンジニアリング部門，インタビュー）
- エンジニアはかつて王様だった。会計士が中へ入り始めて，エンジニアは今や仕事の最終製品だ・・・・。コストや利益ではなく技術的品質こそが重要事項だった。（エンジニアリング部門インタビュー）
- もしあなたがエンジニアの誰かにペンナイフの設計・製作を頼んだとすると，6か月の期間と15万ポンドの費用がかかってしまうだろう。でも，とても長持ちするんだ。（コア部門の事前準備会議）

第1期に関する1次分析では，変革プロセスが始まった後に，これらのスキーマがどのように変化したかを記述することに着手した。

　9月末日までに，職員はみな新しい組織中の新しい職位に任命された。階層組織から分権化への強いられた変革は，相互に関係しているが異なる優先度を持つ3つの部門に組織再編したため，労働形態を大きく変え，共通の目的に関するこれまでの前提に異議を唱えるものとなった。契約を将来導入することは，エンジニアリング部門およびサービス部門はコア部門からの委託のみで業務を行うという前提ではあるが，3つの部門すべてが利益責任を持つ独立事業体として運営する必要があるということを示唆していた。エンジニアリング部門とサービス部門の日誌係は，契約方式の導入をプロフィットセンター管理への変更と捉えた。

　・もしあなたがプロフィットセンターのマネジャーになったとすると，コストをすべて識別することができなければなりません。そして，これ（IBT）はそれをするための手段なんです。私にとって，これが実際にコストというものに着目した初めての経験でした。そして実際に皆もコストに注目するようになっています。（エンジニアリング部門，インタビュー）

　さらに，変革は，部門メンバー間で見られた協働の程度に影響を及ぼした。1次分析は，コア部門マネジャーがこれらの生じてきた部門間緊張をどのように理解したかを詳述し，そしてこれらの問題がエンジニアリング部門でどのように見られていたかを説明している（表3参照）。

　エンジニアリング部門のメンバー（表3，第1期を参照）は，さらに，コア部門の領土を守ろうとする「彼らと私たち」の姿勢や「誰が何をするか」といった問題についてコメントしていた。

　さらに，エンジニアリング部門のマネジャーたちは，自分たちを協働する仲間としてではなく受注業者として考え始めた。コア部門の人たちは「注文をくれる」プリマドンナ（主役）だった。古い業務を誰かに引き継がないと新旧両方の業務を遂行しなければならない。このような「いつものやり方」は，エンジニアリング部門がコア部門の仕事をし続けることを意味しており，嫌がられた。

第10章　組織変革とミドルマネジャーのセンスメーキング　259

- コア部門の職員は責任を引き受けるのはいやいやだけど，命令するのは速い。しかも，それは我々にそれを押し付けるという態度だ。本当は，私たちは，みんな一緒に働く必要があるんだ。（エンジニアリング部門，日記）
- エンジニアリング部門の職員は，これまでネットワークの中心者という誇りを持っていたが，今では単なる外注業者のように感じている。我々は，この誇りを失わないように注意しなければならない。（エンジニアリング部門，日記）
- 私は方針決定者だったが，もはやその権限を持っていない。事業課題はコア部門の管轄になっている。（エンジニアリング部門，日記）
- エンジニアリング部門の人は，コア部門をプリマドンナ（主役）のように感じている。コア部門はその役の中で，5，6ヶ月前には同僚だった我々エンジニアリング部門に対して命令したりする。コア部門は，それが決まりであり，そのとおり実行すべきものだと考えているようだった。そして，彼らは最初から規則やその他すべてを指図してくる。基本的に，彼らは最低限の時間しか与えず，我々を試し，潰そうとするだろう。（エンジニアリング部門，インタビュー）
- コア部門が職員を連れ去ったため，エンジニアリング部門の私たちが少ない職員で多忙だという点が問題だ。部門間の問題点があったとしても，「ああ，これは前からそうだけど，私たちの職務ではないよ。」というもっともらしい返事をもらうことだろう。（エンジニアリング部門，インタビュー）

　サービス部門のマネジャーは，同じ先入観を共有していることが示されている。しかしながら，エンジニアリング部門の特殊な状態は，それとは異なった懸念を発生させた（表3）。

　事業間の問題点は，現在3つの新設事業部に分割されたエンジニアリング部門内で生じた（表3，第1期）。この分割は，「常に灯りを付けたままにする」ために協同して働く結束された職場の中に溝を作った。各事業部の異なる悪人のせいであるという指摘があるものの，3つの事業部に顕著な違いがあった。

- 3つの事業部の作業負荷は均衡していないように見えた。建設事業は削減されたが，他方修繕事業は仕事に対して従業員が過剰に思われる。低い障害発生率は，スタッフが十分に稼動していないことを意味している。（エンジニアリング部門，日記）

市場環境への移行を示すように部門間での契約取引が導入され，それとともに各事業部をプロフィットセンターとして管理するための仕組みとしてIBTシステムがエンジニアリング部門へ導入された。一方では，日誌係にとって，誰が使うのか，どんなサービスか，そしてサービスにいくらかかるか，といった点を明確にでき「本当のビジネスを構築する」ことが可能になったので，IBTの導入は歓迎された。他方，領土領域を防衛するために事業部間の壁が作られた。「誰が何を行うか」という衝突が，特に修繕事業部とメンテナンス事業部の間で存在した。

- 修繕事業部，建設事業部そしてメンテナンス事業部のチームはみんな壁を作り，互いに反目しているようだ。（エンジニアリング部門，日記）
- 工場と設備は施錠されているか，鎖で封鎖されている。スタッフは互いに助けあおうとはせず，他の人の電話には出ようとしないという状況だ。（エンジニアリング部門，日記）
- 私の地域では，私は毎日勝ち目がない戦いをしている。私は，毎日，（実質的には）修繕事業部に負けているようだ。（エンジニアリング部門，日記）

この第1期では，変革プロセスに関するスキーマ要素はほとんどない（表3）。次に何が起こるのかについては相当不確実だった。

同様に，エンジニアリング事業部の日誌係は，この変革がこれまでに経験した他の変革とは異なっていることを認識した。インタビューである人は，「私は，それは我々がかつて行った仕事とは全く違うやり方だと思う。」と言った。

著者らが表1～4に要約したスキーマカテゴリーをわかりやすく提示する上で，どのように広範囲のデータを参照しているかを明らかにするために，第1期に関する1次分析から多くの箇所を引用した。ここで示された内容は，エン

ジニアリング部門のミドルマネジャーに関する表3のデータを例証するものである。しかし，本論文では，他の部門で示されているスキーマに関して，同様の例証が提示されている。

第1期に関する1次分析の後，著者らは，記述されたプロセスに関する概念的解釈を示すために2次分析に進む。図2は，異なる部門間のスキーマで重複しているパターンを示すとともに，全期間をとおしてのスキーマの進化を表したものであるが，第1期の2次分析は図全体の下側に表されている。（本文中で参照されている図1は，その要素が図2にも同様に示されているので，理解する上で不可欠でない）

第1期の2次分析：ミドルマネジャーのセンスメーキングとスキーマ変容

分権型組織形態へのビッグバンを課されたことにより，組織の共通目的という伝統的規範を中心に共有されていたミドルマネジャーのセンスメーキングは破壊された。図1は，調査期間中での公益企業のミドルマネジャーのスキーマ形成パターンの概要を示したものであるが，その変化を強調している（第0期と第1期の見出しを参照）。クラスター化されたセンスメーキングのパターンが，新しい部門の目標とアイデンティティの周辺に発展した。新たな契約関係の構造によって，第1期ではすべての3つの新部門において古い「階層としての組織」スキーマは「部門・事業部制としての組織」スキーマに置き換えられた。しかし，これらの部門のスキーマ内に表れてきたサブテーマについて，新しく編成されたミドルマネジャーグループごとに新組織とその影響に関する解釈は非常に異なっており，またほとんど共通点は見られなかった。それぞれのミドルマネジャーが，自部門を独立したプロフィットセンターにしようと努力したために，エンジニアリング部門中の3つ事業間の関係と同じように，部門間の緊張関係が強まった。図2は，公益企業の3つの新しい部門の解釈の重なり度合の変化をトレースしたものであるが，第1期では3つの部門のメンバーがほとんど共有した解釈を持っていなかったことを示している。

上記の段落と図により，著者らは第0期と第1期に各部門で観察されたスキーマ形成の変化を要約している。

業務環境は，組織の職員の行動を形成する組織編成（organizing arrangements），社会的要因，物理的環境，技術という4つの要素（Porras & Robertson, 1992）により構成されている。ここで観察された変革プロセスの中で，新しい組織編成と目標，契約関係，そしてより正確な原価と利益の配賦を可能にするために開発中の新会計システムを通して，組織構造の変革が推し進められた。さらに，構造変化によって，新たな責任と部門間（そしてエンジニアリング部門内の事業間）のワークフローの仕様に基づく方式によりある種の負担がもたらされた。加えて，ミドルマネジャーは，新たな部門，事業部あるいはチームという単位で同じオフィスでスタッフと席を並べるという物理的環境が強いられた。しかし，部門長は管理型から権限委譲への移行のような社会的要因の改革を支持したものの，会社の経営管理方式（図1の管理スキーマ）や相互作用プロセス（表1の共通目的スキーマ）といった業務面，さらには組織文化面を整備形成することは，公式的には何も行わなかった。1つの構成要素の変化が他の要素の変化を引き起こすため，組織編成，技術，および物理的環境に対する変革の負担によって，古いスキーマ，特に共通目的スキーマが変化していった。

　新たなスキーマが構築され，ミドルマネジャー間の社会的相互作用の水平的プロセスによって保持された。新たなモジュラー型組織構造で1つだったグループを3つの新しい組織体に分解したため，センスメーキングの断層線が作られた。そして，3つの組織体は，相互の交渉を通して各々の目標を整合させるための相互作用と調整の新たなパターンを確立しなければならなかった。新たな組織構造は，古いものを破壊し，新しいものに置換するという「脱同一化（脱アイデンティフィケーション）」（'deidentification'）の過程に導くことを強要した。1次分析は，日誌係の行われていたことに対する内省を通じて，組織内顧客・供給者部門への構造改革によって，平等，協力，奉仕（常に灯りを付けたままにする），そして「コストでなく技術的優秀さ」といった古いスキーマに異議が唱えられたことを明らかにした。脱同一化は，活発なセンスメーキングの前段階として，意味の喪失，曖昧さと不安定という状態に導いた。さらに，脱同一化は，共通目的スキーマによって表されていた共通目標への関心を妨げた。ミドルマネジャーにとって，過去の経験に頼って将来に進んでいくこ

第10章　組織変革とミドルマネジャーのセンスメーキング　263

図2　部門間での理解のオーバーラップ拡大

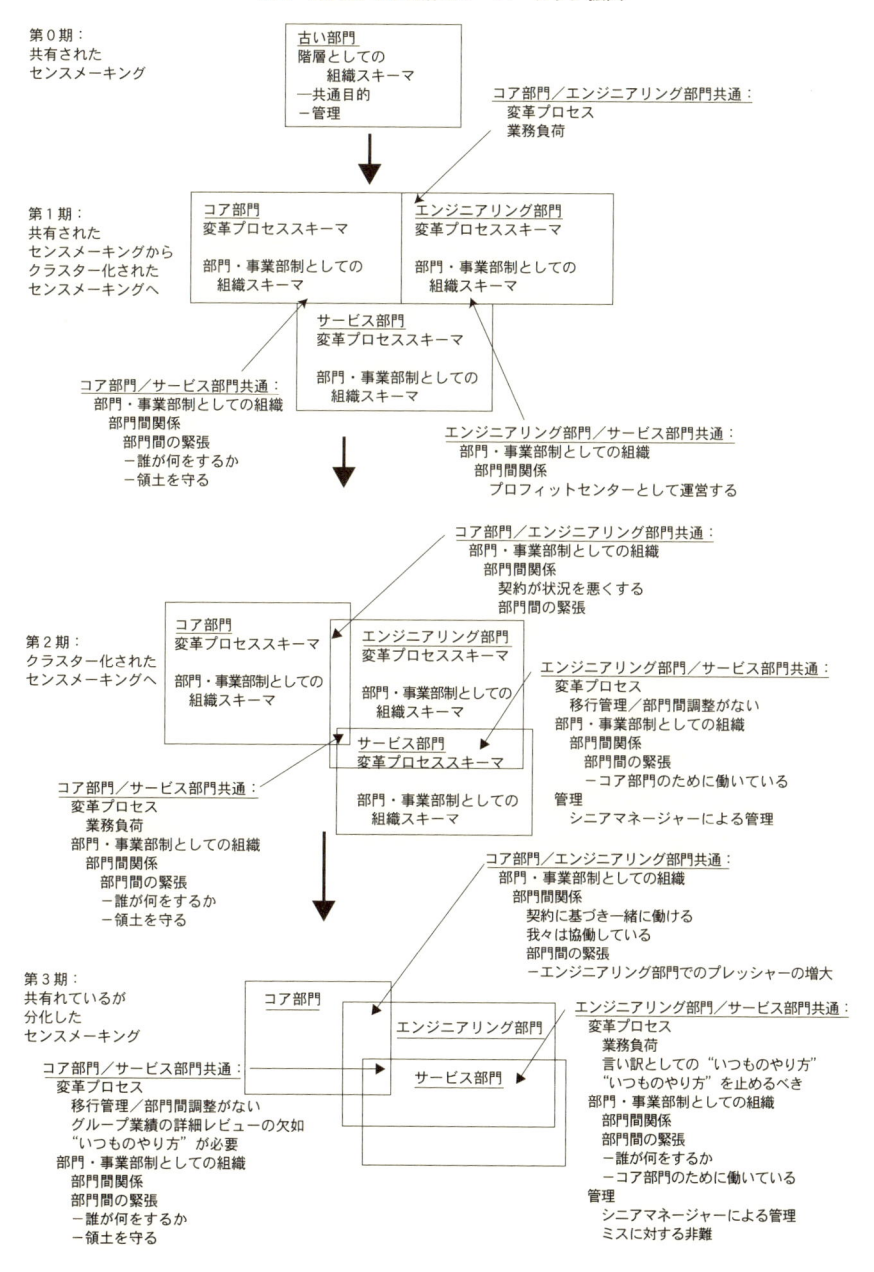

第0期:
共有された
センスメーキング

古い部門
階層としての
組織スキーマ
―共通目的
―管理

コア部門／エンジニアリング部門共通:
変革プロセス
業務負荷

第1期:
共有された
センスメーキングから
クラスター化された
センスメーキングへ

コア部門
変革プロセススキーマ
部門・事業部制としての
組織スキーマ

エンジニアリング部門
変革プロセススキーマ
部門・事業部制としての
組織スキーマ

サービス部門
変革プロセススキーマ
部門・事業部制としての
組織スキーマ

コア部門／サービス部門共通:
部門・事業部制としての組織
部門間関係
部門間の緊張
―誰が何をするか
―領土を守る

エンジニアリング部門／サービス部門共通:
部門・事業部制としての組織
部門間関係
プロフィットセンターとして運営する

コア部門／エンジニアリング部門共通:
部門・事業部制としての組織
部門間関係
契約が状況を悪くする
部門間の緊張

第2期:
クラスター化された
センスメーキングへ

コア部門
変革プロセススキーマ
部門・事業部制としての
組織スキーマ

エンジニアリング部門
変革プロセススキーマ
部門・事業部制としての
組織スキーマ

サービス部門
変革プロセススキーマ
部門・事業部制としての
組織スキーマ

エンジニアリング部門／サービス部門共通:
変革プロセス
移行管理／部門間調整がない
部門・事業部制としての組織
部門間関係
部門間の緊張
―コア部門のために働いている
管理
シニアマネージャーによる管理

コア部門／サービス部門共通:
変革プロセス
業務負荷
部門・事業部制としての組織
部門間関係
部門間の緊張
―誰が何をするか
―領土を守る

コア部門／エンジニアリング部門共通:
部門・事業部制としての組織
部門間関係
契約に基づき一緒に働ける
我々は協働している
部門間の緊張
―エンジニアリング部門でのプレッシャーの増大

第3期:
共有されているが
分化した
センスメーキング

コア部門

エンジニアリング部門

サービス部門

コア部門／サービス部門共通:
変革プロセス
移行管理／部門間調整がない
グループ業績の詳細レビューの欠如
"いつものやり方"が必要
部門・事業部制としての組織
部門間関係
部門間の緊張
―誰が何をするか
―領土を守る

エンジニアリング部門／サービス部門共通:
変革プロセス
業務負荷
言い訳としての"いつものやり方"
"いつものやり方"を止めるべき
部門・事業部制としての組織
部門間関係
部門間の緊張
―誰が何をするか
―コア部門のために働いている
管理
シニアマネージャーによる管理
ミスに対する非難

とはもはや可能ではなくなった。いまの経験を活かすことと，やってみることだけが可能な手段だった。プールらは，「状況を扱い組織の世界観を解釈する時，組織メンバーは制度化されたスキーマを受入れることによって，好ましい結果を得るための信頼できるやり方を習得する。」と論じている（Poole et al., 1989: 272頁）。新しい組織構造は，それまでの信頼されていたミドルマネジャーの仕事のやり方を時代遅れにしてしまった。1次分析は，ミドルマネジャーが，例えば他の人の行動の直接的経験や，シニアマネジャーの行為に関する噂話，そして新組織での経験に関する共有された物語によってどのように新たな解釈が開発されたかを示している。互恵的行動（reciprocal behavior）と象徴による強化（symbolic reinforcement）（Johnson, Smith & Codling, 2000）は，解釈の生成における重要な影響要因である。日誌係が遭遇した領土領域の防衛，プリマドンナ的行動，協働の欠落といった行動反応は，新しい組織がどのように機能するかに関するスキーマを開発するためのフィードバックとして提供された。協働は，第1期においては意味解釈のギャップと共有されるコミュニケーション行動の不足によって阻害された（Donnellon et al., 1986）。同様に，可視的な指標，シンボリックな指標が解釈に影響した。新しい組織構造は，各部門の契約関係をとおして資産の開発維持を行うというものであり，それ自体高度に象徴的であり，それは新たな立場が契約業者であるというエンジニアリング部門のメンバーが早期に解釈を生成することに寄与した。エンジニアリング部門とサービス部門から遠く離れたコア部門への集中度，エンジニアリング部門の各事業部でのオフィス大部屋化（collocation），労働形態，労働時間，潜在的な職務安全に関する認識された差異といった物理的指標が示された。

　第1期の2次分析に関するこの結論の節の中で，著者らは図で示したスキーマの移行プロセスに関してこのように理論化している。彼らは，組織構造改革によって生じた脱同一化に着目し，初期の時期の異なる部門，事業部のメンバーの振舞の相互観察と進行中の相互作用が，分離，協働の欠如，不確実性という雰囲気を強めたと論じている。

　第2期，第3期の分析は，第1期と同様のパターンで続けられる。著者は，

まず表1〜4に記述されているスキーマ変容を裏付ける1次分析を最初に示し，次に，2次分析によりこれらの変革に関して理論付けしている。スペースの制約のために，これらの分析を詳細に示すことはしない。しかしながら，分析と解釈の主要な構成要素は以下に要約される。

第2期の分析は，変革プロセス自体と共に増加するフラストレーションを本質的に明らかにしている。また，これらのフラストレーションは異なる部門のミドルマネジャーによって共有されていた（図2の中の重なりの箇所に記載）。部門間の緊張の核心は，契約プロセスが正式に実施されるまでの間，エンジニアリング部門とサービス部門が働き続けるという「いつものやり方」の実践にあった。これは，ある部門の作業負担が不公平に増加され，それが他部門との対立に繋がるという形で見られた。コア部門のマネジャーが部門間の連係を深めようと試みたにもかかわらず，部門間の緊張を解消するためのシニアマネジャーの関与が無いことに対する不満が増加した。この期間のセンスメーキングプロセスに関して理論を立てる際に，著者は，進行している交渉とコミュニケーションプロセスという2つの水平型のタイプに注目した。そして，部門間の水平のコミュニケーションおよび交渉は増加していた。これらはある共有された認識（変革プロセスの不適正な点に関するものも含む）をもたらしている。しかしながら，その中には垂直的交渉も含まれている。垂直的交渉において，ミドルマネジャーは階層型の職務遂行モードが主流だと考えているが，組織の中でより分権型の職務遂行モードを展開するために必要な現場の主導権を育成することを垂直的交渉は妨げるといわれている。

第3期までに，差異は残るものの，各部門のスキーマ中の重なる部分が増加していった（図2参照）。観察されたスキーマ変容を解釈し，筆者らは，ミドルマネジャーは「それぞれの部門／事業部の新しい目標を達成する」(543頁)ことを通して，「再同一化」の期間を経験したと示唆している。増加するスキーマの共通部分は，「契約に関連するミドルマネジャーの進行中の社会的相互作用の水平型プロセス」(543頁)の結果であり，「それは共有されるが分化されたセンスメーキングのパターンを導く」(543頁)ものである。筆者らは，部門間でスキーマの差異が残っている部分に言及し，高い共通化の水準が組織のコーディネーションを達成する上で常に必要かどうかを議論している。実

際，彼らは，契約に関連したコミュニケーションプロセスは，時には十分であったかもしれないと主張している。

第6節　ディスカッション

　論文のディスカッションの節では，最初にクラスター化されたスキーマへの部門分裂から始まる3期間（第1期〜第3期）を通して観察されたスキーマ変容，そして最終的に第3期で部門系列を横断して共有されるが分化したスキーマの成長を要約している。筆者らは，スキーマ成長の大部分は，観察された部門間のコミュニケーションのパターンの結果だったと論じている。彼らは，第2期でのコア部門の連携調整面での主導的役割と，第3期での契約プロセスの導入は，これらの新しいスキーマの生成に寄与したと指摘している。

　その後，バロガンとジョンソンは，これらの発見事実と先行研究のものと比較し対照させるために概念的背景の中で言及したスキーマ変容に関する文献，特に顕著なものとしてラビアンカら（Labianca et al., 2000）やバータネク（Bartunek, 1984）に戻る。彼らの観察は，スキーマ変容に関するそれらの発見事実のいくつかを確認するが，矛盾するものもある。バロガンとジョンソンは，結論として条件適合フレームワークは必要かもしれないと示唆し，また，なぜ異なるタイプのスキーマ変容が生じたかを説明するいくつかの文脈的要因を指摘した。

　ディスカッションの最も興味ある点の1つは，この特定事例において変革の意味を付与する際のミドルマネジャー間の水平的センスメーキングプロセスの重要性に焦点を合わせたことである。

　スキーマ変容のパターンの識別に加えて，我々は，さらに何がスキーマ形成プロセスを特徴付けるかを理解する必要がある。ミドルマネジャーの認知障害はどのように解決されるか，そしてマネジャーのセンスメーキングと機構改革が進展する過程との間にどのような関係があるのか。新しい組織でどのようにして業務が運用されるかについての明瞭で共有された見方がない状態だと，ミ

ドルマネジャーは明らかにさまざまな試みを行う。彼らは，垂直・水平の相互作用の社会プロセスを用いるが，垂直の組織的障壁ができると，予想通り，ミドルマネジャー間でのほとんどの相互作用が水平的に行われた。構築される関係の特質と新しい組織の運営の仕方は，このようにこれらのミドルマネジャーの相互作用プロセスによって決まってくる。顧客対応の遅延など部門間，事業部間の緊張によって生じた結果は，シニアマネジャーが意図したものではないであろう。ミドルマネジャーのセンスメーキングは，おもに上位の経営管理の外側で生じている。それは，ここでは，ミドルマネジャーが多くの場合シニアマネジャーから離れているからだろう。しかし，分権化で行われる組織階層縮減化によって，シニアマネジャーとミドルマネジャーの間の垂直階層が削減され，同時に管理連鎖（management chain）への相互作用の機会も縮小した。従って，変革の文脈によって生ずるミドルマネジャー間の横のプロセスは，ここまで垂直のプロセスより注目されていなかったが，極めて重要である。

　それは，スキーマ変容に重要な役割を果たす公式の横のプロセスだけでなく，多数の（大部分は非公式の）対話型の伝達媒体であり，物語や噂話，行動や活動，討論や交渉，個人の経験や改革介入に対する解釈の共有化等も含まれる。このような対話を通じて何が共有されるかに関する我々の発見事項は，変革の受け手のセンスメーキングプロセスに対するシニアマネジャーのシンボリックな影響力の重要性についての他の研究を裏付けるものである（Donnellon et al., 1986; Gioia &Chittipeddi, 1991; Gioia et al., 1994; Isabella, 1990; Morgan et al., 1983; Pettigrew, 1985; Pondy, 1978, 1983; Poole et al., 1989）。しかしながら，我々の調査結果は加えて，活動，行動，ジェスチャー，同輩の言葉づかい，そして共有された個人的経験や解釈が，変革の結果により直接的な影響を及ぼすことを示唆している。それゆえ，上層部によって設計された組織構造の青写真が実践の中で次第に機能するようになる。

第7節　実践と研究に対するインプリケーション

　上記のディスカッションは，彼らの成果のインプリケーションに対するレ

ビューに続く。最初に，著者らは，トップマネジメントの観点からスキーマ変容の異なるモードと利点を検討する。第2に，彼らは，実践としての戦略の観点では恐らく最も興味深い，戦略策定におけるミドルマネジャーの重要な役割に注目している。ミドルマネジャーは，通常変革を受ける立場と見られており，変革に関する規範的な提案は，一般に彼らの垂直的コミュニケーションを改善する方法に注目する。しかし，この見込は，公式な経営管理の外側で行われる対話や相互作用を通じてミドルマネジャーが変革の意味を付与する（そしてそれゆえ成功に影響を及ぼす）度合いを無視している。論文は，将来の研究方向として，センスメーキングとミドルマネジャーの役割に焦点を合わせることの重要性を強調し結ばれる。

編者によるコメント

「戦略を行うこと」ことに注目するという観点からすると，少なくとも2つの領域にこの論文の長所がある。

第1に，この論文は，ミドルマネジャーがどのようにして戦略の定義に関係するようになるかを相当に詳細に記述している。私たちは，この分析と実証データをとおし，戦略策定においてミドルマネジャーがいかに重要か，どのように戦略が創発されるか，そしてどのような結果につながるのかを理解した。実際，経営管理層の中のこの地位の人達によって，戦略の大部分が「行われる」ことは明白である。トップマネジメントがビジョンを持っているかもしれないがその一方，ここで示されたデータは，戦略を業務運用できるようにする仕方に関しては彼らが関与していないように見えることが示されている。実際，ミドルマネジャーは変革の意味を理解しようと苦闘し，新しい組織が機能するように組織の壁を越えて働いているのに対し，シニアマネジャーは古い行動のままであり，このプロセスにおいて多少問題であることが指摘されている。

第2に，この論文は，いくつかの革新的な研究手法を用いている。ダイアリー調査法とフォーカス・グループの利用は特に興味深い。日記は一時的に組

み込むものであるが,時とともに変わる変革プロセスに関する理解の追跡をかなり広いサンプルについて可能にする。これは,スキーマの進化とともにそれらを把握することを目的とする研究において特に重要となる。フォーカス・グループは多くの人々からの見解を効率的に把握するもう一つの有用な方法である。論文の中で示された分析は,3つの事業部の現場組織に埋まっている細部を注意深く追跡する方法として興味深いものである。多様なデータ源からの複数の引用により,進化するスキーマに関する信頼できる記述が与えられている。2次分析の解釈に繋がる1次分析の記述内容の提示もうまくされている。

興味のある論文の3つ目の側面は,研究者と研究される者の間にできた関係性であり,これは大変興味深い。この点は,論文の中で詳細には明瞭に検討されてはいない。対話型のフォーカス・グループは,研究者のための資料収集の方法だけでなく,恐らく組織メンバーの相互交流のための「討論の場」(これは彼ら自身の学習に寄与するものである) にもなったということは,明らかである。一般的に考えれば,毎月または隔週で日記を書くことを強制することが,どの程度,彼/彼女の組織で起こっていることについて異なる意味づけをすることに導くか,という疑問が生じてくる。明らかに,これらの論点は,採用された研究アプローチ自体が組織の当事者の間のセンスメーキングを促進させた可能性があることを示唆している。著者が主張しているように,もしセンスメーキングが対話によって生じるということであれば,確実にこれには研究者との対話も含んでいるのである。(この研究だけでなく実践としての戦略に関する他の研究でも)研究プロセス自体が研究対象の現象にどのように影響するか,そしてこれらの影響の利点および欠点について,さらなる分析の余地があるかもしれない。

戦略化に関する学術領域への貢献という点では,この論文は,長年にわたりセンスメーキングおよびスキーマ変容に関する他の論文から評価される地位にある(2章参照)。著者の1人との討議から判断すると,レビュアーが著者をこのような地位に押し出したようである。本論文が認識している先行研究に対する類似点および差異は確かに興味ある点であり,異なるコンテキストにおけるスキーマ変容の有効なモードに関する分析から一連の条件適合仮説が生み出された。しかし,収集されたデータは別の形で示すことができたかもしれな

い。異なる表現の仕方をすれば,「戦略を行うこと」に関する現在の論文以外の新たな成果を提示できたかもしれない。我々は,押付けられた変革に関して人々がどのように感じたかについて多くのことを見出している。しかし,ミドルマネジャーグループが変革に抵抗するために日々行っていることは,調整された焦点に方向づけられていると依然として思われている。これらの課題が今後の研究で取り組まれていくことが望まれる。

第 11 章

戦略クラフティングにおけるメタファーから実践まで

（著者）P. T. ブルギ, C. D. ジェイコブス, J. ロース (P. T. Bürgi, C. D. Jacobs and J. Roos)

（出典）*Journal of Management Inquiry*, 14, 1 (2005): 78-94.

要　旨

　本研究は，人の手と心の間のリンクが戦略の形成においていかに生かされる可能性があるのかを探求する。その探求の出発点として反復的で再帰的な学習や知識構築（knowledge-building）プロセスを経験する陶芸家というミンツバーグのイメージを用いることで，著者たちは，手と心のリンク（hand-mind link）の因果関係を探るために，生理学から，心理学，そして社会学へと進展する3つのレベルの理論的スキーマを展開する。さらに，その理論的スキーマを例証するために，著者たちは，組織とその環境を表現するために手を使った戦略形成プロセスを積極的に試しているある大きな通信会社のマネジャーたちのケースを示す。著者たちは，人々の手を動かすという根本的な人間としての経験があらゆる種類の組織学習を資するのにも取り入れられるならば，戦略形成に関する新しくて有力な形式が実現する可能性があることをもって結論としている。

編者による概要紹介

　本研究は，大きな携帯電話会社であるオレンジ（Orange）社の戦略形成における準コンサルタント的介入という独特なアクション・リサーチの研究である。著者たちは，彼ら自身，介入のリーダーであるが，彼らはコンサルタントとして彼ら自身を説明することはしない。本研究は，実践における戦略形成の実証的洞察に関する詳しい知識についても，そして戦略ツールの1つであるレゴ・シリアス・プレイ（Lego Serious Play technique）（訳注：レゴブロックを組み立てることを通じて，概念のイメージ化を図る思考のテクニック。うまく言葉になりきらないものをカタチにしたり，それによって考えや思いを共有したりするために用いられる）に関する洗練された理論化についても注目に値する。また，本研究は，アクション・リサーチの機会と制約を熟考するための機会も提供する。

　著者たちのスタート地点は，ヘンリー・ミンツバーグ（Henry Mintzberg, 1987）の有名なメタファーである。すなわち，それは戦略形成に関する手を使ったクラフティングプロセスを特徴づけるための轆轤（ろくろ）を前にした陶芸家のメタファーである。ミンツバーグは公式的な戦略を主流から追いやるためにクラフティングメタファーを用いるが，著者たちはそれを用いて計画的な戦略化の現実へのインプリケーションを進展させる。本論文の核は，ある会社の戦略を形作るためにレゴブロックを用いるという，すなわち，陶芸家が粘土を使うように物質的な材料と反復的に相互作用をするという陶芸家のそれと同じ手法を用いる上級マネジャーのケースである。著者たちが要約で示しているように，本研究は，「フレーズの刺激的な転換と思われるもの（戦略クラフティング）を用い，それを実践の基礎に置く」（91頁）のである。本研究は，戦略に関する物質的な模型のクラフティングを導入することで，公式的戦略化を戦略の議論の最前線に再び呼び戻すために，ミンツバーグの文献をうまく利用する。この戦略形成活動の最前線への呼び戻しが，SAP（実践としての戦略）という企ての肝である。

第11章 戦略クラフティングにおけるメタファーから実践まで 273

論文の概要

　本稿は，ヘンリー・ミンツバーグ（Henry Mintzberg, 1987）からの直接的に引用されたパラグラフ，つまり最後の一文が「マネジャーは陶芸家であり，戦略は彼らの粘土である」（66頁）で終わるパラグラフから始まる。この引用でもって，著者たちは，同時に手を動かすこと（hands-on）に対する彼らの関心をはっきりさせ，広く認知された伝統的な戦略プロセスにおける彼らの位置づけを知らしめ，そしてとてもリスペクトされている理論家の正当性を主張するのである。この最初の引用の選択は，それ自身において著者側の巧みな陶芸家精神の一端である。
　本稿は，続けて，理論的文献の3つの潮流を紹介することで戦略における文字通り手を動かすことによるクラフティングの役割に関するケースの作成を行った。まず1つ目の文献の潮流は，理解を深めることにおいて手が重要であるということに関する生理学とコミュニケーション研究を基に描かれている。すなわち，英語においても，フランス語においても，ドイツ語，スペイン語においても，手と理解を意味する言葉は，密接に関係している（「掴む」を考えてみよ）。次に，第2の文献の潮流は，心理学におけるピアジェ主義の伝統から描かれ，そこでは，効果的な学習は，手を使った活動の再帰的なサイクルに密接に結びつけられている。3番目の潮流は，社会構成主義であり，そこでは知識が激しい社会的な構成から立ち現れるものとして理解される。著者たちは，綿密な提案を展開するためにこれらの文献の流れを用いるのではない。それよりも，彼らは手を動かすことによる戦略化の実証的な焦点に対する一貫した正当性を得るために，それら3つをもっともらしく編み上げるのである。彼らは，従って，ここまでを以下のようにまとめる。すなわち，

　我々は，クラフティングメタファーとしての戦略に関連した3つの領域の理論の議論をまず行った。それらすべては，再帰性やイナクトメントというアイデアによって主題的にも実質的にもリンクした。生理学的なそれは，世界を操

作するための主たるツールとして，そして刺激的な認知に関するしばしば見過ごされている手段としても手に焦点を合わせている。心理学的なそれは，理解の形成に関する1手段として実践的な活動の役割を扱う。3つめは，社会構成主義を用い，そこでは現実について我々が何を知るかは意味形成の言説的な相互行為を通じて構成されるものだということが強く主張される。同時に，3つの分野の文献は，手と心の接続に関する心理学的，社会学的そして生理学的な領域を用いながら，私たちが具現化された再帰的なイナクトメントとして戦略クラフティングというミンツバーグ（Mintzberg, 1987）のメタファーを拡張させるのに役立った。

図1　戦略的実践としてのクラフティングという概念

理論的コンセプト	生理学的；手／心	心理学的；行為／認知	社会的構成/意味
再帰的イナクトメントの形式	経験は，巧みな操作を通じて形成。	学習は，構成を通じて形成。	意味は，言説的相互作用を通じて形成。
経験レベル	具現化すること	知ること	イナクトすること

再帰的イナクトメントの具現化された実践としてのクラフティング戦略

それらの理論的立場は，図1においてもうまく要約されている。

　かなり難解な理論に関するこの探求すらよく吟味していることからわかるように，著者たちは決して単なるコンサルタントではないのである。すなわちこれは，大真面目な研究なのである。これは，彼らの「例証的ケーススタディ」を導入するためのしっかりした基盤となる。そのケーススタディとは，携帯電話会社のオレンジ社における2日間に及ぶレゴ・シリアス・プレイワークショップのことである。

このケーススタディは，ワークショップ開始前の上級マネジャーへのインタビューによって認められたアイデンティティやブランディング，そして激化する競争といった企業の3つの戦略的課題についてまず紹介する。次に，ワークショップそれ自体は，著者たち自身の観察やワークショップ中の参加者たちの発言からの引用，そしてワークショップ後のインタビューとeメールでのやりとりを用いて記述された。

ワークショップは，彼らの企業戦略に関するレゴブロック模型を作るために，テーブルを囲んで一緒に作業させながら参加者たちを巻き込んでいった。ワークショップの特色は，次の抜粋からわかるだろう。この抜粋では，彼らが彼らの戦略的立場に関するいわゆる艦隊模型（flotilla model）をすでに組み立てていた2日目に起きた出来事が記されている。すなわち，

ワークショップの次の段階において，参加者は，艦隊模型の周辺に領域を設定し始めた。具体的には，社会的，経済的そして競争的コンテクストといった側面を示すそれぞれの領域を構築したのである。例えば，ある女性参加者は，この世界の別の部分においてパワーの基盤を持つとても大きな競合他社がいかにオレンジ社と直接的な競争を始める可能性があるのかを例証しようとした。そして彼女は，テーブルの背後の壁にある本棚にこの競合他社を示すブロックのフィギュアを置いた。彼女がそれを置いたことで，競合他社は，「思いがけないところからやってきていた」。すなわち，彼女の表現が，グループが作業していたスペースの端の部分のフィギュアの物理的な位置関係をはっきりさせたのである。他の参加者のうちの2名は，この特別の貢献に寄与した当該参加者に対してしきりに質問をし始めた。つまり，彼女は本当にこの競合他社は関心があると思ったのか？ はい，と彼女は答えた。だから，テーブルにすぐにやってくる彼らを置いたのだと。彼らは，本当にやってきて，旋風を巻き起こすだけのリソースを持っているのか？ 100％と答え，そして彼女は続けた。私がつくった彼らのこの模型がいかに大きくて，恐ろしいかご覧になってと。競合他社を持ち込み，そして表現するというこのとても機知に富んだ方法は，次のインタビューにおいて1人の参加者が言ったように，「ハートにガツンときた」。次第に，このそしていくつかの他の驚きは，参加者たちに競争的地位に

関するとりわけ強い印象を与えていった。ある参加者は，以下のようにコメントした。「私は，我々には3ないし4の競合他社がおそらくいるだろうと考えたものでした。けど，今はこのテーブルじゃあ，競合他社のすべてを把握するに十分な大きさじゃないよね！」。

この出来事は，競争の激化に関する重要な戦略的課題に直接的に関係する。しかし，同時にそれは，レゴの模型づくりが作り出しうるイマジネーションや興奮，相互作用そして衝撃をいかにして伝えるかに関するよい例であると言える。著者たちは，次のインタビューにおいてある参加者から得た力強いコメントと，当時の経験に関する生き生きとした感覚を一緒に編み上げることでそれをとりわけ説得的にする。

次の殊の外印象的なエピソードにおいて，著者たちは，参加者のうちの1人がいかに企業の艦隊の船首部分から後部へとオレンジ社のブランドを示すアイコンを移すかを記している。

2日目の朝までには，そのグループは，まるで，そうすることがさらにそれらを惹き付けるものであるかのように，艦隊の船首部分においてそのブランドのアイコンを取り付けていた。しかし実験のある瞬間において，1人の参加者が艦隊の後部にブランドのアイコンを取り付けた。一瞬ためらってから，参加者たちは，彼らの現状に対するブランドの重要性に関するラディカルな表明を受け入れてうなずいた。ブランドがどういうわけか彼らの後ろにあるという思いつきが何人かの人々にはほとんどタブーな思想だと明らかに認識されていたにも関わらずである。

もし言葉にしようとするなら，有名なオレンジブランドの価値へのこの挑戦は，はっきりと示し難く，また，完了前に凄まじい干渉を誘発しそうであった。しかしながら，物質的な移動の容易さは，企業の戦略におけるブランドの位置に関する所与の理解の逆転を可能にした。

本研究の最後の部分は，5つの節で出来ている。その5つとは，すなわち，ディスカッション，我々の理論的フレームワークからの理論的および実践への貢献，含意，注意，結論の5つである。ディスカッションでは，3つの生理

学，心理学，社会構成主義という前に示した次元に基づいた1つめの軸と，アイデンティティ，競合他社，ブランドという企業の戦略的課題に基づいたもう一つの軸との2つを用いて，二番目の図で実証的材料を統合している。理論的次元の一貫性と最初の図の視覚的共鳴は，共に，完了と一貫性に関する説得的な意味を提供する。

図2　オレンジ社におけるクラフティング戦略：ケースにおけるエピソードの概要

戦略的課題	具象化された再帰的イナクトメントとしてのクラフティング戦略		
	生理学的：経験は，巧みな操作を通じて形成	心理学的：学習は，構成を通じて形成	社会学的：意味は，言説的相互作用を通じて形成
アイデンティティ	差異を形成し，アレンジする：船の模型。	独立した，でも今のところ関連した実在という観点からアレンジメントを探求する。	艦隊メタファーがオレンジ社のアイデンティティの正確で，統合的な模型として生じる。
競争	棚の後ろに大きくて，かさばるフィギュアを構成する。	この競合他社の規模，ポジション，そして関連性を調査する。	以前に過小評価された競合他社との関連性が認識された。
ブランド	艦隊に関するブランドアイコンの相対的なポジションを試みる。	この移行段階におけるブランドの本質と役割を調査する。	組織を描くというよりむしろ，ブランドは「幾分遅れをとる」と考えられた。

　実践への貢献の節では，理論的ディスカッションを発展させ，生理学の重要性を明らかにすることでの本論の独自性を強調している。次に，含意の節では，ここで実証されたビジュアル化とドラマ化といった類いのものの概して潜在的な価値を議論するためにディスカッションの外へと範囲を広げている。読者たちは，それ故，特有なコンサルティングツールという枠をはるかに超えた何ものかとして独特なレゴという現象を理解することへと引きつけられていく。しかしながら，注意の節では，これが単独事例であること，そして「暫定的で主として示唆的な例証」（91頁）としてその地位の根拠をなしていること

を認めている。

　結論の節は簡潔で，そして，最後のパラグラフで，広くそしてかなり刺激的な言葉で議論をまとめるためにミンツバーグの最初のメタファーにふたたび戻っていく。

　本稿は，メタファーから実践へとミンツバーグのアイデアを移すことで統合的なフレームワークを発展させ，例証する。すなわち，戦略のクラフティングは，具現化された，再帰的なイナクトメントのプロセスである。我々のテーマの含意は，戦略クラフティングがもはや試行錯誤を通じて新しい機会を見いだす組織の強力なイメージではあり得ない。それはいつの日か，個々人が様々なタイプの戦略の内容を発展させるために集団で手を動かすテクニックになり得るのである。孤立した，分析的で，理性的な組織内の活動の代わりに，戦略を発展させるプロセスは，従業員の業務において，激情や熱中，そして発見を提示することが出来るのである。

編者によるコメント

　本研究は，方法と主題の双方において独特である。アクション・リサーチメソッドは，並外れて深い知識をもたらす。著者たちがその場にいることで，意味は，完全に伝えられるのである。活動は，回顧的なインタビューによって簡単に掴めない細かいところまで鮮明に記述される。棚にブロックを置くことの意義，あるいは艦隊の後部のアイコンの意義を，プロセスの外にいる人々によって把握することはとても難しいだろう。読者たちは，一般に戦略のコンサルティングに関する実践―例えば，事前ワークショップや事後インタビューのルーティン―と特定の革新的なコンサルティングツール，つまりレゴ・シリアス・プレイ（Lego Serious Play）の双方について何かを学んだことだろう。しかし，これらすべては，理論にも密接に関係している。ヘンリー・ミンツバーグ自身が元々懐疑的であったかも知れないある種の意図的な戦略形成とのその文字通りの関連性を著者たちは明らかにし，ミンツバーグ主義者のクラ

フト (craft) に関する考え方は，本論においては大幅に拡張されたのである。
　実際には，本研究自体の記述において大量のクラフトが存在した。これ（クラフト）は，冒頭でのミンツバーグの引用の印象的な使用から，ミンツバーグへのほとんど皮肉的な拡張と「激情，熱中，そして発見」への修辞的なアピールを著者たちが我々に託す最後のパラグラフの締めに至るまでずっとなされていた。著者たちが研究の初めの方で理論に着目している点は，コンサルタント以上のものとして，彼らを十分に特徴づける。著者たちは，3つの修辞的パワーに気づく。すなわち，それは，3つの理論的テーマと3つの戦略的課題である。それについて2つの9マスの図が作られ，その2つはきちんとお互いに共鳴している。ワークショップ中の様々な出来事は，すごく生き生きと順序だてて語られる。また，懐疑主義は，参加者たちのたまの「フラストレーション」あるいは「批判的コメント」へのほんのわずかな言及と同様に，明示的に注意の節で和らげられている。企業自体の名前が具体的に明らかにされていることに加え，何名かは参加者の職務上の肩書きも明らかにされていることで研究内容の信頼性は確かなものになっている。これは読者たちが自身でこの論文の内容をチェック出来るという感覚を与えている。
　これは，研究者たちがかなり学ぶことの多い印象的な研究である。しかし，この方向に追随する研究者たちは，加えて以下の3つのことを考慮すべきである。まず，この種のアクション・リサーチは，活動の写真による記録の分析に豊かな機会を与える。他では，これらの著者たちは，大抵例証のために (Bürgi and Roos 2003; Roos, Victor and Statler, 2004) 写真を利用している。より広い実践の伝統（例えば，Latour 1999; Molloy and Whittington 2005）において研究者たちは，写真がテキストの物語では容易に掴めない活動の詳細を明らかに出来るということを示した。特に本稿におけるビジュアル化と生理学的な部分を強調するならば，参加者の社会的相互作用と手を使った活動をもっとよく見ることは，良いことだろう。ここでもちろん，写真資料の複製に関するジャーナルの編集担当のポリシーという制約に単純にぶつかるかも知れない。しかしながら，写真による証拠は，大抵，未だ十分には利用されていない資源であり，この種の調査において，かなりの潜在的な可能性を持っている（第3章参照のこと）。

2番目のポイントは，アクション・リサーチの研究者と調査テーマとの間の関係についてより詳細に規定することが望ましいということである。本研究は，「コンサルティング」という言葉を避けている。しかし，実際のところ，このエピソードが示していることの多くは，コンサルティングとしての関与の仕方である。著者たちは，イマジネーションラボファウンデーション（Imagination Lab Foundation）社，そこのウェブサイト（www.imagelab.org）では自社を独立した非営利の調査機関として記しているが，その会社の1メンバーとして自分たちを単純に認識している。著者たちとオレンジ社との間の資金援助や刊行前にチェックする権利に関する正確な関係は，明らかにされないままである。正当な理由から，資金関係に関する条件は，科学や医療の調査において現在一般的に明示されるものである。たとえ，独立性がこの具体的なケースにおいて保持されていたとしても，実践としての戦略（SAP）研究におけるこの種の関係に関する条件について等しく明示することは，一般的で適切な規則だと思われる。なお，このSAP研究では，研究者たちとテーマの相互的関与は，必ずしも親密ではない。

最後に，著者たちに関する疑問がある。これは，特にアクション・リサーチにとって慎重に扱うべきものである。本論文において，著者たちは，すべて関係の片側であった。彼らの信頼性は，企業の名前を明示することによって再強化されているが，しかし，それにも関わらず，企業のパースペクティブは直接的に示されない。他の研究者たちは，例えばジョイアなど（Gioia et al., 1991）やヴァーラなど（Vaara et al., 2005）は，調査対象から独立した立場にある研究者たちと参加しているマネジャーたちの双方を含んだ，著者たちの混成チームを用いている。これはこの特定のケースにおいて実行可能で（あるいは望まれて）なかったかも知れないが，一方で，より完全な研究チームでは，提供される説明のバランスの良さによって信頼を強めている。多くのSAP研究プロジェクトにおけるこれらの被験者たちは，かなりの教育を受けており，そして研究の執筆に直接貢献する十分な能力がある。実践家や研究者たちの双方による混成された著者たちのチームは，よりすぐれた見識と，よりすぐれた権威の双方を期待させるのである。

第Ⅲ部

　実践としての戦略に対して我々がいかに興奮を覚えているかは，本書におけるここまでの各章やコメントによって明白になったことであろう。我々がこれまで示してきた興奮は実践としての戦略の発展とともに大きくなってきた研究コミュニティにおいても見受けられる。この大きな興奮は，実践としての戦略という研究が人々や，戦略に関連して人々が行うこと（すなわち，第1章で示されたように，戦略論という分野においてこれまで研究されているものに欠如していたもの）に重点を置いた研究を展開する絶好の機会を提供しているからである。しかしながら，我々は，この関心と興奮が長い歴史の遺産の一部であることを忘れるべきではない。この関心と興奮は，1950年代，60年代に始まる戦略経営というテーマの遺産を基礎とし，そうした問題意識は，ヘンリー・ミンツバーグやロバート・バーゲルマン，アンドリュー・ペティグリューのような学者たちへと引き継がれたものであった。つまり，実践としての戦略は全く新しいパースペクティブなわけではないのである。それは，伝統に基づいたものであり，かつ伝統を拡張したものなのである。

　この最後の第Ⅲ部における我々の目的は2つある。1つめの目的は，本書でたどってきた旅路をまとめて振り返ることにある。その方法は以下のとおりである。第Ⅰ部と第Ⅱ部で展開してきた主たる本質的，実証的，方法論的テーマをまとめる。その上で，この領域における最も可能性が見込める最近の先進的研究のいくつかとの結びつきを明らかにするため，我々の視野を拡げていきながら，我々の旅路を振り返るのである。2つ目の目的は，各著者が実践としての戦略の貢献や将来の研究展開の可能性に関してそれぞれが振り返った内容を示すことである。その際には，各人が最も興味を持っている領域や個人的に関心を持つ領域を取り上げる。我々は皆，実践としての戦略に関連した実証研究にそれぞれの立場から関わりながらも，少しずつ異なるモチベーションや関心

を持ってこの領域に惹き付けられてきた。各著者たちが，もしももっと伝統的に根ざした，バラバラの学問的ディスコースで議論を展開している限り，読者とのある種の共鳴を感じられるには至らなかったかも知れないと思っている。それゆえ，ここでは各著者の振り返りの時を持つことにしよう。そしてまた，我々はこうも信じている。研究コミュニティの中で個性と差異が尊重されることは，健全なことであり，それは大いに喜ばしいことであると。

第 12 章

総　括

アン・ラングレィ，ゲリー・ジョンソン，レイフ・メリン，
リチャード・ウィッティントン

総評：これまでとこれから

　本書は，読者に様々なやり方で ―実践から― 戦略を考えてもらうこと，つまり組織が持っている以上のものを人々が行っていることについて考えてもらうことを第一として始めた。このことをもとに，我々は，さらに組織レベルの活動や制度レベルの実践に影響を及ぼし，また影響される組織メンバーによって行われる戦略的活動（例えば，戦略を行うこと）を議論することにより，実践としての戦略というパースペクティブをある程度詳しく描いている。そして，これらの関係（図1-1の示されている図式）の探求と理解の中に，経営戦略論の分野の新たな，そして価値ある知識を発展させる可能性があることを議論してきた。そして，我々は，上述のようなさまざまな関係に対応するリサーチクエスチョンに関するたくさんの研究に注意を向けてきた。

　しかし，実践としての戦略というパースペクティブのもつ他ならぬ関心は，第1章で示されたような実証の問題だけでなく，理論の充実にある。それ故，第2章では理論の発展に有用なもっとも期待できる源泉のいくつかを検討した。まず，全般的に哲学および社会科学における「実践的転回」の観点を考えた。それから，特に4つの理論的伝統を潜在的可能性のある理論として明らかにした。その理論とは，状況的学習論のパースペクティブ，センスメーキングとルーチンに関連した視点，制度論，そしてアクターネットワーク理論である。

　第3章では，関連する理論フレームワークと実証的なリサーチクエスチョン

とを結びつける有用ないくつかの方法論的手法を見いだした。そこで，特に，実証研究より実践としての戦略にアプローチする，境界線を引く，表現する，そして理解するという難題に取り組んでいる。この章では，これらの意欲的な研究の取り組みや潜在的な問題解決の実例となる一連の論文を広く紹介している。そして，また第3章は，実例となるいくつかの研究論文をさらに突っ込んで紹介している本書の第Ⅱ部への架け橋となっている。

　第Ⅱ部の内容や形式はどちらかというと特異である。このセクションでは，実践としての戦略のパースペクティブに関連し，またこの分野における知識の発展に貢献できると思われる業績のタイプを，本質的，理論的，かつ方法論的に例証する既刊の調査研究の抜粋を注釈をつけながら詳しく掲載している。選ばれて本書に掲載されている8つの論文は，どれも決まって易しいものではなく，著者の間で多くの議論が必要となったものである。いくつかの論文は，かなりよく知られているが，その中でも5つの論文（バーリィ，アイゼンハート，ジョイアとチッティペディ，ラングレィ，オークス他）は先駆的な論文として評価することができる。それらの論文は，「実践としての戦略」が戦略論の分野で1つの明確な研究領域として位置づけられていなかった時に書かれ，出版されたものであった。しかしながら，それらすべては―それぞれ異なるやり方を取っているが―戦略という行いについて理解するための実践的な意味を持っている。つい最近出版された3つの論文（バロガンとジョンソン，ブルーギ他，サムラ－フレデリックス）は，「実践としての戦略」パースペクティブとの密接な関連をよりはっきりと持ち，そして自らそれを認めている。個々の論文についての論評は，それぞれの研究で特に強調される部分や実際の指針に読者の注意が向くようになされている。この一連の論文についての同一レベルの観点から現れてくるいくつかのテーマを，我々は次のパラグラフで簡単に要約している。

　本質的なレベルでは，第Ⅱ部にある8つの選ばれた論文の貢献は，多様な研究上の問題点を強調していることにある。ラングレィとアイゼンハートの論文は，フォーマルな意思決定ツールを含んだトップマネジメントの戦略的意思決定活動に目を向けており，これらがいかに組織コンテクストに影響を受けるか（ラングレィ），あるいはいかに意思決定のスピードや結果に影響を及ぼすか

第12章 総　　括　285

（アイゼンハート），を検討している。これら2つの論文の貢献は，相対的に伝統的なスタイルをとっている。それにもかかわらず，活動に関係した戦略の重要な次元に焦点を当てており，これらを他の現象と関連づけている。

　また別の一連の論文は，戦略家間のセンスメーキングに関連した活動を検討している。ジョイアとチッティペディの論文は，戦略転換を始めるためのセンスメーキング（意味形成）とセンスギビング（意味付与）の両方の重要性を示すことにより古典的ではあるが貢献を果たしている。他方，バロガンとジョンソンの論文は，戦略的リストラクチャリングを実行する際の中間管理者とセンスメーキング活動における彼らの役割を探求している。またオークスらの論文は，いかに「事業計画」の意味がそれを指示するために使用される特定の言語をもとに，オペレーショナルレベルで共有されるようになるかを示すことにより，管理的センスメーキングを制度的な環境と関連づけている。

　最後に，ブルーギら，サムラ-フレデリックス，およびバーリィの論文は，ミクロレベルの分析に最も強く焦点を置いている。ブルーギらは，いかに社会的コンテクストのなかで対象を物理的に操作することが集合的な戦略的センスメーキングに寄与するか，を明らかにしている。方法は異なるが，サムラ-フレデリックスおよびバーリィは，いずれも潜在的に大きな「戦略的」影響（effects）を累積的に生み出す「小さな」相互作用の重要性を我々に示している。バーリィの研究は我々が通常戦略として考えていることとは直接的には関係していない。しかし，いかにルーチンの混乱（テクノロジーによってこのケースにおいて生じた）が漸増的に新しい制度を導く新たなミクロの相互作用を生み出すか，についての彼の洞察力は，戦略と構造の関係の理解をより深めていくことに計り知れないほどの意味を持っているといえる。サムラ-フレデリックスの研究も同様に，いかに戦略家の間でのささやかな会話が漸増的に大きな戦略転換を導きうるかを明らかにしている。しかし，あきらかに組織レベルとよりマクロレベルの結果とミクロの相互作用を関連づけるという研究の余地は残っている。

　8つの例証となる論文は，また結集された理論的資源という観点からも多様である。構造化理論（バーリィ），エスノメソドロジーと会話分析（サムラ-フレデリックス），センスメーキング理論（バロガンとジョンソン，ジョイア

とチッティペディ），そして生産分野でのブルデュー理論（オークスら）といった「実践的転回」と明らかに結び付いた理論化は，アイゼンハートとラングレィの研究にみられるように，さらに古典的な中範囲アプローチと接合している。しかしながら，第2章で記したように，それらには十分に開拓する余地のある多くの理論的機会が残っている。戦略計画あるいは意思決定のような最もよく研究されている現象でさえも，その章で我々が記述した何らかの資源（ネタ: resources）を引っ張り出して検討すれば，新たな，豊かな実り（richness）を得ることができよう。

最後に，この8つの論文は実践としての戦略を研究する際にうまく使用されるであろう研究方法の鮮やかなパノラマを提供している。第3章と編者の論説のなかで研究方法論について広範囲にわたり解説している。第3章で言及しているように，戦略の実践における実証研究に関する課題はかなりの量がある。しかし，8つの例証となる論文は，それらが達成され得ることを示している。

本書で取り上げられた研究に基づいてのみ，研究領域の1つとして，実践としての戦略のもつたくさんの潜在性に正当性を与えることは，明らかに不可能である。それ故，我々は興味を持った読者の視野を，それ自身を実践としての戦略とみなす，あるいは別の方法でそれに寄与する最近出版された研究や継続している研究に広げようとするのである。人の研究が受け継がれ続いていくダイナミックな学者のコミュニティが存在する。例えば，*Journal of Management Studies*（2003）の特集は，一連の革新的論文を掲載している。そして，すでにその多くが本書で引用されている（Jarzabkowski 2007; Johnson et al. 2003; Maitlis and Lawrence 2003; Renger 2003; Salvato 2003; Samra-Fredericks 2003)。さらに2007年には，Human Relation と Long Range Planning の特集で論文が掲載されるであろう。Strategic Management Society のトラック，シンポジウム，そしてワークショップ，the European Group for Organization Studies, the Academy of Management, the European Academy of Management, そして他にも大会が組織され，熱狂的な参加をみている。

そのパースペクティブを自身で自覚しているこれらの特別なフォーラム以外からも，重要な出版がされている（e.g. Balogun and Johnson 2004, 2005;

Jarzabkowski 2005; Rouleau 2005; Whittington 2006)。また，たくさんの完成したもしくは作成中の博士論文が存在する（例えば，Nordqvist 2005 を見よ）。www.strategy as practice.org/ や listserv sap@domeus.co.uk のウエブサイトもまた，これらの問題を取り巻く知的な議論を可能にするためにつくられた。

　実践としての戦略の旗印の下で，The European Group for Organization Studies（2005 と 2006）で提供された最近の一連の論文を見ても，現在，戦略活動で長らく無視されてきた側面に焦点を当てた著しく多くの研究が現れてきている。それらは，戦略ワークショップ，戦略コンサルティング，戦略ツールの使用，戦略プロジェクト組織，そしてコミュニケーションの実践を含んでいる。同時に，このようなものと戦略的意思決定，戦略計画とトップマネジメント・チームのダイナミックスといった他の伝統的なトピックスのどちらも社会理論における実践の転回に関連した理論的フレームワークを明らかに使用していると思われる。さらに，この分野での著者の研究が，互いの研究に誘い込もうとする傾向は増えつつある。実践としての戦略の「会話」（Huff 1999）は活発であり，参加への道は開かれている。

個々人の総括：見渡して，先を見て

　この節では，本書のそれぞれの著者により実践としての戦略というパースペクティブをどのようにみているか，そしてどこに導こうとしているか，についての個人的な見解を提供している。これらの総括のいずれもが，とても個人的なスタイルをとっている。我々の研究に対する考え方は多様であるが，1 つの著者チームとして一緒によい仕事をすることができた。しかしながら，ほんの一瞬であるとしても，我々全員はまとまった著作活動するという束縛から解放されることを歓迎した。その結果，個々の声を反映することができたのである。このような最終的な考え—偶然やどちらかというと不協和音を満足させるというのではなく，豊かなハーモニーをもった優れた音楽のように—は，これまで我々が提供した捕らわれることのない議論に興味あるポリフォニーを提供

することであろう。

アン・ラングレィ：実践としての戦略—閉ざされた分野に新しいアイデンティティを開く

　私にとって「実践としての戦略」はちょっとした散文のようなものである。明らかに，私は長い間実践としての戦略というパースペクティブを知らないでそれを行っていた。最初に私がこのパースペクティブを展開していた人たちのグループのことを聞いたとき，その研究に大変興味をもったが，特別なパースペクティブあるいは戦略論の1つの学派としてこれを発展させようとしているアイディアを取り入れようとは実際には思わなかった。私は本来社交的な人間ではないし，学派の思想の創造者でもない。私は私の研究をするだけである。それが何と呼ばれようと，何という学派の思想やパースペクティブに属していようとも，実際には決して捕らわれることはないと私は思っていた。かつて私がどのような学問に分類されるべきか（経営戦略？　組織論？　公共経営論？）をだれも確信できなかったドクター・コース在籍時のテーマ以来，ラベリングや境界の設定は常に少なからず迷惑なものであった。学問のラベルや境界は，単なる社会的な構成物であり，それは現実には論争する価値のないように思える—重要と思われるものは，興味あるそして意味ある研究であり，確立したカテゴリーの中に閉じ込めることではない（ましてやそれが含まれるであろう新しいカテゴリーを創設することではない）。

　しかし，私はここにいて，新しいラベルを貼る研究スタイルを紹介する本に連帯署名している。その研究は，わたしや他の多くの研究者が行い，行ってきたものであり，事実それは戦略研究の下位分野として定義され，論述されるものである。これは如何にして起こったのか。私は如何にこの試みに吸い込まれたのか。

　私は知的リーダーであるゲリー・ジョンソン，レイフ・メリンそしてリチャード・ウィティントン（ポーラ・ジャルザコフスキー，デビッド・セイドル，ジュリアン・パロガン，リンダ・ローリュー，パトリック・レグナーそして多くの人たちによって結ばれている）が，実践としての戦略（というパース

ペクティブの創設と発展に注がれるエネルギーや意味深さに引きつけられたといわなければならない。私が2003年のEGOSの大会(その時はミクロ戦略論という名称で扱われていたシリーズの第2報告者であった)に参加したとき，実は，戦略論にアクターネットワーク理論を使った論文のプレゼンをしていた。参加者によってその時明らかにされつつあった新たなパースペクティブについての論文，議論そして展開されていたディスコースを聞いたとき，ラトゥールの業績が大会主催者が目論んだものを完全に網羅していると考えないわけにいかなかった。私は，ここで，原型的で高度に組織化された「解釈」プロセスの出現に直面した。すなわち，実践としての戦略というパースペクティブが，私の目の前で社会的に構築されたのであった。

事実，公式および非公式の会合や，Journal of Management Studies の特集号を通して，また，主要なヨーロッパと北アメリカの大会，ウエブサイトでの展開を通して，そして様々なフォーラムで，参加者のネットワークが広がり，そのパースペクティブが現実のものとなっていった——そしてもちろん，本書もまたそれに貢献している。さらに，本書の共著者として，私は取り返しのつかない「登録」をいつの間にかしてしまった自分に気付いたのである (Latour 1987)。私はこの身に起こったことをうれしく思うと共に少なからず狼狽させられた——分類されない接合者がついに住み家を発見したというべきか!?

もちろん，もし居心地のよい住み家でなかったならば，私はここにいなかったであろう。私の研究の興味を反映していたがゆえに，全く自然に，実践としての戦略というパースペクティブが真っ先に，そしてもっとも重要なものとして注意を私に喚起したのである。規範的な方法に関するかぎりでは，わたしは頑固な懐疑主義者である。その一方でその方法を適用しようとする人たち，あるいは戦略を行うための他の方法を探す人たちを非常に尊敬している。少なくともこれらの人々のうちある時期には戦略の実行について成功した者もいる。彼らの成功と失敗の理解は確かに価値ある試みである。

また，本書で示された実践としての戦略というパースペクティブに関して私が興味をそそられたのは，このような高度に経験主義的な骨の上に理論という身をのせているからである。事実，実践としての戦略というラベルは，社会理

論での実践の転回との関係の故に他の可能性のあるラベル（アクティビティ・ベースト・ビュー，ミクロ戦略論）で試みようとしたものよりも示唆に富んでいる。第2章で見たように，これはその可能性や潜在性を深める理論的資源の全域にわたり暗黙のうちに叙述している。「実践」という概念は，暗黙裏に応用と結び付いている。つまり，戦略はまさに抽象的な概念ではないのである。それは実践であり，実践の知識を適用する実践者がいるのである。実践としての戦略というアプローチは，ある意味でその知識を獲得し，可能な限りそれを豊かにすることを目的としている。

　最後になるが，実践としての戦略というパースペクティブは，広く学問的分野（経営戦略論）での創造性と対話の余地を提供している。それは，近年，時として，むしろ閉ざされてきた分野のように思える。それは「パースペクティブ」であり，十分に定義され，きつく編み込まれた理論的フレームワークではない。多くの様々な貢献が可能であり，私見からすれば，そうでなければならない。実践としての戦略に対する価値ある貢献とは何であるか，そして何でないか，という独断主義はそれを殺してしまう——少なくとも私にとっては。現状のように，気が合い，うまの合う同僚のコミュニティ，実りある会話の機会を提供する広い傘のもとでは，理論的かつ方法論的イノベーションとなる重要な機会がある（Huff, 1997）。そして，それはさもなければ世に入れられない辺縁の孤立した叫びのままであるアイディアに正当性と支持をあたえる源泉なのである。

　というのは，フェッファー（1993）が，組織研究の現状についての論争の中で表したように，共有された概念あるいはパラダイムは，パワー，影響力そして正当性の源泉となる。私は（フェッファーの言っているであろうように），世界全体が私の選んだパラダイムを受け入れるべきであると言っているのでは決してない。しかし，知的な本拠地をもつことは強さの源泉となる。実際，学問分野のラベルや境界は社会的な構築物である。しかし，それらには「単に」何もないわけではない。それらは強力なものとなり得るのである。

　したがって，もし本書で示された研究の目的やアイディア，そして方法があなたに「何か」訴えるなら，私からのメッセージは「一緒にやりましょう」である。実践としての戦略というパースペクティブは，経営戦略論の分野に新鮮

な空気とアイディアを吹き込む潜在力を持っている。本書で示されたように，この分野の研究は特別な挑戦がないわけではなく，それらの挑戦に出会うことができたのである。戦略実践に関する創造的で，理論的根拠をもった厳密な研究に対する明白なニーズがあり，またこの努力に参加しようとすることに寛大で，興味津々の，そして情熱的な研究者の新しいコミュニティが存在するのである。

ゲリー・ジョンソン：境界線とプラグマティックス

このような結論的なコメントとして，私は実践としての戦略のアジェンダを得ることによって分かる恩恵にハイライトをあてることにしたい。またそれは，我々が気がつかねばならない，そして避けなければならない潜在的なリスクも強調することになる。

本書のいたるところで，多くの恩恵にハイライトが当てられている。わたしは，特に2つのことを強調したいと思う。私がこれを書いたのは，私がちょうど2006年にオスロで開催されたEURAMのカンファレンスからもどってきたときだった。そのカンファレンスでは，バーニー（Jay Barney）が基調講演を行っていた。彼の示唆するところは，たとえ彼の研究が管理者にとって実践性をもっていると信じていたとしても，それが彼の研究へのモチベーションではなかった。その研究は，純粋に学術的目的のものであり，その実践性は付随的な恩恵であった。この違いに対する議論を理解するまでの間は，私自身その区別をすることができないでいた。わたしにとって，戦略―まさにマネジメントであるが―は，応用の問題であり，その分野での研究の実践性とインプリケーションを理解することが必要なのである。このような理由から，私は本流である学術文献で一般に描かれている戦略の多くの研究，特に説明の抽象概念の信頼性について不満を覚えていた。このことは，企業のリソース・ベースト・ビューとの関連から第1章で議論されている。企業の多角化戦略などの研究に関する実証フィールドや多くの最近の「戦略・プロセス」との関連からも議論されている。そのような抽象概念の問題は2つの面を有している。第1は，プリームとバテラー（2001）が企業のリソース・ベースト・ビューについ

て指摘したように，もしそのような抽象概念がより特定の意味をもった説明を引き出さないのであれば，それらはほとんど意味がない。それらには，その意味を獲得する中身が必要である。第2に，もしその意味が現実を伴うものでなければ，実務家にとってそのような概念を理解したり，恩恵を得ることはとても難しい。それ故，わたしにとっても実践としての戦略というパースペクティブから得られる大きな恩恵の1つは，それが戦略分野にとっての活動や行いの特質をもたらす可能性があるということである。

　第2の利点は，それが行われる中で，戦略分野を統合することが可能となることである。人々の活動は，これまでずっと戦略研究で提起されてきた多くの問題を支持している。第1章の図1-1についての議論から明らかになったように，我々は活動や行いを研究しはじめると戦略の内容やプロセスのような分野はもはや必要のないものとなった。2つの恩恵が同時に得られることになれば，その時，実践としての戦略は主流の戦略研究にとって代わるものというより補完的なものになるというさらなる恩恵があることが理解されよう。

　しかしながら，実践としての戦略というパースペクティブが発展するにつれて，私は将来についての懸念を抱くようになった。そのひとつは，すでに私が強調してきたなかでも実践としての戦略の根本的なものであろう「戦略を行うこと」を強調することに関連して生起している。実践としての戦略が，リサーチ・クエスチョン，研究方法や理論に関して明らかにされなければならないということは喜ばしいことであるが，そこには知らぬ間に「行い」を強調するということからかけ離れたものとなり，そして，このために明確な焦点や関心が失われてしまうというリスクがある。特に，「行い」を「戦略のプロセス」と同じものと考える傾向があり，また，人々が実際に行っていることに関してよりも，組織レベルでの分析から「プロセス」に関心を向けることが実践としての戦略の研究であるという主張をもつ傾向にある。もちろん，これには理由がある。組織プロセスを研究する「プロセス研究」の伝統があることと，それ故に，そのような研究としてラベルを貼りたいという誘惑があるからである。その上，そのようなプロセス研究と実践としての戦略のアジェンダとの間のオーバーラップを否定できないことである。実践との関係からしても，もしそれが出来事やエピソードを戦略化することを意味するのであれば，戦略を行うこと

について研究するのは難しい。また，一般化された理論の発展の細かな活動に注意を向けるということは，挑戦的なことでもある。しかしながら，私にとっては，その名の通り，実践としての戦略研究は活動への注目を伴う必要がある。つまり，第1章の図1-1の一番下に目を向けることである。そこに，このパースペクティブのオリジナリティと可能性があるのである。

とはいえ，このことが次に他の2つの関心事を想起させる。「行い」に関する研究は，時々それ自身興味深い貴重なケーススタディを引き出すことができる。しかし，戦略の問題を広く理解することへの貢献という観点からすれば，それはほど遠いものとなっている。1つのプラグマティックな帰結は，それらが出版されそうもないということである。第2は，戦略の問題について，より一般的な説明をすることは難しいということである。読者は，本書の論文をこれ以上必要としない。なぜならば，それらの論文はケーススタディのナラティブを超えた貢献を上げているので，多くの論文のもつ影響やインパクトがまさにその通りであることをこれだけで実感できるからである。他のレベル，例えば組織レベルもしくは制度レベルに関係しているとき，そしてそれらのレベルと関連する理論的議論をするときに，活動の研究，すなわちミクロの研究はより有効となる。

もう1つの関心事がある。実践としての戦略に興味を持った他の人たちと同様に，もし戦略の行いを理解できるとするならば，私は戦略化のミクロな側面に立ち入るという分析レベルに研究を結びつける用意をしなければならないと確信している。それは，戦略化のディスコースと活動である。しかし，プラグマティズムの観点からいうならば，戦略分野での重大な影響やインパクトに関心をもっているかどうかを問わなければならない。もし関心を持つならば，そのような分析レベルが多くの戦略の研究者たちにとって，事実，マネジメントの研究者たちがそうであるように，専門外であることを自覚する必要である。そのような疑問は「それで何？」であろうし，そのような分析レベルは，戦略や戦略論の発展あるいは戦略経営論について何を語ってくれるのであろうか。組織レベルの戦略や戦略プロセスの影響ということでは最も明白であるが，もしそのような研究が，別のレベルでの成果と結びつけられ得ないのであれば，その影響は限られたものとなるであろう。

このことすべてが最後の問題を想起する。私の冒頭のコメントに戻ってみると，実践としての戦略が，多様な関心を持つ研究コミュニティを包含する，さらには統合の手助けをするということは重要な利点であるといえる。しかし，それは意味のないほどにすべてを取り込むべきではない。境界線がないならば，実践としての戦略はそのアイデンティティ，つまりまさに存在を失う危険がある。わたしにとってその境界線は，明らかである。実践としての戦略は，研究を人々の活動，つまり「行い」にフォーカスさせることによって，様々な戦略の問題―第１章で明らかにされ，図 1-1 で要約されている―を研究する機会を提供しているのである。

　私は，これらすべてが好機となり得ると信じている。もし実践としての戦略が本当に「戦略の行い」を取り上げ，その行いを成果に結びつけたり，もしくはコンテクストとの関連で理解したりするという実証的発見や理論的洞察を確立するのであれば，その時，戦略に関する議論がよりよいものとなるように影響を与えるという大変重要な好機となる。それは，少なからず曖昧な抽象概念から脱却する手助けとなり，学究の徒だけでなく，実務家に対する真の洞察力を提供する好機となるのである。

レイフ・メリン：戦略分野を刷新する可能性を秘めたパースペクティブ

　私は，主にプロセス志向であったが，30 年以上にわたり戦略分野で，研究を行ってきた結果，私は，実践としての戦略がその分野全体に影響を与える可能性をもったパースペクティブであると確信するようになった。この新しいパースペクティブは，結果として戦略分野の必然的刷新をもたらす可能性をもっており，誰が，どこで戦略化を行うか（組織のトップレベルにいる管理者や経営者）を当然視してきたことや実際にはいかに戦略化が起こるかを無視してきたものを乗り越えることができる。そのような新しい視点）は，戦略研究に対し新しい研究課題，新しい理論のレンズと新しい方法を付け加えることを意味し，特に戦略の行いにおける，例えば戦略的成果における戦略家の役割と意味に関して，ひいては，新しい理解と戦略分野へのより高い信頼をもたらすことになる。また，実践としての戦略には統合力があることを暗に含んでお

第 12 章　総　括　295

り，それは，リーダーシップや組織化といったマネジメント分野に関係する戦略分野を有益に統合することを意味している。

　さらに，実践としての戦略のパースペクティブは，包括的なアプローチであり，異なる視点をもった研究者を取り込む可能性をもっている。我々は，すでに戦略化，ミクロ・プロセスの強調，日常の活動，制度化された実践，あるいはディスコースといった広く複雑な現象の異なる部分について，パースペクティブの異なる側面を適用しようとしている多くの戦略研究者が興味をもっていることを知っている。実践としての戦略のパースペクティブの将来にわたる発展が，排他性というより包括性によって特徴づけられ続けるということは重要である。また，包括性は，例えば，より実践的であることおよび／または何が戦略の「内容」の問題として見なされるであろうか，をミクロ志向で理解しようとするプロセス学派の人々と資源ベース学派の人々の両方を引きつけ，歓迎するといった，他のパースペクティブへの積極的な架け橋となることを意味している。

　この各研究者たちの総括で残された部分で，わたしは，実践としての戦略のパースペクティブが将来にわたり発展していく際に，注意深く考えなければならない3つの問題を強調したいと思う。最初の問題は，実務家を忘れてはならないと，心に止めておくことである。これまでは，実際に戦略化を行う行為者の実践—例えば，戦略を行う実務家—を理解するための激しい議論があったが，このパースペクティブは，発見したこと，そして普及させることについて実務家に話をすることに関心を持っていなかった。このパラドックスを中和し，それが支配的なパターンとなることが重要である。例えば，本書の方法論の章にあるように，我々はフィールドスタディでデータを集める際は，如何に実践に携わる人に近づくか，についてかなり議論している。しかし，実務に携わる人たちに直接話したり，語り合ったりという方法で，いかに我々の研究結果を広めるか，についても，さらなる議論と研究をともに行わなければならない。もし実践としての戦略のパースペクティブが戦略の行使の「秘密」についての新しい知識を生み出すという約束を果たすなら，戦略の行使に関する積極的なリフレクションとなるように実務家を刺激するであろう新しいチャネル，領域そして方法を発展させる必要がある。例えば，方法論的にいうのであれ

ば，我々は戦略の実践に関してより厳密な実証的根拠を開発する手段として協働して研究することを考えるかもしれない。しかしながら，またそのようなアプローチのもつ潜在的な相互学習についてもさらに考えなければならない。さらに，正統性をもった重要な一流の学術雑誌に載せることに焦点を当てなくてはならない。しかし，コミュニケーション・チャネル，おそらく新しいメディア（インターネット時代の）そして戦略の実践家との対話をサポートする分野（MBAのコンテクストを超えた）について，戦略の実践についての増大する知識にもとづいた内省的な学習をするように実践家に影響を与え，刺激するという目的からも，また考えなければならない。

　第2の問題は，戦略化に内在する思考の実践についてである。実践としての戦略のパースペクティブにおいて活動，実践そしてルーチンに深く焦点を集めることは，確かに戦略化の思考や活動の両側面に関連している。しかし，後者が過度に強調される傾向にあるというのはもっともである（たとえ思考の側面にフォーカスする最近の例があるとしても，それは本書に掲載されたバロガンとジョンソンの論文に含まれているが）。実践としての戦略のパースペクティブにおける戦略化の思考次元を強調することには3つの理由がある。第1は，戦略家が，いかに思考を戦略化についてのミクロレベルのパースペクティブの重要な一部であると考えるか，である。第2は，実践が意味を形成するものとして，まさに多くの実践に見られるように，思考モードがルーチン化され，制度化される（例えば，産業の処方箋のように）傾向にあるものとして思考をみなすことである。第3は，メンタルな構成物としての戦略が，自然に戦略化のミクロと組織の側面の架け橋となることである。例えば，個人の思考活動のミクロなプロセスと意図された，あるいは創発的な戦略の成果の組織的プロセスである。

　恐らくほとんどの戦略化のタイプは，結局，主要な戦略的刷新を導く活動と実践を含んでいる。このコンテクスト，そして戦略家の個人もしくは小集団のレベルにおいて，戦略化が戦略ゲームのルールについての支配的な信念や叡智を大幅に見直すことを意味するとき，成功した戦略化は，実際には何を意味しているのであろうか。そして，この疑問に関連して，どのような戦略家の行動タイプが新しいそして革新的な戦略を導くのであろうか。つまり，どのような

思考の実践が新しさを作り出し，支配的な戦略の刷新をサポートするのか，である。戦略策定についての確立された見方は，ほとんどの場合，分析的実践とツールを強調するが，直観と創造性は未だに十分探求されていない。

　私が提起する第3の，そして最後の問題は，社会科学におけるプラグマティックな問題と関連している。私見からすれば，実践としての戦略は研究のトピックスや理論だけでなく認識論の点からも新鮮なものを含んでいる。実践としての戦略のパースペクティブがその潜在性を実現するためには，戦略論の分野を支配している問題解決の主要な認識論に収斂していくリスクを克服する必要がある。一般化可能な実証分析に基づく証拠という魔力により，説明力のある理論を構築する支配的なロジックに従うという強いプレッシャーを感じる。しかし，そのようなアプローチは，しばしば既存のデータベースから得られるデータや隔たりや断面性により特徴づけられるデータを要求する。それは，戦略を行う戦略家の日々の実践からはほど遠いものである。本書では，このトレードオフもしくはジレンマに注目している。一方で，我々は戦略の行使，戦略化の活動，および戦略家間の日々の相互作用に関わる信頼に足る実証的説明（ストーリー，物語など）を展開する目的から，ミクロで，深く，そして閉ざされてきたものを議論している。他方で，そのようなアプローチが含意する一般化の問題を論評している。私見では，ミクロなパースペクティブと戦略を行っている実践家に接近するという訴えは，多かれ少なかれ普遍的な真理に対する実証的証拠を一般化する目的を持っている支配的な新実証主義と比べると，それに代わりうる認識論的立場を意味している。ミクロな活動や戦略化のアクター間の相互作用に緊密に接近することにより，実践としての戦略のパースペクティブは，むしろ十分な根拠のある観察と社会的に意味のある理論との間の反復的解釈により築かれたタイプの理論化に帰着する。それは，1次，2次分析という解釈主義的アプローチに調和したものである。

リチャード・ウィッティントン：あれやこれやいって，違いを生み出すのが研究

　実践としての戦略研究は新しい研究である。我々は，この研究コミュニティ

で共有された中心的関心―人々は実際に何を戦略で行っているか―をここで提唱している。また，将来の研究の方向性とモデルをも示唆している。研究コミュニティが，如何に事を進めるかということについては，明確に予測することは出来ない。それを推進することも，恐らく，説得することも出来ない。しかし，何らかの思いがけない事を期待できるはずである。

　そのことから，本書の最後に2つのことを主張できるであろう。第一は，我々の研究コミュニティの創発的な性質を保つには，多元論的でなければならないということある。ここでは，関心事の多元主義と方法論の多元主義の両方を強調することになろう。第2は，たくさんの理由があるが，我々の研究が，ある意味で，実践的でなくてはならないということである。簡単に言うと，我々の研究が，あれやこれやいっても違いを生み出す研究となることを期待することができる。

　私が主張したい最初の多元主義は，「独立変数」であろうと関心の単なる兆しとして評価されようと，実践としての戦略研究を駆り立てる重要な関心事に注目している。これまで組織のパフォーマンス，それは何らかの形で測定される（利益率，生存，あるいはそれに類似したもの）が，その本質的に関わるものとして戦略を定義しようとする試みが行われてきた。もちろん，組織パフォーマンスは，それが世界の偉大な企業，企業家による起業，あるいは公共や第三セクターの組織であろうと，とても重大である。しかし，あまりにも場当たり的に伝統的な定義が排除してきた戦略の実践には，他に多くの関連したものが含まれている。私は，2つのことを強調したい。

　伝統的な戦略論は，戦略の実践者のパフォーマンスについてあまりにも無頓着である。ここで実践家とは，経営者の地位にある人々や，MBAやその他の学生がなりたいと思う人々のことである。すなわち，それは我々が直接責任を持っていると呼ぶ人たちである。つまり，彼らを雇用する組織は，2番目の順位に甘んじている。確かに，どの組織の戦略が払い，そしてどのような環境に注意を払うべきか，についての一般的なガイドラインは，実践している者にとっては有用で，現実的となるであろうし，またそうであろう。しかし，また，戦略業務の進め方，戦略家の役割の果たし方，そして主役への成り方についての知識も有用であろう。このように，我々は戦略業務について十分に理解

することが必要となり，そしてそれに関連する実践的な知恵を伝えることが求められよう。戦略業務は，明らかに日常的だが，実際には戦略ワークショップへの参加，戦略プロジェクトチームのマネジメント，戦略のストーリーボードの作成といった現実の巧みな活動といったものを含んでいる。もし戦略が，人々が行うものであるならば，我々の仲間の中で戦略という仕事がいかに遂行されるのか，についてのさらなる洞察力を提供するということに関心を払わなければならない—それがすべてなのだ。

　他に伝統的な戦略の関心から排除されたものとしては，この戦略という仕事を果たすためのツールがある。これらは標準的な戦略論講座のツールやテクニック，例えばポーターの5つの競争要因（Porter's Five Forces）あるいはボストン・コンサルティンググループのマトリックスを含んでいる。しかし，もし我々が第2章でのアンドリューの戦略家を思い出すならば，それらは，また，当たり前の情報技術や戦略の業務を可能にするインフラを支えることを含んでいることが分かる。ここにアジェンダの2つの面がみられる。第1は，奇妙なことではあるが，標準的な戦略講座のツール（ポーターの5つの影響力など）は，もはや何ももたらさないということである。実践としての戦略のパースペクティブからすると，それらのツールを用いて人々は何をするか，をさらに理解することが明らかに必要である。用いられるツールを理解することは，戦略ツールのデザイン，その普及，そしてその批判を知らしめることとなる。それはまた，実践家をより熟練したツールの使い手にすることが可能である。第2は，戦略という仕事をするために使う当たり前の技術，ビデオ会議，ブラックベリー，フリップチャート，そしてパワーポイントについて，さらに調べる必要があることである。熟達した戦略家は，おそらくポーターのいう5つの影響力を作成すると同じくらいフリップチャートを駆使できることが必要であろう。ここで，1つおもしろい質問をするならば，それは，いかにそのような技術が戦略という仕事の本質を形成するのか，ということである。標準的なパワーポイントのスライドによって，戦略的容易さや簡素化がなされるであろうか。新しいイントラネットや電子投票技術によって，戦略の中にさらに多くのものを内包化することや参加を容易ならしめるであろうか。手短に言えば，戦略ツール—それらすべての影響に関心を払わなければならないということ

である。

　主張したい2番目の多元主義は，方法論の多元主義である。本書のバーリィとラングレィによる論文は，どちらも定性的方法と定量的方法を使っている。それを行うのは骨の折れる仕事であり，賞賛すべきものである。しかし，1つの研究で常に方法を組み合わせることが出来ないとしても，その研究を超えた異なる方法の潜在的な相補性を認識しなければならない。エスノグラフィーは，将来の実践としての戦略研究で中心的役割を果たすであろう。第3章にあるように，eメールの記録，戦略文書を練るトラックの変更，デジタル写真撮影やビデオ撮影のような新しい技術は，すべてがエスノグラフィック的調査を深める刺激的な機会を約束している。

　しかし，実践としての戦略では，エスノグラフィーを超えた他の方法を使うことが出来る。少なくともエスノグラフィックな研究を必要とする特定の戦略実践を普及したり，その影響を与えたりするためには，観察調査は重要な地位を占めている。歴史的方法も，また，有用となるかもしれない。例えば，古文書の研究は，新しい技術が戦略の行う仕事やその成果にもたらす相違—スタッズ・ターケル（Terkel 1972）の *Working* という研究に見る生き生きとした洞察力をよく考えてみて—を明らかにするかもしれない。会議室や寝室も同じようなプライベートな制約を受けているが，アルフレッド・キンゼー（Kinsey et at. 1948）の *Sexual Behavior in the Human Male* におけるマス・インタビューは，何が通常の活動であったか，について，多くのことを明らかにしている。同じことが実践としての戦略にもいえよう。結局，もともとはアルフレッド・マーシャル（Alfred Marshall）の『経済学原理』は，その学問分野を，ある意味では，戦略化という日々の実践に関心を持つ実践としての戦略を研究するコミュニティで驚くべき反響を呼んだ「通常のビジネス・ライフにおける人類の研究」として定義しているのである（Knight 1941）。

　研究の関心や方法論についてのこのような多元主義は，実践での影響の多様性をも指摘している。我々は，戦略家としての人々のパフォーマンスについての違いをみることができる。我々は，より効果的な戦略ツールをデザインすることで手助けをすることができる。我々は，戦略の内包化や参加を容易にすることができる新しい技術を促進することができる。我々は，意図されない危険

な結果を招きかねない，気まぐれな熱狂状態にあるビジネスを通して競争するという概念や実践を批判することができる。実践としての戦略は，悪い結果とならないようにたくさんの実践的方法を取りなすためのプラットフォームなのである。

そして，実践としての戦略を研究するものは，あれやこれやいって違いを見出さなければならない。少なくとも，実践的影響をもたらす研究には，3つの根拠がある。第1は，第2章で紹介された哲学的な意味での実用主義者の伝統の中に，実践としての戦略の何らかのルーツがあることを思い出させることである。実用主義者は，特に教育を通して普通の生活を送る人々を助けようと努力した。もし実用主義者の哲学によって鼓舞されることがあるなら，その時は，また，実践的援助へのコミットメントが間違いなく起こるはずである。我々は，実践というタイトルにおける実践的なものを重視しなければならない。

違いを生み出す第2の根拠は，概念的なものではなく，学問的競争の現実を認識することである。伝統的な戦略研究は卓越した組織パフォーマンスの賢人の石を約束し，そして少なくともパフォーマンスを低下させるであろうものを定義づけることによって発展してきた。伝統的戦略研究者の約束は，例えば，研究助成金，コンサルティングとしての興味や野心的なPhDの新入学生にとっては，魅力的ではある。もし実践として戦略が資源，興味そして心を手に入れるために戦うことであるとしたら，その有用性を論証する必要があろう。人々が戦略で実際は何を行うのかについて厳格に研究することが著しい実践的価値を持つという可能性がないとは思えない。今や我々はその可能性を信じて疑わないのである。

最後に，学生のおかげを被っているという単純な理由から，我々は研究の違いを見出さなければならない。我々の給与は，主として学費によって支払われている。そして，彼らは人生の中で重要な時期に学生として多くの時間を費やしているからである。しかし，戦略論で教える多くのことは，彼らの大部分の人生からかけ離れた，恐らく差し迫った責任や実践的なマインドをもつ人々を遠ざけてしまう抽象的なレベルのものである。我々は，もっとうまく出来るはずなのである。引き受けたり，あるいは影響を与えたりする仕事の一部となる

であろうとも，実践的活動として戦略をとらえることによって，戦略論講座の一般的専門分野である抽象的な原則よりも一組のより当面必要となる現実的スキルを学生に提供することができる。それらには原則が必要であるが，しかし戦略ワークショップのやり方，戦略プロジェクト・マネジメントの仕方，戦略のストーリーボードの作成やその他諸々のやり方について知ることが必要である。まさにその時，多くの戦略が，ラテン語や古代ギリシャ語とおなじように，ページに書き込まれた有り難い死語として教えられるのである。我々は，もっと生きた言語を使って戦略を教える必要がある。生きた言語は，戦略を語るスキルによって発展し，そしてより大きな力を得ることができるものなのである。

　同僚の著者と同様に，私は読者が本書の中に有益となるものを見出してくれると信じている。また，本書からこの胸がわくわくするような新しい分野での本質的で衝撃的な研究を行うようになることを望んでいる。それ故，今や読者のためになすべきことは，うまく研究を続けることであり，新しい何かを行うことである。それは，驚くべきことなのである。

参考文献

Abrahamson, E. 1996 Management fashion, *Academy of Management Review*, 21: 254-85

Abrahamson, E. and Fairchild, G. 1999 Management fashion: lifecycles, triggers and collective learning processes, *Administrative Science Quarterly*, 44, 4: 708-41

Adler, P. A. and Adler, P. 1994 Observational techniques, In N. K. Denzin and Y. S. Lincoln (eds.), *Handbook of qualitative research*, 377-92, Thousand Oaks, CA: Sage
（平山満義監訳『質的研究ハンドブック』全3巻 北大路書房, 2006年に収録）

Ager, M. H. 1980 *The professional stranger: and informal introduction to ethnography*, New York: Academic Press

Akrich, M., Callon, M. and Latour, B. 2002 The key to success in innovation part 1: the art of interessement, *International Journal of Innovation Management*, 6, 2: 87-206

Alberta Community Development 1994 Business plan: 1994/5 to 1996/7, Edmonton: Alberta Community Development, February

Allison, G. 1971 *Essence of decision*, Boston, MA: Little Brown
（宮里政玄訳『決定の本質：キューバ・ミサイル危機の分析』中央公論社, 1977年）

Alvesson, M. and Karreman, D. 2000 Varieties of discourse: on the study of organizations through discourse analysis, *Human Relations*, 53, 9: 1125-49

Alvesson, M. and Sveningsson, S. 2003 Beyond neo-positivists, romantics and localists: a reflexive approach to interviews in organizational research, *Academy of Management Review*, 28, 1: 13-33

Ambrosini, V. 2003 *Tacit and ambiguous resources as sources of competitive Advantage*, New York: Palgrave Macmillan

Ambrosini, V. and Bowman, C. 2001 Tacit knowledge: some suggestions for operationalisation, *Journal of Management Studies*, 38, 6: 811-29

Argote, L. McEvily, B. and Reagans, R. 2003 Introduction to the special issue on managing knowledge in organizations, *Management Science*, 49, 4: v-ix

Argyris, C. 1990 The dilemma of implementing controls: the case of managerial accounting, *Accounting, Organizations and Society*, 15, 6: 503-11

Argyris, C., Putnam, R. and McLain Smith, D. 1985 *Action science*, San Francisco: Jossey-Bass

Argyris, C. and Schon, D. 1978 *Organizational learning: a theory of action perspective*, Reading, MA: Addison Wesley

Ashkenas, R., Ulrich., D., Jick, T. and Kerr, S. 1995 *The boundaryless organization: breaking the chains of organizational structure*, San Francisco: Jossey-Bass

Bacharach, S. 1989 Organizational theories: some criteria for evolution, *Academy of Management Review*, 14, 4: 496-515

Bacharach, S. Bamberger, P. and Sonnenstuhl, W. 1996 The organizational transformation process: the micro politics of dissonance reduction and the alignment of logics of action, *Administrative Science Quarterly*, 41: 477-506

Balogun, J., Huff, A, and Johnson, P. 2003 Three responses to the methodological challenges of studying strategizing, *Journal of Management Studies*, 40, 1: 197-224

Balogun, J. and Johnson, G. 2004 Organizational restructuring and middle manager sensemaking, *Academy of Management Journal*, 47: 523-49

—— 2005 From intended strategies to unintended outcomes: the impact of change recipient sensemaking, *Organization Studies*, 26, 11: 1573-601

Baker, R. 1997 How can we train leaders if we don't know what leadership is? *Human Relations*, 50: 343-62

Barley, S. 1986 Technology as an occasion for structuring: evidence from observations of CT scanners and the social order of radiology departments, *Administrative Science Quarterly*, 31, 1: 78-98

—— 1990 Images of imaging: notes on doing longitudinal fieldwork, *Organization Science*, 1, 2: 220-47

Barley, S. and Tolbert, P. 1997 Institutionalisation and structuration: studying the links between action and institution, *Organization Studies*, 18, 1: 93-117

Barnard, C. 1938 *The functions of the executive*, Cambridge, MA: Harvard University Press
（山本安次郎，田杉競，飯野春樹訳『経営者の役割：その職能と組織』ダイヤモンド社，1956年）

Barnard, H. 1990 Bourdieu and ethnography: reflexivity, politics and practice. In R. Harker, C. Mahar and C. Wilkes (eds.), *An introduction to the work of Pierre Bourdieu: the practice of theory*, 58-85, London: Macmillan
（滝本往人，柳和樹訳『ブルデュー入門：理論のプラチック』昭和堂，1993年）

Barney, J. 1986 Organizational culture: can it be a source of sustained competitive advantage?, *Academy of Management Review*, 11, 3: 656-65

—— 1991 Firm resources and sustained competitive advantage, *Journal of Management*, 17: 99-120

—— 2002 Strategic management: from informed conversation to academic discipline, *Academy of Management Executive*, 16, 2: 53-7

Baron, J., Dobbin, F. and Jennings, P. 1986 War and peace: the evolution of modern personnel administration in US industry, *American Journal of Sociology*, 92: 350-83

Barry, D. and Elmes, M. 1997 Strategy retold: towards a narrative view of strategic discourse, *Academy of Management Review*, 22, 2: 429-52

Bartlett, C. and Ghoshal, S. 1989 Managing across borders: *the transnational corporation*, Cambridge, MA: Harvard Business School Press
（吉原英樹監訳『地球市場時代の企業戦略：トランスナショナル・マネジメントの構築』日本経済新聞社，1990年）

Bartunek, J. 1984 Changing interpretive schemes and organizational restructuring: the example of a religious order, *Administrative Science Quarterly*, 29: 355-72

Bartunek, J., Rynes, S. and Ireland, R. 2006 What makes management research interesting, and why does it matter?, *Academy of Management Journal*, 49, 1: 8-15

Bate, S., Khan, R. and Pye, A. 2000 Towards a culturally sensitive approach to organization structuring: where organization design meets organization development, *Organization Science*, 11, 2: 197-211

Becker, M., Lazaric, N., Nelson, R. and Winter, S. 2005 Applying organizational routines in understanding organizational changes, *Industrial and Corporate Change*, 14, 5: 775-91
Berger, P. and Luckmann, T. 1966 *The social construction of reality*, London: Penguin
　（山口節郎訳『現実の社会的構成：知識社会学論考』新曜社，2003 年）
Bettenhausen, S. and Murnighan, K. 1985 The emergence of norms in competitive decision making groups, *Administrative Science Quarterly*, 30: 350-72
Bittner, E. 1973 The concept of organization. In G. Salaman and K. Thompson (eds.), *People and organizations*, 264-76, Milton Keynes: Open University Press
Blackler, F., Crump, N. and McDonald, S. 2000 Organizing processes in complex activity networks, *Organization*, 7, 2: 227-91
Boden, D. 1994 *The business of talk*, Cambridge: Polity Press
Bourdieu, P. 1997 *Outline of a theory of practice*, trans, Richard Nice, Cambridge: Cambridge University Press
　1988 *Homo academics*, Cambridge, Polity Press（石崎晴己，東松秀雄訳『ホモ・アカデミクス』藤原書店，1997 年（原著出版年 1984 年））
　1990 *The logic of practice*, Cambridge, MA: Harvard University Press
　1991 *Language and symbolic power*, Cambridge, MA: Harvard University Press
　1993 *The field of cultural production*, New York: Columbia University Press
Bourdieu, P. and Wacquant, L. 1992 *An invitation to reflexive sociology*, Oxford: Polity Press
　（水島和則訳『リフレクシヴ・ソシオロジーへの招待：ブルデュー，社会学を語る』藤原書店，2007 年）
Bourgeois, L. and Eisenhardt, K. 1998 Strategic decision processes in high velocity environments: four cases in the microcomputer industry, *Management Science*, 34: 816-35
Bourgeois, L., 1979 Toward a method of middle-range theorizing, *Academy of Management Review*, 4, 3: 443-7
Bower, J. 1972 *Managing the resource allocation process: a study of corporate planning and investment*, Homewood, IL: Irwin
　1982 Business policy in the 1980's, *Academy of Management Review*, 7, 4: 630-8
Bowman, E. and Helfat, C. 2001 Does corporate strategy matter?, *Strategic Management Journal*, 22, 1: 1-24
Bowman, E., Singh, H. and Thomas, H. 2002 The domain of strategic management: history and evolution. In A. Pettigrew, H. Thomas and R. Whittington (eds.), *Handbook of strategy and management*, 31-51, London: Sage
Boydston, J. 1970 *Guide to the works of John Dewey*, Carbondale and Edwardsville: Southern Illinois University Press
Brews, P. and Hunt, M. 1999 Learning to plan and planning to learn: resolving the planning school/learning school debate, *Strategic Management Journal*, 20, 10: 889-913
Bromiley, P. 2004 *Behavioural foundations of strategic management*, Oxford: Blackwell
Brown. J. and Duguid, P. 2000 *The social life of information*, Boston, MA: Harvard Business School Press（宮本喜一訳『なぜ IT は社会を変えないのか』日本経済新聞社，2002 年）
Brown, S. and Einsenhardt, K. 1997 The art of continuous change: linking complexity theory and time-paced evolution in relentlessly shifting environments, *Administrative Science Quarterly*, 42: 1-34
　1998 *Competing on the edge*, Cambridge, MA: Harvard Business School Press（佐藤洋一監

訳『変化に勝つ経営：コンピーティング・オン・ザ・エッジ戦略とは？』トッパン，1999年)
Brunsson, N. and Jacobsson, B. 2000 *A world of standards,* Oxford: Oxford University Press
Burgelman, R. 2002 *Strategy as destiny: how strategy-making shapes a company's future,* New York: Free press (石橋善一郎, 宇田理監訳『インテルの戦略：企業変貌を実現した戦略形成プロセス』ダイヤモンド社, 2006年)
Burgess, R. 1984 *In the field: an introduction to field research,* London: Allen and Unwin
Bürgi, P., Jacobs, C. and Roos, J. 2005 From metaphor to practice in the crafting of strategy, *Journal of Management Inquiry,* 14, 1: 78-94
Bürgi, P. and Roos, J. 2003 Images of strategy, *European Management Journal,* 21, 1: 69-78
Burns, J. 1978 Leadership, New York: Harper Colophon
Burrell, g. and Morgan, G. 1979 *Sociological paradigms and organizational analysis,* London: Heinemann. (鎌田伸一ほか訳『組織理論のパラダイム：機能主義の分析枠組』千倉書房, 1986年)
Cailluet, L. and Whittington, R. 2007 The crafts of strategy, *Long Range Planning* (forthcoming)
Calhoun, C. 1995 *Critical social theory: culture, history, and the challenge of difference,* Cambridge, MA: Blackwell
Callero, P. 2003 The sociology of the self, *Annual Review of Sociology,* 29, 1: 115-33
Callon, M. and Law, J. 1997 After the individual in society: lessons on collectivity from science, technology and society, *Canadian Journal of Sociology,* 22, 2: 16-82
Carnegie, G. and Wolnizer, P. 1996 Enabling accountability in museums, *Accounting, Auditing and Accountability Journal,* 9: 84-99
Chakravarthy, B. and Doz, Y. 1992 Strategy process research: focusing on corporate self-renewal, *Strategic Management Journal,* 13, Special Issue: 5-14
Chakravarthy, B.and White, R. 2002 Strategy process: changing and implementing strategies. In A. Pettigrew, H. Thomas and R. Whittington (eds.), *Handbook of strategy and management,* 183-206, London: Sage
Clark, A. and Fujimoto, J. 1992 *The right tools for the job: at work in twentieth century life sciences,* Princeton, NJ: Princeton University Press
Clark, T. 2004 Strategy viewed from a management fashion perspective, *European Management Review,* 1, 1: 105-11
Clark, T. and Fincham, R. (eds.) 2002 *Critical consulting,* Oxford: Blackwell
Cohen, M. D. and March, J. G. 1974 *Leadership and ambiguity: the American college president,* New York: McGraw-Hill
Collier, I. and Collier, M. 1986 *Visual anthropology: photography as a research method,* Albuquerque: University of New Mexico Press
Conrad, C. F. 1982 Grounded theory: an alternative approach to research in higher education, *Review of Higher Education,* 5: 259-69
Contu, A. and Willmott, H. 2003 Re-embedding situatedness: the importance of power relations in learning theory, *Organization Science,* 14, 3: 283-96
Cooper, D. and Dean, N. 1996 Accounting interventions. Paper presented at the Critical Perspectives on Accounting Conference, New York April
Cyert, R. and March, J. 1963 *A behavioural theory of the firm,* Englewood Cliffs, NJ: Prentice-Hall

Draft, R. L. and Weick, K. E. 1984 Towards a model of organizations as interpretation systems, *Academy of Management Review*, 9: 284-95

D'Aveni, R. (with Gunther, R.) 1995 *Hypercompetitive rivalries*, New York: Free Press

Davis, G., Dieljam, K. and Tinsley, C. 1994 The decline and fall of the conglomerate firm in the 1980s: the deinstitutionalization of an organizational form, *American Sociological Review*, 59: 547-70

Dawes, P. 1987 Snowball sampling in industrial marketing, *Australian Marketing Researcher*, 11: 26-35

de Certeau, M. 1988 *The practice of everyday life*, Berkeley: University of California Press

de Certeau, M., Giard, L. and Mayol, L. 1998 *The practice of everyday life*, vol. 2, *Living and cooking* trans. T. Thomasik, Minneapolis: University of Minnesota Press
（上記二冊　山田登世子訳『日常的実践のポイエティーク』国文社, 1987 年（原著出版年 1980 年）

Deephouse, D. 1999 To be different or to be the same? it's a question (and theory) of strategic balance, *Strategic Management Journal*, 20: 147-66

Denis, J., Langley, A. and Pineault, M. 2000 Becoming a leader in a complex organization, *Journal of Management Studies*, 37, 8: 1063-99

Denis, J., Langley, A. and Rouleau, L. 2007 Strategizing in pluralistic contexts: rethinking theoretical frames, *Human Relations*, 60, 1: 179-215

Denzin, N. 1989 *The research act: a theoretical introduction to sociological methods*, Englewood Cliffs, NJ: Prentice-Hall

Dewey, J. 1938 *Experience and education*, New York: Touchstone（河村望訳『学校と社会；経験と教育』人間の科学社, 2000 年）

Dillon, J. 1990 *The practice of questioning*, London: Routledge

DiMaggio, P. 1991 Constructing an organizational field as a professional project: US art museums, 1920-1940. In W. Powell and P. DiMaggio (eds.), *The new institutionalism in organizational analysis*, 267-92, Chicago: University of Chicago Press

DiMaggio, P. and Powell, W. 1983 The icon cage revisited: institutional isomorphism and collective rationality in organizational fields, *American Sociological Review*, 48: 147-60

—— 1991. Introduction. In W. Powell and P. Dimaggio (eds.), *New institutionalism in organizational analysis*, Chicago: University of Chicago Press

Dinning, J. 1993 *A financial plan for Alberta*: Budget '93, Edmonton: Alberat Treasury, May 6

Djelic, M. 1998 *The export of the American model*, Oxford: Oxford University Press

Donnellon, A., Gray, B. and Bougon, M. 1986 Communication, meaning, and organizational action, *Administrative Science Quarterly*, 31: 43-55

Dougherty, D. 1992 A practice-centred model of organizational renewal through product innovation, Strategic Management Journal, 13, Summer Special Issue: 77-96

Dougherty, D., Barnard, H. and Dunne, D. 2004 Exploring the everyday dynamics of dynamic capabilities. Paper presented at the 3rd Annual MIT/UCI Knowledge and Organizations Conference, Laguna Beach, CA, March

Drew, P. and Sorjonen, M. 1997 Institutional dialogue. In T. van Dijk (ed.), *Discourse as social interaction*, 92-118, London: Sage

Dugdale, A. 1999 Materiality: juggling sameness and difference. In J. Law and J. Hassard

(eds.), *ANT and after*, 113-35, Oxford: Blackwell
Dutton, J. and Dukerich, J. 1991 Keeping an eye on the mirror: image and identity in organizational adaptation, *Academy of Management Journal*, 24, 3: 517-54
—— 2006 The relational foundation of research: an underappreciated dimension of interesting research, *Academy of Management Journal*, 49, 1: 21-6
Dutton, J. E. and Duncan, R. B. 1987 The creation of momentum for change through the process of strategic issue diagnosis, *Strategic Management Journal*, 8: 279-95
Dyer, W. and Wilkins, A. 1991 Better stories, not better constructs, to generate better theory: a rejoinder to Eisenhardt, *Academy of Management Review*, 16, 3: 613-19
Edelman, M. 1964 *The symbolic uses of politics*, Urbana: University of Illinois Press (法貴良一訳『政治の象徴作用』中央大学出版部, 1998 年)
Egginton, W. and Sandbothe, M. 2004 *The pragmatic turn in philosophy*, Albany, NY: SUNY Press
Eisenhardt, K. 1989a Making fast strategic decisions in high-velocity environments, *Academy of Management Journal*, 32, 3: 543-76
—— 1990b Building theories from case study research, *Academy of Management Review*, 14, 4: 532-50
—— 1991 Better stories and better constructs: the case for rigor and comparative logic, *Academy of Management Review*, 16, 3: 620-7
Eisenhardt, K. and Bourgeois, L. 1988 Politics of strategic decision making in high velocity environments: toward a midrange theory, *Academy of Management Journal*, 31, 4: 737-70
—— 1989 Charting strategic decisions: profile of an industry star. In M. Van Glinow and S. Mohrmann (eds.), *Managing complexity in high technology organizations, industries, systems, and people*, 74-89, New York: Oxford University Press
Eisenhardt, K. and Martin, J. 2000 Dynamic capabilities; what are they?, *Strategic Management Journal*, 21: 1105-21
Elsbach, K., Barr, P. and Hargadon, A. 2005 Identifying situated cognition in organizations, *Organization Scienece*, 16, 4: 422-33
Engeström, Y. 2001 Expansive learning at work; toward an activity theoretical reconceptualisation, *Journal of Education and Work*, 14, 1: 133-56
Fairclough, N. 1995 Critical discourse analysis, Harlow: Longman
—— 2005 Discourse analysis in organization studies: the case for critical realism, *Organization Studies*, 26, 6: 915-39
Feldman, M. 2003 A performative perspective on stability and change in organizational routines, *Industrial and Corporate Change*, 13, 4: 727-52
—— 2004 Resources in emerging structures and processes of change, *Organization Science*, 15, 3: 295-309
Feldman, M. and Pentland, B. 2003 Reconceptualising organizational routines as a source of flexibility and change, *Administrative Science Quaterly*, 48: 94-118
Feldman, M. and Rafaeli, A. 2002 Organizational routines as sources of connections and understandings, *Journal of Management Studies*, 39, 3: 309-31
Fiol, M. 2002 Capitalizing on paradox: the role of language in transforming organizational indentities, *Organization Science*, 13: 653-66

Fiol, M. and Huff, A. 1992 Maps for managers: Where are we? Where do we go from here?, *Journal of Management Studies*, 29: 267-85

Fligstein, N. 1990 *The transformation of corporate control*, Cambridge, MA: Harvard University Press

  1997 Social skill in institutional theory, *American Behavioural Scientist*, 40, 4: 397-405

Foucault, M. 1997 *Discipline and punish: the birth of the prison*, London: Penguin（田村俶訳『監獄の誕生：監視と処罰』新潮社, 1977 年（原著出版年 1975 年））

  1978 *The history of sexuality*, vol. 1, *An introduction*, London: Penguin（田村俶訳『快楽の活用（性の歴史 I）』新潮社, 1986 年）

Fredrickson, J. and Iaquinto, A. 1987 Incremental change, its correlates, and the comprehensiveness of strategic decision processes, *Academy of Management Proceedings*, 12: 26-30

Fredrickson, J. and Mitchell, T. 1984 Strategic decision processes: comprehensiveness and performance in an industry with an unstable environment, *Academy of Management Journal*, 27: 399-423

Fry, L. 1982 Technology-structure research: three critical issues, *Academy of Management Journal*, 25: 532-52

Gal, R. and Lazarus, R. 1975 The role of activity in anticipating and confronting stressful situations, *Journal of Human Stress*, 2: 4-20

Galunic, C. and Eisenhardt, K. 1994 Renewing the strategy-structure-performance paradigm, *Research in Organizational Behavior*, 16: 215-55

Garfinkel, H. 1967 *Studies in ethnomethodology*, Englewood Cliffs, NJ: Prentice-Hall (1984 edition, Cambridge: Polity Press)

Gavetti, G. 2005 Cognition and hierarchy: rethinking the microfoundations of capabilities' development, *Organization Science*, 16, 6: 599-617

George, A. 1980 Presidential decision making in foreign policy, Boulder, CO: Westview Press

Gephart, R. 1993 The textual approach: the risk and blame in disaster sensemaking. *Academy of Management Journal*, 36: 1465-514

  1997 Hazardous measures: an interpretive textual analysis of quantitative sensemaking during crises, *Journal of Organizational Behavior*, 18: 583-622

Giddens, A. 1976 *New rules of sociological method*, London: Hutchinson（松尾精文ほか訳『社会学の新しい方法規準：理解社会学の共感的批判』而立書房, 1987 年）

  1979 *Central Problems in social theory*, Berkeley: University of California Press（友枝敏雄, 今田高俊, 森重雄訳『社会理論の最前線』ハーベスト社, 1989 年）

  1984 *The constitution of society*, Oxford: Polity Press

  1987 *Social theory and modern sociology*, Oxford: Polity Press（藤田弘夫監訳『社会理論と現代社会学』青木書店, 1998 年）

Gioia, D. and Chittipeddi, K. 1991 Sensemaking and sesegiving in strategic change initiation, *Strategic Management Journal*, 12: 433-48

Gioia, D. and Poole, P. 1984 Scripts in organizational behavior, *Academy of Management Review*, 9, 3: 449-59

Gioia, D. A. and Thomas, J. B. 1996 Identity, image, and issue interpretation: sensemaking during strategic change in academia, *Administrative Science Quaterly*, 41, 3: 370-403

Gioia, D., Thomas, J., Clark, S. and Chittipeddi, K. 1994 Symbolism and strategic change in

academia: the dynamics of sensemaking and influence, *Organization Science*, 5: 363-83
Glaser, B. and Strauss, A. 1967 *The discovery of grounded theory: strategies for qualitative research*, London: Weidenfeld and Nicolson (後藤隆, 大出春江, 水野節夫訳『データ対話型理論の発見：調査からいかに理論をうみだすか』新曜社, 1996 年)
Goffman, E. 1983 The interaction order, *American Sociological Review*, 48: 1-17
Goodman, L. 1961 Snowball sampling, *Annuals of Mathematical Statistics*, 32: 148-70
Grant, R. 1995 *Contemporary strategy analysis: concepts, techniques, applications*, 2nd edition, Oxford: Blackwell (加藤公夫訳『グラント現代戦略分析』中央経済社, 2008 年)
　　2002 Corporate strategy: managing scope and strategy content. In A. Pettigrew, H. Thomas and R. Whittington (eds.), *Handbook of strategy and management*, 297-321, London: Sage
　　2003 Strategic planning in a turbulent environment: evidence from the oil majors, *Strategic Management Journal*, 24: 491-517
Grant, R., Jammine, A. and Thomas, H. 1988 Diversity, diversification and profitability among British manufacturing companies, 1972-84, *Academy of Management Journal*, 31, 4: 771-801
Greenwood, R. and Suddaby, R. 2006 Institutional entrepreneurship in mature fields: the big five accounting firms, *Academy of Management Journal*, 49, 1: 27-48
Greiner, L. and Bhambri, A. 1989 New CEO intervention and dynamics of deliberate strategic change, *Strategic Management Journal*, 10, Special ISSUE: 67-86
Greiner, L., Bhambri, A. and Cummings, T. 2003 Searching for a strategy to teach strategy, *Academy of Management Learning and Education*, 2, 4: 402-19
Guda, E. and Lincoln, Y. 1994 Competing paradigms in qualitative research. In N. Denzin (ed.), *Handbook of qualitative research*, 105-17, Thousand Oaks, CA: Sage
Guillory, I. 1993 *Cultural capital: the problem of literary canon formulation*, Chicago: University of Chicago Press
Hafsi, T. and Demers, C. 1989, *Le changement radical dans les organizations complexes: le cas d'Hydro-Québec*, Montréal: Gaetan Morin Editeur
Hambrick, D. and Chen, M. 2005 New academic fields as social movements: the case of strategic management, *Academy of Management Proceedings*, E1-E6
Hambrick, D. and Mason, P. 1984 Upper echelons: the organization as a reflection of its top managers, *Academy of Management Review*, 9: 195-206
Hamel, G. and Prehalad, C. 1990 The core competence of corporation, *Harvard Business Review*, 68, 3: 79-88
Hardy, C., Langley, A. Mintsberg, H. and Rose, J. 1984 Strategy formation in the university setting. In J. Bess (ed.), *College and university organization: insights from the behavioural sciences*, 169-210, New York: New York University Press
Harris, L. and Ogbonna, E. 2002 The unintended consequences of culture interventions: a study of unexpected outcomes, *British Journal of Management*, 13, 1: 31-49
Harris, S. 1995 Pragmatics and power, *Journal of Pragmatics*, 23: 117-35
Hart, S. and Banbury, C. 1994 How strategy-making processes can make a difference, *Strategic Management Journal*, 15: 251-69
Hayes, J. 1981 *The complete problem solvers*, Philadelphia: Franklin Institute Press
Hellgren, B. and Melin, L. 1991 Business systems, Industrial wisdom and corporate strategies-

the case of the pulp-and-paper industry. In R. Whitley (ed.), *The social foundations of enterprise: European Comparing perspective*, 47-68, London: Sage

Hendry, J. and Seidl, D. 2003 The structure and significance of strategic episodes: social systems theory and the routine practices of strategic change, *Journal of Management Studies*, 40, 1: 175-96

Hickson, D., Butler, R., Cray, D., Mallory, G. and Wilson, D. 1986 *Top decisions: strategic decision making in organizations*, San Francisco: Jossey-Bass

Hodgkinson, G. and Sparrow, P. 2002 *The competent organization*, Buckingham: Open University Press

Hodgkinson, G., Whittington, R., Johnson, G. and Schwartz, M. 2006 The role of strategy workshops in strategy development processes: formality, communication, coordination and inclusion, *Long Range Planning*, 39, 5: 479-96

Hodgkinson, G. and Wright, G. 2002 Confronting strategic inertia in a top management team: learning from failure, *Organization Studies*, 23, 6: 949-78

Holm, P. 1995 The dynamics of institutionalization: transformation processes in Norwegian fisheries, *Administrative Science Quarterly*, 40: 398-422

Howard-Grenville, J. 2005 The persistence of flexible organizational routines: the role of agency and organizational context, *Organization Science*, 16, 6: 618-36

Huber, G. 1985 Temporal stability and response-order biases in participant descriptions of organizational decisions, *Academy of Management Journal*, 28: 943-50

Huff, A. 1999 *Writing for scholarly publication*, Thousand Oaks, CA: Sage

Hutchins, E. 1996 Learning to navigate. In J. Lave and S. Chaiklin (eds.), *Understanding practice: perspective on activity and context*, 35-63, New York: Cambridge University Press

Huxham, C. and Vangen, S. 2005 *Managing to collaborate: the theory and practice of collaborative advantage*, London: Routledge

Isabella, L. 1990 Evolving interpretations as change unfolds: how managers construe key organizational events, *Academy of Management Journal*, 33: 7-41

James, W. 1975-88 *The works of William James*, ed. Frederick H. Burkhardt, Cambridge, MA: Harvard University Press (伊藤邦武編訳『純粋経験の哲学』岩波書店, 2004年)

Janis, I. 1982 *Victims of groupthink*, revised edition, Boston: Houghton-Mifflin

Jarzabkowski, P. 2003 Strategic practices: an activity theory perspective on continuity and change, *Journal of Management Studies*, 40, 1: 23-56

―― 2004 Strategy as practice: recursiveness, adaptation and practices-in-use, *Organization Studies*, 24, 3: 489-520

―― 2005 *Strategy as practice: an activity-based view*, London: Sage

Jarzabkowski, P., Balogun, J. and Seidl, D. 2007 Strategizing: the challenges of a practice perspective, *Human Relations*, 60, 1: 5-27

Jermier, J. and Berkes, L. 1979 Leader behavior in a police command bureaucracy: a closer look at the quasi-military model, *Academy of Management Journal*, 37: 350-82

Johnson, G. 1987 *Strategic change and the management process*, Oxford: Basil Blackwell

Johnson, G. and Huff, A. 1997 Everyday innovation/everyday strategy: In G. Hamel, C. Prahalad, H. Thomas and D. O'Neill (eds.), *Strategic flexibility*, 13-27, Chichester: wiley

Johnson, G., Melin, L. and Whittington, R. 2003 Micro strategy and strategizing: towards an

activity-based view, *Journal of Management Studies*, 40, 1: 3-22
Johnson, G., Smith, S. and Codling, B. 2000 Micro processes of institutional change in the context of privatization, *Academy of Management Review*, Special Topic Forum, 25, 3: 572-80
Jones, R., Jimmieson, N. and Griffiths, A. 2005 The impact of organizational culture and reshaping capabilities on change implementation success: the mediating role of readiness for change, *Journal of Management Studies*, 42, 2: 362-86
Judge, W. and Miller, A. 1991 Antecedents and outcomes of decision speed in different environmental contexts, *Academy of Management Journal*, 34: 449-63
Khandwalla, P. 1974 Mass output orientation of operations technology and organizational structure, *Administrative Science Quarterly*, 19: 74-97
Kuhn, T. S. 1970 The structure of scientific revolutions, Chicago: University of Chicago Press（中山茂訳『科学革命の構造』みすず書房，1971年）
Kincheloe, J. and McLaren, P. 1994 Rethinking critical theory and qualitative research. In N. Denzin and Y. Lindoln (eds.), *Handbook of qualitative research*, 138-57, Thousand Oaks, CA: Sage（平山満義監訳『質的研究ハンドブック』北大路書房，2006年に収録）
Kinsey, A., Pomeroy, W. and Clyde, M. 1948 *Sexual behavior in the human male*, Philadelphia: Saunders（永井潜，安藤画一共訳『人間に於ける男性の性行爲』コスモポリタン社，1950年）
Knight, F. 1941 Anthropology and economics, *Journal of Political Economy*, 49, 2: 247-68
Knights, D. and Morgan, G. 1991 Corporate strategy, organizations and subjectivity: a critique, *Organization Studies*, 12, 2: 251-73
Knorr-Cetina, K. 1995 Laboratory studies: the cultural approach. In S. Jasanoff, G. Markle, J. Petersen and T. Pinch (eds.), *Handbook of science and technology studies*, 140-66, London: Sage
Kostova, T. and Roth, K. 2002 Adoption of an organizational practice by subsidiaries of multinational corporations: institutional relational effects, *Academy of Management Journal*, 45: 215-33
Labianca, G., Gray, B. and Brass, D. 2000 A grounded model of organizational schema change during empowerment, *Organization Science*, 11: 235-57
Langer, E. 1975 The illusion of control, *Journal of Personality and Social Psychology*, 32: 311-28
Langley, A. 1986 The role of formal analysis in organizations. Unpublished PhD thesis, HEC Montréal.
 1989 In search of rationality: the purpose behind the use of formal analysis in organizations, *Administrative Science Quarterly*, 34, 4: 598-631
 1999 Strategies for theorizing from process data, *Academy of Management Review*, 24, 4: 691-710
Langley, A., Mintzberg, H., Pitcher, P., Posada, E. and Saint-Macary, J. 1995 Opening up decision making: the review from the black stool, *Organization Science* 6, 3: 260-79
Latour, B. 1987 *Science in action: how to follow scientists and engineers through society*, Cambridge, MA: Harvard University Press（川崎勝，高田紀代志訳『科学が作られているとき：人類学的考察』産業図書，1999.3）
 1992 Where are the missing masses? The sociology of a few mundane artefacts. In W. Bijker and J. Law (eds.), *Shaping technology/building society*, Boston, MA: MIT Press

1999 *Pandora's hope: essays on the reality of science,* Cambridge, MA: Harvard University Press（川崎勝, 平川秀幸訳『科学論の実在：パンドラの希望』産業図書, 2007.4）

2005 *Reassembling the social: an introduction to actor-network-theory,* Oxford: Oxford University Press

Latour, B. and Woolgar, S. 1979 *Laboratory life; the social construction of scientific facts,* Sage: London

Lave, J. and Wenger. E. 1991 *Situated learning: legitimate peripheral participation,* Cambridge: Cambridge University Press（佐伯胖訳『状況に埋め込まれた学習：正統的周辺参加』産業図書, 1993.11）

Law, J. and Callon, M. 1988 Engineering and sociology in a military aircraft project: a network analysis of technological change, *Social Problems,* 35, 3: 284-97

Lawrence, P. and Lorsch. J. 1967 *Organization and environment,* Boston, MA: Harvard Business School Press（吉田博訳『組織の条件適応理論：コンティンジェンシー・セオリー』産業能率短期大学出版部, 1977.8）

Lincoln, Y. and Guba, E. 1985 *Naturalistic enquiry,* Beverly Hills, CA: Sage

Lisac, M. 1995 *The Klein revolution,* Edmonton, Alberta: NeWest

Lorenzoni, G. and Lipparini, A. 1999 The leveraging of interfirm relationships as a distinctive organizational capability, *Strategic Management Journal,* 20, 4: 317-39

Luhmann, N. 1995 *Social systems,* Stanford, CA: Stanford University Press（佐藤勉翻訳『社会システム理論』上・下 恒星社厚生閣（1993/01））

Lynch, M. and Peyrot, M. 1991 Introduction: a reader's guide to ethnomethodology, *Qualitative Sociology,* 15, 2: 113-22

Maguire, S., Hardy, C. and Lawrence, T. 2004 Institutional entrepreneurship in emerging fields: HIV/AIDS treatment advocacy in Canada, *Academy of Management Journal,* 47, 5: 657-81

McAdam, D. McCarthy, J. and Zald, M. 1996 *Comparative perspectives on social movements: political opportunities, mobilizing structures, and cultural framings,* Cambridge: Cambridge University Press

McKinley, W. and Scherer, A. 2000 Some unanticipated consequences of organizational restructuring, *Academy of Management Review,* 25: 735-52

Maclean, C. and Hassard, J. 2004 Symmetrical absence/symmetrical absurdity: critical notes on the production of actor-network accounts, *Journal of Management Studies,* 41, 3: 493-519

Maitlis, S. 2005 The social process of organizational sensemaking, *Academy of Management Journal,* 48, 1: 21-49

Maitlis, S. and Lawrence, T. 2003 Orchestral manoeuvres in the dark: understanding failure in organizational strategizing, *Journal of Management Studies,* 40, 1: 109-40

Mangham, I. 2005 The drama of organizational life, *Organization Studies,* 26, 6: 941-58

Mangham, I. and Pye, A. 1991 *The doing of managing,* Oxford: Basil Blackwell

Mann, W. and Thompson, S. (eds.) 1992 *Diverse analyses of a fund-raising text,* Amsterdam: Journal Benjamin

Manning, P. 1977 *Police work,* Cambridge, MA: MIT Press

Mantere, S. 2005 Strategic practices as enablers and disablers of championing activity, *Strategic Organization,* 3, 2: 157-84

March, J. and Simon, H. 1958 *Organizations,* New York: Wiley（土屋守章訳『オーガニゼーションズ』ダイヤモンド社, 1977.5）
March, J. and Sutton, R. 1997 Organizational performance as a dependent variable, *Organization Science,* 8,6: 698-706
Markides, C. and Williamson, P. 1996 Corporate diversification and organizational structure: a resource-based view, *Academy of Management Journal,* 39: 340-67
Mead, G. 1934 *Mind, self and society,* ed. Charles W. Morris, Chicago: University of Chicago Press（稲葉三千男, 滝沢正樹, 中野収訳『精神・自我・社会』青木書店, 1973.12）
Meyer, J. and Rowan, B. 1977 Institutionalized organizations: formal structure as myth and ceremony, *American Journal of Sociology,* 83, 2: 340-63
　1991 Institutionalized organizations: formal structures as myth and ceremony. In W. Powell and P. DiMaggio (eds.), *The new institutionalism in organizational analysis,* 41-62, Chicago: University of Chicago Press
Mezias, S. 1990 An institutional model of organizational practice: financial reporting at the Fortune 200, *Administrative Science Quarterly,* 5: 431-57
Michael, M. 1996 Constructing identities, London: Sage
Miles, M. and Huberman, A. 1994 *Qualitative data analysis,* Newbury Park, CA: Sage
Miles, R. and Snow, C. 1978 *Organizational strategy, structure, and process,* New York: McGraw-Hill（土屋守章[ほか]訳『戦略型経営：戦略選択の実践シナリオ』ダイヤモンド社, 1983.2）
Miller, C. and Cardinal, L. 1994 Strategic planning and firm performance: a synthesis of more than two decades of research, *Academy of Management Journal,* 37, 6: 1649-65
Miller, V., Johnson, J. and Grau, J. 1994 Antecedents to willingness to participate in a planned organizational change, *Journal of Applied Communication Research,* 22: 59-80
Mintzberg, H. 1973 *The nature of managerial work,* New York: Harper and Row（奥村哲史, 須貝栄訳『マネジャーの仕事』白桃書房, 1993.8）
　1979 An emerging strategy of 'direct' research, *Administrative Science Quarterly,* 24, 4: 580-9
　1987 Crafting strategy, Harvard Business Review, 65, 4: 66-75
　1994 *The rise and fall of strategic planning,* New York: Free Press（黒田哲彦, 崔大龍, 小高照男訳；中村元一監訳『「戦略計画」創造的破壊の時代』産能大学出版部, 1997.7）
Mintzberg, H., Ahlstrand, B. and Lampel, J. 1998 *Strategy safari: a guided tour through the wilds of strategic management,* New York: Prentice Hall（木村充, 奥澤朋美, 山口あけも訳『戦略サファリ：戦略マネジメント・ガイドブック』東洋経済新報社, 1999.10）
Mintzberg, H., McHugh, A. 1985 Strategy formulation in an adhocracy, *Administrative Science Quarterly,* 30, 2: 160-97
Mintzberg, H., Raisinghani, D. and Theoret, A. 1976 The structure of 'unstructured' decision processes, *Administrative Science Quartely,* 21: 246-75
Mintzberg, H. and Rose, J. 2003 Strategic management upside down: Tracking strategies at McGill University from 1829 to 1980, *Canadian Journal of the Administrative Sciences,* 20, 4: 270-90
Mintzberg, H. and Waters, J. 1982 Tracking strategy in an entrepreneurial firm, *Academy of Management Journal,* 25: 465-99
　1985 Of strategies deliberate and emergent, *Strategic Management Journal,* 6, 3: 257-72

Moch, M. and Fields, W. 1985 Developing a content analysis for interpreting language use in organizations, In S. Bacharach and S. Mitchell (eds.), *Research in the sociology of organizations*, vol. 4, 81-126. Greenwich, CT: JAI Press

Mohr, L. 1982 *Explaining organizational behavior*, San Francisco: Jossey-Bass

Molloy, E. and Whittington, R. 2005 Organising organizing: the practice inside the process, *Advances in Strategic Management: Strategy Process*, 22: 491-515

Molotch, H. and Boden, D. 1985 Talking social structure: discourse, domination and the Watergate hearings, *American Sociological Review*, 50: 273-88

Morgan, D. 1997 *Focus groups as qualitative research*, London: Sage

Morgan, G., Frost, P. and Pondy, L. 1983 Organizational symbolism. In L. Pondy, P. Frost, G. Morgan and T. Dandridge (eds.), *Organizational symbolism*, 3-35, Greenwich, CT: JAI Press

Nelson, R. and Winter, S. 1982 *An evolutionary theory of economic change*, Cambridge, MA: Harvard University Press（後藤晃、角南篤、田中辰雄訳『経済変動の進化理論』慶應義塾大学出版会、2007.10）

Noda, T. and Bower, J. 1996 Strategy making as iterated processes of resource allocation, *Strategic Management Journal*, 17:159-92

Nonaka, I. and Takeuchi, H. 1995 *The knowledge creating company*, Oxford: Oxford University Press（梅本勝博訳『知識創造企業』東洋経済新報社、1996.3）

Nordqvist, M. 2005 Understanding the role of ownership in strategizing, JIBS Dissertation Series, 29, Jönköping University

Normann, R. 1977 *Management for growth*, New York: Wiley

Nutt, P. 1976 Models for decision-making in organizations and some contextual variables which stipulate optional use, *Academy of Management Review*, 1: 147-58

Nystrom, P. and Starbuck, W. 1984 To avoid organizational crises, unlearn, *Organizational Dynamics*, 12, Spring: 53-65

Oaks, L., Townley, B and Cooper, D. 1998 Business planning as pedagogy: language and control in a changing institutional field, *Administrative Science Quarterly*, 43, 2: 257-92

Orlikowski, W. 2002 Knowing in practice: enacting a collective capability in distributed organizing, *Organization Science*, 13, 3: 249-73

Orr, J. 1996 *Talking about machines: an ethonography of a modern job*, Ithaca, NY: Cornell University Press

Palmer, D., Jennings, P. and Zhou X. 1993 Late adoptions of the multidivisional form by large US corporations: institutional, political and economic accounts, *Administrative Science Qarterly*, 46, 1: 100-31

Papadakis, V., Lioukas, S. and Chambers, D. 1998 Strategic decision making processes: the role of management and context, *Strategic Management Journal*, 19: 115-47

Patton, M. 2002 *Qualitative research and evolution methods*, 3rd edition, Thousand Oaks, CA: Sage

Payne, J., Bettman, J. and Johnson, E. 1988 Adaptive strategy selection in decision making, *Journal of Experimental Psychology*, 14: 534-52

Pels, D. 1995 Knowledge politics and antipolitics: towards a critical appraisal of Bourdieu's Concept of intellectual autonomy, *Theory and Society*, 24: 79-104

Perlow, L. 1997 *Finding time: how corporations, individuals and families can benefit from new work practices,* Ithaca, NY: ILR Press

1999 The time famine: toward a sociology of work time, *Administrative Science Quarterly,* 44: 57-81

Perlow, L., Okhuysen, G. and Repenning, N. 2002 The speed trap: exploring the relationship between decision making and temporal context, *Academy of Management Journal,* 45, 5: 931-55

Peteraf, M. 1993 The cornerstones of competitive advantage: a resource based view, *Strategic Management Journal,* 14: 179-90

Pettigrew, A. 1973 *The politics of organizational decision making,* London: Tavistock.

1977 Strategy formulation as a political process, *International Studies of Management and Organization,* 7, 2: 78-87

1985 *The awakening giant: continuity and change in ICI,* Oxford: Blackwell

1990 Longitudinal field research on change: theory and practice, *Organization Science,* 1, 3: 267-92

1992a On studying managerial elites, *Strategic Management Journal,* 13, special Issue: 163-82

1992b The character and significance of strategy process research, *Strategic Management Journal,* 13: 5-16

Pfeffer, J. 1981 Management as symbolic action: the creation and maintenance of organizational paradigms, *Research in Organizational Behavior,* 3: 1-52

1993 Barriers to the advance of organizational science: paradigm development as a dependent variable, *Academy of Management Journal,* 18, 4: 599-620

Phillips, N. 2003 Discourse or institution? Institutional theory and the challenge of critical discourse analysis. In S. Clegg and R. Westwood (eds.), *Debating organization: point-counterpoint in organization studies,* 220-31, Malden, MA: Blackwell

Phillips, N. and Hardy, C. 2002 *Discourse analysis: investigating process of social construction,* London: Sage

Phillips, N., Lawrence, T. and Hardy, C. 2004 Discourse and institutions, *Academy of Management Review,* 29, 4: 635-52

Polanyi, M. 1966 *The tacit dimension,* Garden City, NY: Doubleday（佐藤敬三訳『暗黙知の次元：言語から非言語へ』紀伊國屋書店，1980.8）

Pondy, L. 1978 Leadership as a language game. In M. McCall Jr. and M. Lombardo (eds.), *Leadership: where else can we go?,* 87-101, Durham, NC: Duke University Press

1983 The role of metaphors and myths in organization and in the facilitation of change. In L. Pondy, P. Frost, G. Morgan and T. Dandridge (eds.), *Organizational symbolism,* 157-66, Greenwich, CT: JAI Press

Poole, P., Gioia, D. and Gray, B. 1989 Influence modes, schema change, and organizational transformation, *Journal of Applied Behavioural Science,* 25: 271-89

Porac, J., Thomas, H., and Baden-Fuller, C. 1989 Competitive groups as cognitive communities: the care of Scottish knitwear manufactures, *Journal of Management Studies,* 26: 397-416

Porras, J. and Robertson P. 1992 Organizational development: theory, practice and research. In M. Dunnette and L. Hough (eds.), *Handbook of industrial and organizational psychology,* 2nd edition, vol. 3, 719-822, Palo Alto, CA: Consulting Psychologists Press

Porter, M. 1980 *Competitive strategy: techniques for analyzing industries and competitors,* New

York: Free Press（土岐坤［ほか］訳『競争の戦略』ダイヤモンド社, 1982.10)
    1985 *Competitive advantage,* New York: Free Press/Collier Macmillan
    （土岐坤・中辻萬治・小野寺武夫訳『競争優位の戦略——いかに高業績を持続させるか』ダイヤモンド社, 1985)
Powell, T. 2002 The philosophy of strategy, *Strategic Management Journal,* 23, 9: 873-90 2003 Strategy without ontology, *Strategic Management Journal,* 24, 3: 285-92
Pozzebon, M. 2004 The influence of a structurationist view on strategic management research, *Journal of Management Studies,* 41, 2: 247-72
Priem, R. and Butler, J. 2001 Is the resource based view a useful perspective for strategic management research?, *Academy of Management Review,* 26, 1: 22-40
Putnam, H. 1995 *Pragmatism: an open question,* Oxford: Blackwell
    2004 Ethics without ontology, Cambridge, MA: Harvard University Press（関口浩喜［ほか］訳『存在論抜きの倫理』法政大学出版局, 2007.4)
Rabinow, P. and Sullivan, W. M. (eds.) 1979 *Interpretive social science,* Berkley: University of California Press
Ranson, S., Hinings, C. R. and Greenwood, R. 1980 The structuring of organizational structures, *Administrative Science Quarterly,* 25: 1-17
Reason, P. (eds.) 1994 *Participation in human inquiry,* London: Sage
Reckwitz, A. 2002 Toward a theory of social practices: a development in cultural theorizing, *European Journal of Social Theory,* 5, 2: 243-63
Regnér, P. 2003 Strategy creation in the periphery: inductive versus deductive strategy making, *Journal of Management Studies,* 40, 1: 57-82
Ridgway, V. 1956 Dysfunctional consequences of performance measurements, Administrative Science Quarterly, 1, 2: 240-7
Rigby, D. 2005 *Management tools 2005:* an executive guide, http://www.bain.com/ management_tools/home.asp
Roos, J., Victor, B. and Statler, M. 2004 Playing seriously with strategy, *Long Range Planning,* 37, 6: 549-68
Rorty, R. 1980 *Philosophy and the mirror of nature,* Oxford: Blackwell（野家啓一監訳；伊藤春樹［ほか］訳『哲学と自然の鏡』産業図書, 1993.7)
    1998 Truth and progress: *philosophical papers,* Cambridge: Cambridge University Press
    1999 Philosophy and social hopes, London: Penguin（須藤訓任，渡辺啓真訳『リベラル・ユートピアという希望』岩波書店, 2002.7)
Rouleau, L. 2005 Micro-practices of strategic sensemaking: how middle managers interpret and sell change every day, *Journal of Management Studies,* 42, 7: 1143-441
Rumelt, R. 1974 *Strategy, structure and economic performance,* Cambridge, MA: Harvard University Press（鳥羽欽一郎［ほか］訳『多角化戦略と経済成果』東洋経済新報社, 1977.5)
Rumelt, R., Schendel, D. and Teece D. 1994 Fundamental issues in strategy. In R, Rumetlt, D. Schendel and T. Teece (eds.), *Fundamental Issues in Strategy,* 9-47, Boston, MA: Harvard Business School Press
Sacks, H. 1992 *Lectures on conversation,* vols. 1 and 2, ed. G. Jefferson, Oxford: Basil Blackwell
Sacks, H., Scheloff, E. and Jefferson, G. 1974 A simplest systematics for the organization of turn-taking for conversation, *Language,* 50, 4: 696-735
Salaman, G. and Thompson, K. 1980 *Control and ideology in organizations,* Cambridge, MA:

MIT Press

Salvato, C. 2003 The role of micro-strategies in the engineering of firm evolution, *Journal of Management Studies*, 40, 1: 83-108

Samra-Fredericks, D. 1996 The interpersonal management of competing rationalities: a critical ethnography of board-level competence for 'doing' strategy as spoken in the 'face' of change. Unpublished PhD thesis, Brunel University/Henley Management College

　1998 Conversation analysis. In G. Symon and C. Cassell (eds.), *Qualitative methods and analysis in organizational research:* a practical guide, 161-89, London:Sage

　2000 An analysis of the behavioural dynamics of corporate governance - a talk-based ethnography of a UK manufacturing board-in-action, *Corporate Governance, an International Review*, 8, 4: 311-25

　2003 Strategizing as lived experience and strategists: everyday efforts to shape sgtrategic direction, *Journal of Management Studies*, 40, 1: 141-74

Schank, R. and Abelson, R. 1977 *Scripts, plans, goals and understanding*, Hillsdale, NJ: Erlbaum

Schatzki, T. 2001 'Introduction: practice theory'. In Schatzki et al. 2001

　2005 The sites of the social, *Organization Studies*, 26, 3: 465-84

Schatzki, T., Knorr-Cetina, K. and Von Savingny, E. (eds.) 2001 *The practice turn in contemporary theory*, London: Routledge

Schendel, D. and Hofer, C. 1979 *Strategic management: a new view of business policy and panning*, Boston: Little Brown

Schiffrin, D. 1987 *Discourse markers*, Cambridge: Cambridge University Press

Schutz, A. 1932 (1972) *The phenomenology of the social world*, London: Heinemann（佐藤嘉一訳『社会的世界の意味構成：理解社会学入門』［改訳版］, 木鐸社, 2006？）

Schwarz, M. 2004 Knowing in practice: how consultant work with clients to create, share and apply knowledge, *Academy of Management Proceedings*, D1-D6

Schwenk, C. 1985 The use of participant recollection in the modeling of organizational decision processes, *Academy of Management Review*, 10: 496-503

Scott. W. 2000 *Institutions and organizations*, London: Sage（河野昭三, 板橋慶明訳『制度と組織』税務経理協会, 1998.6）

Seidl, D. 2007 General strategy concepts and the ecology of strategy discourses: a systemic-discursive perspective, *Organization Studies*, 28: 197-218

Seo, M. and Greed, W. 2002 Institutional contradictions, praxis and institutional change: a dialectical perspective, *Academy of Management Review*, 27: 222-47

Silverman, D. 1971 *The theory of organizations*, New York: Basic Books

　1985 *Qualitative methodology and sociology*, Aldershot: Gower

Simon, H. 1987 Making management decisions: the role of intuition and emotion, *Academy of Management Executive*, 1: 57-64

Simircich, L. 1983 Implications for management theory. In L. Putnam and M. Pacanowsky (eds.), *Communication and organization: an interpretive approach*, 221-41, Thousand Oaks, CA: Sage

Smith, D. 1965 Front-line organization of a state mental hospital, *Administrative Science Quarterly*, 10: 381-99

Spender, J. 1989 *Industry recipes: the nature and source of managerial judgement*, Oxford: Basil

Blackwell

Spradley, J. P. 1980 *Participant observation*, New York: Holt, Rinehart and Winston

Stearns, L. and Allen, K. 1996 Economic behavior in institutional environments: the corporate merger wave of the 1980s, *American Sociological Review*, 61: 699-718

Stolte J., Fine, G. and Cook, K. 2001 Sociological miniaturism: seeing the big through the small in social psychology, *Annual Review of Sociology*, 27, 1: 387-413

Strauss, A. 1978 *Negotiations: varieties, contexts, processes and social order*, Washington, DC: Jossey-Bass

――― 1982 Inter-organizational negotiations, *Urban Life*, 11, 3: 350-67

Strauss, A. and Corbin, J. 1990 *Basics of qualitative research: grounded theory and techniques*, London: Sage (操華子 [ほか] 訳『質的研究の基礎：グラウンデッド・セオリーの技法と手順』医学書院, 1999.4)

Stronz, M. 2005 Strategic learning in the context of strategy implementation: a case study of implementers inaction. Unpublished PhD thesis, Columbia University

Suddaby, R. and Greenwood, R. 2005 Rhetorical strategies of legitimacy, *Administrative Science Quarterly*, 50: 35-67

Sutton, R. and Callahan, A. 1987 The stigma of bankruptcy: spoiled organizational image and its management, *Academy of Management Journal*, 30: 405-36

Taylor, C. 1993 To follow a rule. In C. Calhoun, E. LiPuma and M. Postone (eds.), *Bourdieu: critical perspectives*, 45-60, Chicago: University of Chicago Press

Taylor, S. and Bogdan, R. 1984 *Introduction to qualitative research methods:* the search for meaning, 2nd edition, New York: Wiley

Teece, D., Pisano, G. and Shuen, A. 1997 Dynamic capabilities and strategic management, *Strategic Management Journal*, 18, 7: 509-33

Terkel, S. 1972 *Working: people talk about what they do all day and how they feel about what they do*, New York: New Press (中山容他訳『仕事（ワーキング）！』晶文社, 1983.5)

Tolbert, P. and Zucker, L. 1996 The institution of institutional theory. In R. Clegg, C. Hardy and W. Nord (eds.), *A handbook of organization studies*, London: Sage

Toulmin, S. 1991 *Cosmopolis: the hidden aganeda of modernity*, Chicago: University of Chicago Press (藤村龍雄, 新井浩子訳『近代とは何か：その隠されたアジェンダ』法政大学出版局, 2001.12)

――― 2001 *Return to reason*, Cambridge, MA: Harvard University Press

Townley, B. 1995 Know thyself: self-awareness, self-formation and managing, *Organization*, 2: 271-89

――― 1996 Accounting in detail: accounting for individual performance, *Critical Perspectives on Accounting*, 7: 565-84

Tsoukas, H. and China, R. 2002 On organizational becoming: rethinking organizational change, *Organization Science*, 13, 5: 567-82

Tsoukas, H. and Cummings, S. 1997 Marginalisation and recovery: the emergence of Aristotelian themes in organization studies, *Organization Studies*, 18, 4: 655-84

Turner, J. 1988 *A theory of social interaction*, Chichester: John Wiley and Sons

Vaara, E., Kleyman, B. and Seristö, H. 2004 Strategies as discursive constructions: the case of airline alliances, *Journal of Management Studies*, 41, 1: 1-35

Vaara, E., Tienari, J., Piekkari, R. and Santti, R. 2005 Language and the circuits of power in

a merging multinational corporation, *Journal of Management Studies*, 42, 3: 596-624
van de Ven, A. 1992 Suggestions for studying strategy process: a research note, *Strategic Management Journal*, 13, Special Issue: 169-88
van de Ven, A. and Scott, P. 2005 Alternative approaches to studying organizational change, *Organization Studies*, 26, 9: 1377-404
Van Maanen, J. 1977 Experiencing organization: notes on the meaning of careers and socialisation. In J. Van Maanen (ed.), *Organizational careers:* some new perspectives, 15-45. New York: Wiley
 1979 The fact of fiction in organizational ethnography, *Administrative Science Quarterly*, 24: 539-50
 1995 Style as theory, *Organization Science*, 6, 1: 133-43
 (ed.), 1998 *Qualitative studies of organizations*, Thousand Oaks, CA: Sage
Wally, S. and Baum, J. 1994 Personal and structural determinations of the pace of strategic decision making, *Academy of Management Journal*, 37, 4: 932-56
Walsh, J. 1995 Managerial and organizational cognition: notes from a trip down memory lane, *Organization Science*, 6, 3: 280-321
Walsh, J. P. and Fahey. L. 1986 The role of negotiated belief structures in strategy making, *Journal of Management*, 12: 325-38
Weber, R. and Crocker, J. 1983 Cognitive processes in the revision of stereotypic beliefs, *Journal of Personality and Social Psychology*, 4: 961-77
Weick, K. 1979 *The social psychology of organizing*, 2nd edition, Reading, MA: Addison-Wesley（遠田雄志訳『組織化の社会心理学　第二版』, 文眞堂, 1997.4）
Weick, K. 1993 The collapse of sensemaking in organizations: the Mann Gulch disaster, *Administrative Science Quarterly*, 36: 628-52
 1995 *Sensemaking in organizations*, Thousand Oaks, CA: Sage（遠田雄志, 西本直人訳『センスメーキング・イン・オーガニゼーションズ』文眞堂, 2001.4）
Weick, K. and Roberts, K. 1993 Collective mind in organizations: heedful interrelating on flight decks, *Administrative Science Quarterly*, 38: 357-81
Wenger, E. 1998 *Communities of practice: learning, meaning and industry*, Cambridge: Cambridge University Press
Westley, F. 1990 Middle managers and strategy: micro dynamics of inclusion, *Strategic Management Journal*, 11: 337-51
Whitley, R. 1999 *Divergent capitalisms: the social structuring and change of business systems*, Oxford: Oxford University Press
Whittington, R. 1992 Putting Giddens into action: social systems and managerial agency, *Journal of Management Studies*, 29, 6: 693-712
 2002 Corporate structure: from policy to practice. In A. Pettigrew, H. Thomas and R. Whittington (eds.), *Handbook of strategy and management*, 113-38, London: Sage
 2003 The work of strategizing and organizing: for a practice perspective, *Strategic Organization*, 1, 1: 117-26
 2004 Strategy after modernism: recovering practice, *European Management Review*, 1, 1: 62-8
 2006 Competing the practice turn in strategy, *Organization Studies*, 27, 5: 613-34
Whittington, R., Jarzabkowaki, P., Mayer, M., Mounoud, E., Nahapiet, J. and Rouleau, L. 2003

Taking strategy seriously: responsibility and reform for an important social practice, *Journal of Management Inquiry*, 12, 4: 396-409

Whittington, R. and Mayer, M. 2000 *The European corporation: strategy, structure and social science*, Oxford: Oxford University Press

Whittington, R. and Melin, L. 2003 The challenge of organizing/strategizing. In A. Pettigrew, R. Whittington, L. Melin, C. Sanchéz-Runde, F. van den Bosch, W. Ruigrok and T. Numagami (eds.), *Innovative forms of organizing: international perspectives*, 35-48, London: Sage

Whittington, R., Pettigrew, A., Peck, S., Fenton, E. and Conyon, M. 1999 Change and complementarities in the new competitive landscape, *Organization Science*, 10: 583-600

Wicks, A. and Freeman, R. 1998 Organization studies and the new pragmatism: positivism, anti-positivism and the search for ethics, *Organization Science*, 9, 2: 123-41

Wildavsky, A. 1973 If planning is everything, maybe its nothing, *Policy Sciences*, 4, 2: 127-53

Wolfe, R., Gephart, R. and Johnson, T. 1993 Computer-facilitated qualitative data and analysis: potential construbtions to management research, *Journal of Management*, 19: 637-61

Yin, R. 1984 *Case study research: design and methods*, Beverly Hills, CA: Sage（近藤公彦訳『ケース・スタディの方法 [新装版]』：千倉書房, 2011.8）2003 *Case study research*, Newbury Park, CA: Sage

Young, G., Charns, M, and Shortell, S. 2001 Top manager and network effects on the adoption of innovative management practice: a study of TQM in a public hospital system, *Strategic Management Journal*, 21, 10: 935-52

Yukl, G. 1999 An evaluation of conceptual weaknesses in transformational and charismatic leadership theories, *Leadership Quarterly*, 10, 2: 285-305

Zenger, T. and Hesterly, W. 1997 The disaggregation of corporations: selective intervention, high-powered incentives and molecular units, *Organization Science*, 8, 3: 209-25

Zollo, M., Reuer, J. and Singh, H. 2002 Interorganizational routines and performance in strategic alliances, *Organization Science*, 13, 6: 701-14

Zollo, M. and Singh, H. 2004 Deliberate learning in corporate acquisitions: post-acquisition strategies and integration capability in US bank mergers, *Strategic Management Journal*, 25: 1233-56

Zollo, M. and Winter, S. 2002 Deliberate learning and the evolution of dynamic capabilities, *Organization Science*, 13, 3: 339-51

Zorn, D. 2004 Here a chief, there a chief: the rise of the CFO in the American firm, *American Sociological Review*, 69, 3: 345-64

訳者あとがき

　本書は，2007 年に Cambridge University Press より出版された *Strategy as Practice: Research Directions and Resources* を全訳したものである。

　社会構成主義（social constructionism）やポストモダンという言葉がアカデミズムの中で言われて久しい。多くの研究者は，少なからずこの言葉や概念に何らかの関心を示しつつも，しかし，それがどのように自分の研究と関わってくるのか，どのように具体的なリサーチを行ったら良いのか，という点については，明確なイメージを持つことが難しかったように思われる。一方，経営の実務の世界に対しては，学術的な研究は重要な貢献をしてきたとはいいがたい。経営学が「経営」を学問する，すなわち，経営に何らかの形で資する学問であることを標榜する限りにおいて，これは由々しき事態であると言わざるを得ない。一体，これはなぜなのであろうか。

　本書は，これらの問題が根深く経営学研究の中に通底してきたことを表している。それと同時に，この理論と実践の間の溝について，経営戦略という今では日常的に使われる言語・実践を切り口に何とか埋めようとする営為であるといえるだろう。その具体的な方策として，実践としての戦略が目指すものは，経営戦略が実際に組織の中でどのように行われているのか，その現実をつぶさに観察し，そこから規範論ではなく現実に依拠したインプリケーションを導きだそうとするものである。

　ここには前に挙げた 2 つの問題に答えようとする狙いを見て取ることが出来る。とりわけ，この点については本書の第 1 部において取り上げられている。

　前者の問題点，すなわち，社会構成主義やポストモダンの思想に基づく研究展開の可能性については，同思想の「客観的な現実」の存在の否定に基づきつつ，日常のローカルな実践を通じてどのような＜現実＞がどう構成され，正しさが与えられるかをひとつのアジェンダとして見出している（本書の第 1 章を参照）。無論，現実を会話的なものとして捉えるか，それとも，それを創り出

す資源が間主観的に構成された客観的実在として我々に迫るものであるかという点については，本書の中でもV1～V4の議論として分けられており，社会構成主義やポストモダンの思想の中でも様々な議論の展開がなされていることが分かる。しかし重要な点は，これまで経営学で展開されてきた経営戦略論の在り方を，ミクロの現実に基づいて全く異なる見え方から示そうとしている点にある。この研究アジェンダを整理しつつ，その思想的背景（第2章）と具体的なリサーチに向けたアドバイス（第3章）が展開されている点は，今後，社会構成主義・ポストモダンの思想に基づいた経営学研究の可能性を大いに拓くものであると言えるだろう。

第2部は，本書の執筆を行った研究者たちによる，これまでの論文の詳細な解説が繰り広げられている。この意図は，実践としての戦略の研究を行う上で，その思想的背景や研究の具体的な方法を示すことにある。ここで取り上げられる論文のうち，第4章～第8章までは実践としての戦略の源流になった諸研究が取り上げられている。第4章のバーリィの論文は，新しい技術が組織の実践をどのように変容させていくのかについて，ギデンズの構造化論に基づいて分析がなされたものであり，実践という観点が経営学研究の中に取り入れられた初期の研究として極めて注目される。第5章はアイゼンハートによるケース分析に基づいた方法論の可能性が探求されており，統計的な実証分析とは異なる研究データ分析の妥当性を考察する上で有用である。第6章は，ラングレィによる公式分析が実際には行為形成の資源として実践の中で活用されていることを明らかにしたことで，プロセス研究から実践としての戦略へと架橋した論文である。第7章は，ジョイアとチッティペディによる大学の戦略転換におけるセンスメーキングの変容過程についての解釈的アプローチの研究であり，これも，センスメーキング・パースペクティヴに基づいて実践としての戦略へとプロセス研究をつなげるひとつの架け橋である。第8章は，ブルデューの象徴的暴力の概念を活用しながら，事業計画の制度が，どのように我々を「戦略化」していくのかを批判的に解き明かした論文であり，社会のマクロな制度が実践へ及ぼす影響を解き明かしている。

第9章～第11章では，実践としての戦略のパースペクティブに基づいた研究が解説されている。第9章は，エスノメソドロジーに基づく会話分析を用い

て，戦略策定者たちの会話がどのように現実を創りだしていくのかを明らかにした，極めてミクロにフォーカスした独創的論文である。第10章は，実践としての戦略のパースペクティブに基づいたセンスメーキングの分析であり，第7章と対比させるとその視点の違いが明確化されることであろう。第11章は，レゴ・シリアス・プレイを用いた戦略クラフティングの実践であり，組織開発の議論やアクター・ネットワーク理論とのつながりを展望でき興味深い。これらの研究は，実践としての戦略を研究する上での有用なアドバイスがふんだんに散りばめられており，大いに活用が期待されるものである。

　2012年現在，実践としての戦略は，欧州で毎年開催されるEuropean Group for Organization Studies (EGOS) や隔年開催のInternational Critical Management Studies Conferenceなどでも毎回大きなテーマとして取り上げられるテーマとなった。この関心の高まりは米国にも波及し，Academy of Managementの年次大会でも研究領域が新たに設置されるに至っている。興味深い点は，「実践としての戦略」の研究領域だけでなく，組織論や組織開発の研究領域の中でも，実践としての戦略の研究発表が多数行われている点である。このように世界的な経営学の趨勢が「実践」という概念に向けられ，そして，そのトレンドを牽引する重要な研究潮流として実践としての戦略の研究が展開される中，日本の経営学界はある意味で世界から完全に取り残された状況にあり，危機感を持って本書の翻訳に当たった次第である。しかしながら，その内容はこれまでの経営学研究とは大幅に異なるため，翻訳作業は極めて難航し，結果的に長い時間を要してしまったことは慚愧に堪えない。

　本書の原著も，実践としての戦略のパースペクティブを広めるべく書かれた書であり，複数の著者が最大公約数的に同意できるところをまとめつつも，しかし，視点の異なりを許容し合いながら書かれている。したがって，訳語や解釈の不統一が見られたり，用語や文章の日本語訳が不十分であったりするところがあると思われるが，これらはすべて翻訳に携わった一同の責任である。

　なお，戦略の「doing」という言葉が繰り返し原文では登場する。これを我々は「実行」ではなく，日本語としてやや違和感を残す表現ではあるが，あえて「行うこと」と訳出した。なぜなら，経営戦略論ではこれまで「策定と実

行（implementation）」という二分法が想定されてきたが，これとの違いを強調するためである。

　出来るだけ読みやすく，適切な翻訳を心がけたつもりであるが，読者より不十分なところをご指摘頂き，さらに適切な翻訳にしていければと翻訳者一同は願っている。

　なお，翻訳については，本書の主要な第1部を宇田川元一（西南学院大学商学部），第2部第4章，第9章を高井俊次（室蘭工業大学大学院工学研究科），第6章を高井俊次（室蘭工業大学大学院工学研究科）と舛澤千尋（室蘭工業大学大学院応用理化学専攻），第5章，第10章を歌代豊（明治大学経営学部），第7章，第8章，第11章を間嶋 崇（専修大学経営学部），第3部第12章を高橋正泰（明治大学経営学部）が担当した。第6章では，高井俊次とともに室蘭工業大学大学院応用理化学系専攻博士前期課程在学中の舛澤千尋が担当している。翻訳を担当した6名とも，それぞれ異なる研究上の関心を持ちながらも，実践というキーワードに惹きつけられつつ翻訳にあたった次第である。

　なお，本書の刊行にあたっては，明治大学研究・知財戦略機構による研究プロジェクト支援「組織ディスコース研究」の研究ファンドより支援を受けている。関係者には深く感謝申し上げたい。

　最後に，訳出の遅れを寛容に見守って下さった文眞堂の前野 隆氏に，ここに改めて感謝の意を表するものである。本書が経営学と実践との乖離を少しでも架橋するものとなることを，翻訳者一同，切に願っている。

翻訳者一同

事項索引

【欧文】

ANT　59, 60, 61, 62, 63, 65, 66
Laminate　231
MBA　14, 58
NUD.IST　254
SWOT　215

【ア行】

アイデンティティ　205, 212, 219
アクションリサーチ　73, 272, 278, 280
アクター・ネットワーク理論（ANT）　40, 48, 50, 51, 59, 61, 72, 101
暗黙知　48, 52, 102
生きられた経験　225
1次分析（first-order analysis）　188
イナクトメント　273, 278
エスノグラフィー　54, 56, 58, 60, 73, 74, 300
エスノメソドロジー　49, 67, 225
エピソード　78
行い　292, 293
汚染　88, 89
オフィス大部屋化（collocation）　264
オープン・コーディング　254

【カ行】

懐疑主義　279
解釈主義　71, 72, 73
　──アプローチ　183, 187, 202, 297
　──パースペクティブ　201
解釈スキーマ　186, 187, 191, 194, 199, 200, 250
階層的障壁　250
会話分析　67, 225
活性化（energizing）　183, 194, 198
カーネギー学派　40, 48, 53, 55, 56, 57
間主観的世界（intersubjective world）　249
関心事の多元主義　298
艦隊模型　275

管理連鎖（management chain）　267
技術的転写　219
帰納的研究　132, 135
帰納的推論（inductive reasoning）　188
急速に変化する環境　133, 146, 150, 151, 152, 156
教育的実践（pedagogic practice）　206
業績評価　208, 216
競争戦略　20, 33
競争優位性　10, 26, 28, 52
グラウンディドリサーチ　160
グラウンデッドアプローチ　189
グラウンデッドセオリー　254
クラフティング　278
クラフティングメタファー　272
経営政策　5, 8
経済資本　213, 219, 222
ケイパビリティ　56
言語　205, 206
現地化　188
コア・コンピタンス　52
交渉的秩序の理論　110
交渉による現実　200
交渉による社会的構成　187, 202
構造化論　46, 58, 63, 101, 110
行動主義　193
互恵的行動（reciprocal behavior）　264
心揺さぶるイメージ　199, 201
コンサルティング　29, 32, 73, 103, 280
コントロール　205, 206, 209, 219
コンフリクト　207
　──解消　132, 134, 138, 147

【サ行】

再帰性　273
再帰的なイナクトメント　274
再帰的な学習　271
差別化　3, 32
参与観察　54, 103, 188

事項索引　327

事業計画　205, 206, 208, 212, 213, 214, 216, 217
　　——のミクロな実践　213
資源ベース論（Resource-Based View）　10, 11, 18, 26, 27, 52, 77, 291
自省（self-reflection）　215
持続的優位性　10
実行中の教育としての事業計画　223
実行中のセンスメーキングプロセス　196
実践
　　——的活動　302
　　——的転回　39, 40, 41, 45, 46, 47, 49, 283, 286
　　——という概念　290
　　——としての戦略　184, 201, 204, 226, 249, 269, 284, 288, 292, 294, 297
　　——としての戦略というパースペクティブ　290
　　——としての戦略の「会話」　287
　　——としての戦略のパースペクティブ　296
　　——としての戦略論　158
　　——における戦略形成　272
　　——のコミュニティ　48, 51, 52, 53, 65
　　——理論　48, 51, 67
質的内容分析　195
実用主義者　301
資本　205, 207
社外研修　81
社会構成主義　273, 274
社会的合意形成　248
社会的コンテクスト　285
集権化　146
集合的解釈スキーマ　200
修辞的な戦略　186
修正（re-visioning）　183, 198
周辺的参加者　209
主体の行為　47, 48, 58
状況的学習　40, 50, 51, 52, 62, 65, 67
象徴的行為　186
象徴的パワー　199
象徴的暴力　205, 206, 219
象徴による強化（symbolic reinforcement）　264
承認付合意形成アプローチ　152
人工物　45, 70, 91, 92, 102
新実証主義　297
新制度派　64

　　——研究　48
　　——組織論　64
　　——理論　57, 62, 63, 64
シンボリック相互作用論　49, 67, 110
遂行的ルーティン　35, 56, 68
スキーマ　248, 250, 251, 253, 254, 255, 257, 261, 262, 264, 265, 266, 267, 269
　　——形成プロセス　251
スクリプト　34, 64, 84
　　——理論　58
制限された合理性　53
制限された生産　212
制限された文化的生産　220
生産の場の理論　75
制度化　57
　　——された実践　295
制度的企業家　32
制度派　48
　　——研究　40
　　——理論　11, 17, 30, 31, 50
制度フィールド　205, 207
制度理論　222
　　——パースペクティヴ　207
センスギバー（意味提供者）　200
センスギビング（意味付与）　55, 65, 183, 186, 196, 197, 198, 285
センスメーカー（意味作成者）　200
センスメーキング（意味形成）　15, 24, 40, 48, 50, 53, 54, 55, 62, 65, 67, 183, 186, 196, 198, 248, 249, 261, 262, 265, 266, 267, 269, 285
センスメーキング／センスギビングパースペクティブ　200
センスメーキング／センスギビングプロセス　197
戦略　225
　　——エピソード　81
　　——家　184
　　——化（strategizing）　4, 7, 63, 70, 77, 78, 91, 92, 94, 184, 201, 202, 225, 269, 295
　　——家の役割　294
　　——クラフティング　272, 278
　　——計画　3, 7, 19, 21, 29, 34, 40, 63, 64, 91, 92, 96
　　——形成　52

——実践　291
　　——的意思決定　7, 10, 17, 20, 77, 80, 132
　　——的イシュー　77, 80
　　——的活動　283
　　——的認知研究　198
　　——的マネジメント　194
　　——転換　21, 24, 50, 183, 185, 191, 195, 200, 202
　　——転換プロセス　185, 190, 191, 193, 203
　　——というパースペクティブ　289
　　——のプロセス　13, 292
　　——プロセス研究　13
　　——を行うこと（doing strategy）　184, 201, 248, 268, 270
想起（envisioning）　183, 190
組織
　　——個体群　57
　　——コンテクスト　284
　　——の住人化　88
　　——フィールド　205
　　——編成（organizing arrangements）　262
　　——ルーティン　16, 26, 34, 48, 50, 53, 57, 77

【タ行】

ダイアリー調査法　54, 249, 252, 253, 268
大規模な文化的生産　220
ダイナミック・ケイパビリティ　11, 16, 23, 26, 55, 77
多角化　3, 12, 18, 20, 21, 30, 57
多元的視点　15
脱同一化（脱アイデンティフィケーション）（'deidentification'）　262
知識構築　271
積み重ね（laminate）　231
中範囲の理論　40, 155
　　——化　39
調整　250
抵抗する（hold-out）　190
　　——情報提供者　203
ディスコース　28, 29, 33, 64, 67, 72, 73, 227
　　——分析　58, 67, 73
定性的研究　108
定性的分析　159
定量的研究　108

定量的分析　159
デザインによる多義性　192, 199
手と心のリンク　271
手を動かすこと（hands-on）　273
伝達（signaling）　183, 190, 198
伝統的な戦略論　298
陶芸家のメタファー　272
同型性　216
トートロジー　27
トライアンギュレーション　136
ドラマツルギー　49, 67

【ナ行】

内省的な学習　296
内部（関係）者　203
内部者的立場の研究者　189
内容学派　7
ナレッジ・マネジメント　32
2次分析（second-order analysis）　188, 195
二重の研究者　189
2層の助言プロセス　132, 152
日常の活動　295
人間主体（human agency）　221
認識論的自省性　210
認知研究　14, 15
認知障害　250, 266
認知処理　152

【ハ行】

パラダイム　290
パワー　205, 206
半構造化インタビュー　135
比較事例研究　155, 157
比較事例法　156
ビジネス・プランニング　73
ビジネス用語（the language of business）　218
ビジュアル化　277, 279
非-人的行為主体　62
非-人的主体　61
人の手と心の間のリンク　271
批判的　73
非本質主義　42
フォーカス・グループ　54, 90, 91, 103, 249, 253, 268

部外者的立場を担った研究者　189
フーコーディアン　48,59
部分事例　134
プラクシス　34,35,36
プラグマティズム　5,42,43,44,47,48,67
　　——的転回　41
プロセス学派　7
プロセス研究　13
文化資本　212,213,219,222
弁証法的な対話　250
方法論的囲い込み　50
方法論の多元主義　298
ポーターの5つの競争要因（Porter's Five Forces）　299
ポリフォニー　287

【マ行】

マネジメントコントロール　206
マネジメント主義　211
マネジメント主義者　208
ミクロプロセス　203

——の強調　295
ミクロ-マクロリンク　206
民族誌的分析手法　225
明示的／遂行的　65
明示的（ostensive）ルーティン　16,35,56
メタファー　227
メタ理論的ディスコース　39,40
メタ理論的枠組み　75

【ヤ行】

雪だるま式サンプリング　211

【ラ行】

理論的スキーマ　271
ルースカップリング　216
ルーティン　11,16,26,35,36,40,53,55,56,62,65,78
　　——の遂行的（performative）側面　16
レゴ・シリアス・プレイ　272,278
レゴ・シリアス・プレイワークショップ　274

人名索引

【A】

Abelson, R. 28
Abrahamson, E. 30, 64
Akrich, M. 61
Allen, K. 30
Allison, G. 101
Alvesson, M. 76
Ambrosini, V. 26, 33, 52
Argote, L. 53
Argyris, C. 25, 32, 91
Ashkenas, R. 32

【B】

Bacharach, S. 32, 96
Baden-Fuller, C. 31
Balogun, J. 24, 54, 72, 77, 86, 87, 90, 91, 103, 203, 248, 266, 288
Bamberger, F. 32
Bambri, A. 73
Barker, R. 25
Barley, S. 12, 34, 58, 72, 75, 83, 84, 85, 89, 90, 99, 100, 102
Barnard, C. 5
Barnard, H. 23
Barney, J. 10, 26, 27, 47
Baron, J. 57
Barr, P. 51
Bartlett, C. 31
Bartunek, J. 250, 266
Bate, S. 87
Baum, J. 14
Becker, M. 55
Bettenhausen, S. 14
Bhambri, A. 8
Blackler, F. 22
Bourdieu, P. 5, 45, 46, 56, 62, 67, 75, 83, 206, 207, 210, 211, 217, 219, 222

Bourgeois, L. 14, 63, 154
Bower, J. 13, 14, 23
Bowman, E. 33, 52
Boydston, J. 5
Brews, P. 63
Bromiley, P. 7
Brown, S. 10, 13, 17, 28, 47, 52
Brunsson, N. 30
Burgelman, R. 14, 23, 281
Bürgi, P. 73, 75, 86, 96
Burns, J. 24
Butler, J. 11, 27

【C】

Callero, P. 67
Callon, M. 59, 60, 61, 62, 65
Cardinal, L. 13
Chakravathy, B. 13
Chambers, D. 14
Charns, M. 57
Chen, M. 6
Chia, R. 99
Chittipeddi, K. 25, 54, 55, 65, 71, 72, 74, 75, 77, 83, 86, 88, 90, 99, 184, 185, 187, 188, 196, 203
Clark, A. 29, 30, 61
Codling, B. 12, 30, 58
Cohen, M. 55
Collier, J. 93
Contu, A. 52
Cook, K. 66
Cooper, D. 29, 59, 64, 207, 212, 221
Corbin, J. 70, 95
Creed, W. 12, 30, 58
Crocker, J. 250
Crump, N. 22
Cummings, T. 8, 45
Cyert, R. 7, 53, 55

人名索引

【D】

D'Aveni, R.　10
Davis, G.　30, 31
de Certeau, M.　45, 46, 62, 67
Deephouse, D.　31
Demers, C.　94
Denis, J.　59, 100
Derrida, J.　42
Dewey, J.　5, 42, 43, 47, 62
Dieljam, K.　30, 31
DiMaggio, P.　21, 31, 216
Djelic, M.　28
Dobbin, F.　57
Dougherty, D.　23, 62
Doz, Y.　13
Drucker, P.　214
Dugdale, A.　59
Duguid, P.　13, 28, 47, 52
Dukerich, J.　54
Dunne, D.　23
Dutton, J.E.　54
Dyer, W.　74, 83

【E】

Egginton, W.　39, 41, 42
Eisenhardt, K.　10, 13, 14, 17, 26, 69, 71, 72, 74, 75, 77, 83, 86, 97, 98, 100, 102, 132, 134, 154, 156
Elsbach, K.　51
Engestrom, Y.　51, 53

【F】

Fairchild, G.　30
Fairclough, N.　67, 95
Feldman, M.　11, 16, 30, 35, 56, 65, 99
Fincham, R.　30
Fine, G.　66
Fiol, M.　215
Fligstein, N.　32, 57, 64
Foucault, M.　42, 45, 59, 67
Freeman, R.　44
Fujimoto, J.　61

【G】

Gaebler, T.　214
Galunic, C.　13
Gavetti, G.　11
Ghoshal, S.　31
Giddens, A.　5, 29, 45, 46, 50, 56, 64, 67, 100
Gioia, D.　25, 28, 54, 55, 65, 71, 72, 74, 75, 77, 83, 86, 88, 90, 99, 184, 185, 187, 188, 196, 203, 280
Glaser, B.　83
Goffman, E.　67
Grant, R.　12, 13, 26, 30
Grau, J.　24
Greenwood, R.　17, 32
Greiner, L.　8, 73
Griffiths, A.　24
Guba, E.　70, 71

【H】

Hafsi, T.　94
Hambrick, D.　6, 17
Hamel, G.　32, 52
Hardy, C.　12, 32, 58, 95, 96
Hargadon, A.　51
Harris, L.　24
Hassard, J.　61
Hellegren, B.　31
Hendry, J.　9, 22, 34, 78, 79
Hesterley, W.　10
Hickson, D.　156
Hodgkinson, G.　14, 22, 54, 65, 73, 92
Holm, P.　32
Howard-Greville, J.　56
Huberman, A.　70, 81, 95
Huff, A.　10, 215
Hunt, M.　63
Hutchins, E.　52
Huxham, C.　26

【J】

Jacobs, C.　73
Jacobsson, B.　30
Jammine, A.　12, 30

Jarzabkowski, P.　20, 30, 63, 288
Jennings, P.　57
Jimmieson, N.　24
Johnson, G.　8, 9, 10, 12, 17, 20, 24, 30, 54, 56, 58, 64, 72, 77, 86, 90, 91, 103, 203, 248, 266, 288
Johson, J.　24
Jones, R.　24
Judge, W.　98

【K】

Khan, R.　87
Knights, F.　57, 59
Knorr-Cetina, K.　39, 60
Kostova, T.　57

【L】

Labianca, G.　250, 266
Langley, A.　59, 64, 72, 75, 79, 80, 83, 86, 95, 96, 100, 101, 102
Latour, B.　42, 56, 60, 61, 63, 289
Lave, J.　51, 53
Law, J.　59, 60, 61, 62, 66
Lawrence, T.　12, 20, 32, 58
Lincoln, Y.　70, 71
Lioukas, S.　14
Lipparini, A.　26
Lorenzoni, G.　26
Luhmann, N.　78
Lynch, M.　67

【M】

MacDonald, S.　22
MacLean, C.　61
Maguire, S.　12, 32, 58
Maitlis, S.　20, 54, 55
Mangham, I.　67
Mann, W.　95
Mantere, S.　20
March, J.　7, 18, 53, 55
Martin, J.　26
Mason, P.　17
McEviley, B.　53
McHugh, A.　96
Mead, G.　5, 67

Melin, L.　8, 9, 36, 288
Meyer, J.　57, 214, 218
Mezias, S.　57
Michael, M.　60
Miles, M.　70, 81, 95
Miller, A.　98
Miller, C.　13, 24, 98
Miller, V.　24
Mintzberg, H.　5, 13, 14, 17, 19, 27, 52, 63, 64, 69, 96, 215, 271, 272, 273, 274, 278, 279, 281
Mohr, L.　72
Molloy, E.　16, 30, 66, 91, 92
Morgan, G.　57, 59, 90
Murnighan, K.　14

【N】

Nelson, R.　57
Noda, T.　23
Nonaka, I.　32
Normann, R.　13

【O】

Oakes, L.　29, 59, 64, 73, 75, 77, 83, 86, 89, 94, 100, 207, 212, 221
Ogbonna, E.　24
Ohmae, K.　214
Orlikowski, W.　52
Orr, J.　52
Osborne, D.　214

【P】

Palmer, D.　57, 64
Papadakis, V.　14
Patton, M.　70, 76, 81, 82
Peirce　42
Pentland, B.　16, 30, 35, 56, 65
Persons, T.　45
Peters, T.　214
Petraf, M.　26
Pettigrew, A.　13, 17, 24, 47, 77, 87, 281
Peyrot, M.　67
Phillips, N.　11, 58, 95
Pineault, M.　100
Pisano, G.　26, 55

Polanyi, M. 103
Poole, P. 28, 264
Porac, J. 31
Porter, M. 29, 31, 32, 299
Powell, T. 21, 31, 44
Pozzebon, M. 46
Prahalad, C. 32, 52
Priem, R. 11, 27
Putnam, H. 43, 91
Pye, A. 87

【R】

Rafaeli, A. 11
Raisinghani, D. 14
Reagans, R. 53
Reason, P. 87
Reckwitz, A. 28, 45
Regnér, P. 10, 20, 288
Reuer, J. 26
Ridgeway, V. 25
Rigby, D. 63
Roberts, K. 15, 54, 65
Roos, J. 73
Rorty, R. 42, 43
Rose, J. 96
Roth, K. 57
Rouleau, L. 54, 59, 77, 288
Rowan, B. 57, 214, 218
Rumelt, R. 20, 25, 30

【S】

Salvato, C. 26
Samra-Fredericks, D. 20, 22, 67, 73, 77, 83, 96
Sandbothe, M. 39, 41, 42
Savigny, Von 39
Schank, R. 28
Schatzki, T. 39, 45, 46
Schendel, D. 20
Schon, D. 32
Schwarz, M. 22
Scott, W. 47, 57
Seidl, D. 9, 22, 34, 60, 78, 79, 288
Seo, M. 12, 30, 58
Shortell, S. 57

Shuen, A. 26, 55
Simon, H. 53
Singh, H. 23, 26, 33, 56
Smith, D. 12, 30, 58
Smith, M. 91
Smith, S. 30
Sonnenstuhl, W. 32
Sparrow, P. 14, 54
Spender, J. 28, 31
Stearns, L. 30
Stolte, J. 66
Strauss, A. 70, 83, 95, 100
Stronz, M. 91, 103
Suddaby, R. 17, 32
Sutton, R. 18
Sveningsson, S. 76

【T】

Takeuchi, H. 32
Taylor, C. 15
Teece, D. 20, 26, 55
Theoret, A. 14
Thomas, H. 12, 30, 31, 33
Thompson, S. 95
Tinsley, C. 30, 31
Tolbert, P. 11, 12, 34
Toulmin, S. 41, 45
Townley, B. 29, 59, 64, 207, 212, 221
Tsoukas, H. 45, 99

【V】

Vaara, E. 67, 280
Vangen, S. 26
Van Maanen, J. 80
van de Ven, A. 47

【W】

Wally, S. 14
Walsh, J. 14
Waters, J. 19, 27, 96
Weber, R. 250
Weick, K. 15, 54, 65
Wenger, E. 51, 52, 53, 63
Westley, F. 77

White, R.　13
Whitley, F.　28, 64
Whittington, R.　7, 8, 9, 10, 12, 16, 28, 30, 35, 36, 46, 47, 64, 65, 66, 91, 92, 288
Wicks, A.　44
Wildavsky, A.　77
Wilkins, A.　74, 83
Willmott, H.　52
Winter, S.　23, 57
Wittgenstein, L. Von　42
Woolgar, S.　60
Wright, G.　22, 65, 73, 92

【Y】

Yin, R.　70, 71, 76, 82, 98, 156
Young, G.　57
Yukl, G.　25

【Z】

Zenger, T.　10
Zhou, X.　57
Zollo, M.　23, 26, 56
Zorn, D.　57
Zucker, L.　11

訳者紹介

監訳者

■高橋　正泰（たかはし　まさやす）
1951年新潟生まれ。早稲田大学商学部卒業，早稲田大学大学院商学研究科修士課程修了（商学修士），明治大学大学院経営学研究科博士後期課程単位取得退学，経営学博士（明治大学）。1982年小樽商科大学短期大学部専任講師に就任。その後，小樽商科大学商学部教授を経て，現在，明治大学経営学部教授。明治大学大学院経営学研究科科長。

■主要著書
『経営学―理論と体系―』＜第三版＞（共著）2008年，同文舘。
『組織シンボリズム―メタファーの組織論―』＜増補版＞2006年，同文舘。
『ポストモダン組織論』（共著）2005年，同文舘。
『組織と戦略』（共編著）2004年，文眞堂。

■翻訳
ステファン・デニング『ストーリーテリングのリーダーシップ』（監訳，共訳）2011年，白桃書房。
ジョン・シーリー・ブラウン他『ストーリーテリングが経営を変える』（監訳，共訳）2007年，同文舘。

■本書翻訳担当
　第12章

訳者

■宇田川　元一（うだがわ　もとかず）
1977年東京都生まれ。立教大学経済学部卒業，立教大学大学院経済学研究科修士課程修了（修士（経営学））。明治大学大学院経営学研究科博士後期課程単位取得退学。2005年明治大学経営学部助手，2006年早稲田大学アジア太平洋研究センター助手。2007年国立大学法人長崎大学経済学部講師に赴任。2008年同准教授を経て，2010年より西南学院大学商学部准教授。

■主要著書
「戦略が創られるとき―戦略論研究の新しいアジェンダに向けて―」『経営情報学会誌』第18号，第3巻。
「戦略論研究の展開と課題―現代戦略論研究への学説史的考察から―」『経営学の現在―経営学史学会年報第14輯―』（2007年度経営学史学会賞論文部門奨励賞），『経営戦略理論史』（共著：学文社）他。

■翻訳
ステファン・デニング『ストーリーテリングのリーダーシップ』（共訳）2011年，白桃書房。
マーク・イースターバイ＝スミス他『マネジメント・リサーチの方法』2009年，白桃書房。
ジョン・シーリー・ブラウン他『ストーリーテリングが経営を変える』（共訳）2007年，同

文舘。
■本書翻訳担当
第1章,第2章,第3章

■高井　俊次（たかい　としつぐ）
1952年兵庫県生まれ。大阪大学人間科学部，同大学院人間科学研究科博士前期課程人間学専攻修了（文学修士），湊川女子短期大学教授を経て，2005年室蘭工業大学教授，現在に至る。2005年明治大学経営学部特別招聘教授。
■主要著書・論文
『語りと騙りの間』（共編著）2009年，ナカニシヤ出版。
『現代の流通と政策』（共著）2006年，中央経済社。
「MOT，PSMとナレッジ・マネジメントの課題?イノベーション，クラスターの逆説，ストーリーテリング」2006年，『OA学会論集』第26巻4号
■翻訳
ステファン・デニング『ストーリーテリングのリーダーシップ』（監訳，共訳）2011年，白桃書房。
ジョン・シーリー・ブラウン他『ストーリーテリングが経営を変える』（監訳，共訳）2007年，同文舘。
■本書翻訳担当
第4章,第6章,第9章

■間嶋　崇（まじま　たかし）
1974年埼玉県生まれ。専修大学経営学部卒業，専修大学大学院経営学研究科修士課程修了（経営学修士），専修大学大学院経営学研究科博士後期課程単位取得退学，博士（経営学）（専修大学）。2002年広島国際大学医療福祉学部医療経営学科専任講師。現在，専修大学経営学部准教授。
■主要著書
『組織不祥事—組織文化論による分析—』2007年，文眞堂。
■本書翻訳担当
第7，8，11章

■歌代　豊（うたしろ　ゆたか）
1959年新潟県生まれ。上智大学理工学部卒業，筑波大学大学院経営・政策科学研究科修士課程修了（修士（経営学））。1982年株式会社三菱総合研究所入社。同社経営情報システム室長，大阪大学客員教授等を経て，2004年明治大学経営学部助教授。2009年より同学部教授。
■主要著書
『技術経営(テクノロジー)—技術戦略とMOT』（共編著）2006年，学文社。
『情報・知識管理インフォメーション・マネジメント—ITとナレッジマネジメント』（編著）2007年，学文社。
■本書翻訳担当
　第5章，第10章

実践としての戦略
―新たなパースペクティブの展開―

2012年3月31日 第1版第1刷発行　　　　　　　　検印省略

監訳者	高　橋　正　泰
訳　者	宇田川　元　一
	高　井　俊　次
	間　嶋　　　崇
	歌　代　　　豊
発行者	前　野　　　弘
発行所	東京都新宿区早稲田鶴巻町533 株式会社　文　眞　堂 電話 03（3202）8480 FAX 03（3203）2638 http://www.bunshin-do.co.jp 郵便番号(162-0041)振替00120-2-96437

印刷・(株)モリモト印刷　製本・イマキ製本所
© 2012
定価はカバー裏に表示してあります
ISBN978-4-8309-4756-8　C3034